L'AME SŒUR

CATHERINE COOKSON

L'AME SŒUR

FRANCE LOISIRS
123, boulevard de Grenelle, Paris

Titre original : *The Cultured Handmaiden*
Traduit par Catherine Pageard

Édition du Club France Loisirs, Paris,
avec l'autorisation des Presses de la Cité

PREMIÈRE PARTIE

1

« — Écoute bien ce que je vais te dire, parce que tu t'en souviendras jusqu'au jour de ta mort ! La chasteté est ce qui coûte le plus cher au monde. Et, plus longtemps tu restes chaste, plus le prix à payer est élevé. Certaines femmes sont des vierges-nées car en elles, c'est la masculinité qui a pris le dessus. Pour celles qui, comme toi, veulent devenir l'épouse du Christ — il doit avoir un beau harem celui-là, et plein à craquer —, c'est une fuite, une fuite de la vie... Et au bout du compte, sais-tu ce qu'il y a au bout du compte ? cela se résume en un mot : la sexualité. Et vous en avez si peur que vous préférez sublimer vos pulsions et vous enfermer dans un couvent où vous vous livrez pieds et poings liés à des règles tyranniques et vous adonnez aux pratiques les plus humiliantes, comme de vous prosterner, face contre terre, ou de baiser les pieds... Mon Dieu ! Quand on y pense... Et Lui, est-ce que ça ne Le rend pas malade ce que l'homme inflige à la femme en Son Nom ? Vas-y ! Oui, vas-y... Dépêche-toi ! Ton époux t'attend... Un dernier mot : rappelle-toi qu'Il a promis que dans l'au-delà, il n'y aurait ni mari ni épouse. Alors tu vas tout perdre... Que disais-tu ?

— Je disais que je prierais pour toi...

— Va au diable !

— J'en viens et c'est pourquoi justement j'ai choisi d'aller ailleurs. »

La main de la souffleuse de la troupe, qui tenait le texte de la pièce, retomba. Jinny Brownlow voulut s'appuyer sur un des éléments du décor, mais elle le sentit vaciller dangereusement. Tout risquait de s'effondrer. Ce serait le comble. Un beau final pour une semaine catastrophique.

Sur la scène, les huit acteurs qui composaient la troupe étaient en train de saluer, mollement applaudis par un maigre public. Le rideau tomba. Il n'y eut pas de rappel. On n'entendit bientôt plus que le raclement des chaises sur le plancher et le frottement des pieds des derniers spectateurs qui se bousculaient vers la sortie.

Jinny rejoignit les acteurs qui se dirigeaient maintenant vers les vestiaires que le Social Hall de Fellburn avait mis à leur disposition. Ray Collard était un des premiers à avoir quitté la scène. Il ne lui avait même pas accordé un regard lorsqu'il était passé à côté d'elle. Il y avait quelque chose qui n'allait pas. Elle le sentait déjà depuis un certain temps, et durant toute cette semaine où Ray avait tenu le premier rôle dans cette pièce minable, tout n'avait fait qu'empirer. Il est vrai que ce spectacle était un fiasco complet. La critique de la *Fellburn Gazette* parue le mercredi précédent, qui avait dénoncé le mauvais goût presque blasphématoire de la tirade finale, n'avait pas réussi à faire venir les athées et incroyants en tout genre. Et puis elle ne s'en était pas tenue là, elle avait prétendu que si l'auteur de cette pièce avait voulu prouver qu'une femme bien était vouée à finir dans la misère, et que la vie se réduisait à la sexualité, il avait complètement raté son coup. Sinon, comment expliquer que le héros propose à la jeune fille de l'épouser ? Ce n'était pas logique.

— Pardon... dit Jinny qui venait de bousculer Jess Winter en passant.

Jess, toujours parfaite comédienne, lui rétorqua en riant :

— Te pardonner, Jinny ? Mais qu'as-tu fait pour que je te pardonne, à part me souffler mes deux mauvaises répliques ? Et dire que je suis censée être amusante pour faire passer cette tirade indigeste qui...

La fin de sa phrase se perdit dans les cintres ; à nouveau Jinny s'excusa en passant devant Hal Campbell. C'était lui qui s'occupait des acteurs et présidait aux destinées de la troupe. D'habitude il avait le dernier mot quant au choix des quatre pièces qu'interprétaient chaque année les Fellburn Players. Mais cette fois, il n'y était pour rien. C'était Philip Watson, le metteur en scène, qui avait décidé de monter cette pièce sous prétexte qu'il était grand temps pour les gens de Fellburn de se mettre à penser. Apparemment, c'est ce qu'ils avaient fait... Aussitôt après la première représentation, ils avaient pensé qu'il valait mieux rester chez soi.

Hal Campbell attrapa Jinny par le bras, l'immobilisant un moment.

— Voyez ce que vous pouvez faire avec Ray, lui soufflat-il. Il a dit qu'il ne viendrait pas à la soirée organisée en l'honneur de la troupe. Il y a quelque chose qui ne va pas ?

— Non, pas à ma connaissance...

L'air sceptique, Hal lui lâcha le bras. Il ne la croyait pas. Et pourtant, elle lui avait dit la vérité : elle ne savait rien. Tout ce qu'elle savait, c'était qu'elle se conduisait comme une imbécile, et qu'elle ne pouvait pas faire autrement.

Lorsqu'elle rejoignit Ray Collard au bout du couloir, ce fut pour être témoin d'une violente altercation entre l'acteur et le metteur en scène.

— Tu es content, tu as eu ce que tu voulais ! hurlait-il. Depuis trois ans que je joue avec cette bande de cloches, je n'ai encore jamais vu un pareil four !

— Peut-être que la pièce n'y est pour rien et que ce sont les acteurs, fit remarquer Philip Watson. Il y en a qui passent et d'autres non...

— Ray ! hurla Jinny.

Ray, qui allait empoigner le metteur en scène, baissa les bras, puis se tournant vers elle, il lui cria :

— Va chercher ton manteau ! Nous partons.

Il ouvrit la porte qui se trouvait à côté de lui, pénétra dans le vestiaire et fit violemment claquer la porte derrière lui.

— Faites ce que votre patron vous a dit ! lança Philip Watson en regardant Jinny. Il vous a ordonné d'aller chercher votre manteau. Alors, tâchez de lui obéir et plus vite que ça !

Jinny lui lança un regard étonné. Même si Philip Watson avait toujours été gentil avec elle, elle ne l'aimait pas. Elle s'apprêtait à lui tourner le dos quand, sur un ton totalement différent, il ajouta :

— Moi, à votre place, Jinny, je n'irais pas chercher mon manteau et je viendrais à la soirée avec le reste de la troupe... Si je dis ça, c'est uniquement pour votre bien.

Elle le regarda par-dessus son épaule. Chaque fois que les gens ont quelque chose de désagréable à vous annoncer, ils vous disent toujours que c'est pour votre bien.

Elle reprit le couloir en sens inverse et pénétra dans la pièce baptisée pour la circonstance « vestiaire des dames ». A l'intérieur, les discussions allaient bon train et tout le monde était d'accord pour dire que c'était une véritable folie de monter une pièce pareille à Fellburn, mais Jinny n'y prêta pas la moindre attention. Elle alla chercher son manteau, son chapeau et son écharpe, puis elle quitta la pièce sans que personne ne l'ait remarquée. Après tout, elle n'était pas une actrice, à proprement parler. Elle était tout juste bonne à jouer les souffleurs ou à accompagner un chanteur au piano. Mais comme on n'avait pas manqué de le lui faire remarquer, elle n'était pas une professionnelle. Son manque de talent d'accompagnatrice avait souvent empêché l'interprète de donner le meilleur de lui-même.

Après chaque séance musicale, Gladys Philips, premier rôle de la troupe, soprano et épouse du ténor Peter Philips, faisait la critique de la représentation. C'est étrange, pensa Jinny, comme les chanteurs sont toujours contents d'eux. Jamais ils ne mettaient en cause leur voix, c'était l'acoustique, ou les courants d'air qui venaient des coulisses, ou bien ils n'étaient pas en forme, ce soir-là... Mais le plus souvent, c'était tout simplement la faute de l'accompagnatrice.

Ray Collard était déjà dans la voiture. Il lui laissa à peine le temps de monter et il démarra en trombe, sans une explication. Jinny ne posa pas de questions. Elle savait ce qu'il allait dire et elle n'avait pas envie de l'entendre, car, dans une certaine mesure, c'était sa faute... Non ! se dit-elle, elle n'emploierait pas ce mot à propos de cette histoire. Non, ce n'était pas sa faute.

Sans un mot, ils longèrent le front de mer. Les phares éclairèrent des lettres énormes : *HENDERSON ET GARBROOK, INGÉNIEURS ASSOCIÉS*. Puis apparut une haute grille, et un autre mur percé de fenêtres. La troisième fenêtre de la rangée du bas, en partant de la droite, était sa fenêtre, ou du moins celle du pool de dactylos où Jinny travaillait depuis un an. C'est là qu'elle s'asseyait, chaque jour, sauf lorsqu'elle remplaçait une secrétaire partie en vacances ou quelqu'un de malade dans un autre bureau.

Il lui traversa l'esprit que si elle devait quitter cet endroit, elle ne le regretterait pas. La semaine précédente, elle avait demandé un autre poste pour lequel elle était tout à fait qualifiée : non seulement elle tapait à la machine, mais elle savait prendre en sténo et se débrouillait parfaitement en français. Elle l'avait appris en lisant et en écoutant la radio. Mais, depuis qu'elle travaillait chez Henderson, elle n'avait jamais eu encore l'occasion d'utiliser ses compétences. En fait, Mlle Cadwell, qui dirigeait le pool des dactylos, semblait s'ingénier à retarder l'avancement de quiconque ayant des connaissances en français. Noreen Power, une dactylo qui elle aussi connaissait le français, se trouvait dans la même situation que Jinny. Jusqu'ici, l'une et l'autre s'étaient vu refuser toute possibilité de promotion.

Mais qu'importait le français, qu'importait le travail à côté de ce que Ray allait lui annoncer !

La voiture s'était arrêtée dans une rue bordée de hautes maisons étroites. Jinny ouvrit la portière, traversa le trottoir, poussa une petite barrière en fer, descendit les quelques marches qui menaient à son appartement, un trois pièces-cuisine-salle de bains. Elle était maintenant devant la porte d'entrée. Elle mit la clef dans la serrure, ouvrit et alluma dans une grande pièce confortable mais froide. Elle mit en marche le radiateur à gaz ; c'est alors seulement qu'elle se retourna vers celui qui l'avait escortée jusque-là.

Collard la regardait, avec un air agressif. Soudain sans prévenir, il hurla : « C'est toi qui es la cause de tout, tu entends ? C'est toi qui es la cause de tout ! »

Jinny se demanda ce qu'il entendait par « tout ». Elle se contenta d'attendre.

— Je te l'ai déjà dit il y a longtemps que je n'en pouvais plus. Je te l'ai dit que je ne pouvais plus attendre ! Pour toi, cela aurait été tellement simple de...

Tendant brusquement le bras, il pointa son index sur le nez de Jinny, puis il ajouta :

— Depuis que je joue cette foutue pièce, c'est à toi que je dis ces dernières répliques ! Tu m'entends ? C'est à toi que je m'adresse et pas à cette petite oie blanche de Wainwright. Je peux t'assurer que tu finiras comme elle. Pas dans un couvent, ce n'est pas ton genre, mais dans ce minable appartement en sous-sol avec, pour seule compagnie, un couple de chats.

Jinny se taisait toujours. Elle le regardait. Un minable appartement en sous-sol. Oui, c'était un sous-sol, mais il n'était pas minable et les meubles qu'il contenait étaient certainement plus beaux que ceux que Ray Collard aurait jamais l'occasion de voir. De toute façon, que lui proposait-il à la place ? Un deux pièces-cuisine situé au-dessus de sa boutique. Une petite boutique toute simple avec une enseigne toute simple : *RAYMOND COLLARD, PEINTRE ET DÉCORATEUR*. Pour l'instant, il travaillait seul mais il comptait bien s'agrandir, disait-il toujours. C'est dans ce but d'ailleurs qu'il avait rejoint la troupe des Fellburn Players et s'était inscrit au club des artisans de Bog's End. Il n'était bien sûr pas question qu'il entre au Rotary. Mais il aimait à répéter : « C'est en adhérant à un maximum d'associations que l'on se fait le plus de relations. » Il faut reconnaître qu'il avait déjà décroché deux commandes parmi les comédiens amateurs...

A bout d'arguments, il lança soudain à Jinny :

— Emily est une fille qui a du bon sens. Et au fond, elle est bien plus intelligente que toi. Quand je pense que tu l'as toujours traitée de haut...

C'était donc Emily... Bien sûr ! Jinny s'en doutait depuis longtemps. Mais elle avait préféré se raconter des histoires et fermer les yeux.

Un an plus tôt, à la mort de sa mère, elle avait dû quitter la maison où ses parents avaient habité depuis leur mariage, où elle-même était née et où elle avait été élevée, dans l'amour et la joie. La joie... Il n'y avait pas d'autre mot : ses parents respiraient littéralement le bonheur. Le père de Jinny tenait une boutique d'antiquités et sa mère était professeur de musique. Ils n'avaient jamais gagné beaucoup d'argent mais cela ne les avait jamais gênés. Et ils formaient un couple si uni que Jinny supposait que leur exemple avait profondément façonné sa propre conception de la vie.

Elle avait dix-neuf ans à la mort de son père et, moins d'un an plus tard, sa mère disparaissait à son tour, de façon prématurée. Ses parents avaient alors cinquante ans à peine. Sa mère n'était pas morte de maladie. Elle n'avait pas supporté d'être séparée de son mari et, comme l'avait expliqué le médecin, elle s'était laissée mourir.

La maison de six pièces où Jinny avait été élevée n'appartenait pas à ses parents. Le loyer n'était pas très élevé et elle aurait bien aimé continuer à l'habiter. Mais le propriétaire n'avait eu de cesse qu'elle quitte les lieux. Finalement, comme il avait proposé de la reloger, elle n'avait pas pu refuser. Le loyer de son nouvel appartement, situé dans un quartier plus chic, étant plus cher, elle avait été obligée de chercher quelqu'un pour le partager. C'est ainsi qu'Emily Houselea était venue habiter avec elle. Elle était infirmière et assurait surtout les gardes de nuit. Jinny et elle ne se retrouvaient donc ensemble dans l'appartement que pendant le week-end, ce qui, jusqu'ici, leur avait parfaitement convenu.

Quelques semaines plus tôt, lorsque Jinny était rentrée chez elle, elle avait senti une odeur de cigarette. Comme elles ne fumaient ni l'une ni l'autre, elle en avait déduit qu'Emily avait dû recevoir des amis. Ce n'était pas la première fois. D'habitude, Emily en parlait toujours avec Jinny mais, ce jour-là, elle n'avait rien dit...

Ray Collard avait quitté la pièce pour se rendre dans la chambre d'Emily et, quand Jinny s'approcha de la porte pour voir ce qu'il faisait, il lui dit d'un ton rogue :

— Elle est partie. Elle a emporté toutes ses affaires. Cela vaut mieux d'ailleurs... J'aurais préféré que les choses se passent autrement.

Et il continua, l'air soudain radouci.

— Tu le sais, n'est-ce pas, Jinny ? Sans compter qu'elle a huit ans de plus que moi ! Moi, j'aurais pu attendre encore un peu, mais elle m'est tombée dans les bras. Je pense qu'elle a fait ça dans un but bien précis. Là n'est pas la question, de toute façon... En fait, tout ça c'est de ta faute.

Qu'arrivait-il à Jinny ? C'était bien la première fois de sa vie qu'elle éprouvait un tel sentiment. Jusqu'ici elle n'avait jamais eu l'occasion de se montrer agressive mais là, elle avait soudain terriblement envie de frapper Ray Collard, de lui faire mal et de lui envoyer à la figure la première chose qui lui tomberait sous la main.

— Je suis désolé, Jinny, reprit celui-ci. Pourquoi ne dis-tu rien ? Réagis ! Tu es de bois ou quoi ? Lorsque quel-qu'un te fait de la peine, au lieu de te défendre, tu en rede-mandes... Pourquoi n'envoies-tu pas promener les Philips ? Ils sont toujours en train de te faire des réflexions sur la manière dont tu les accompagnes au piano. Et quand ce cher Hal Campbell te dit qu'il n'est pas satisfait, pourquoi ne lui réponds-tu pas qu'il n'a qu'à se payer une pianiste professionnelle ? Mais non ! Toi, tu supportes tout ça. Sans dire un mot. Et tu fais la même chose avec tout le monde, allant de droite et de gauche chaque fois qu'on te l'ordonne comme une employée modèle... Voilà ce que tu es, une employée modèle ! Toujours le sourire aux lèvres, toujours polie, toujours désireuse de faire plaisir et ne disant jamais rien lorsqu'on te marche sur les pieds. Si tu continues à te laisser faire, conclut Ray Collard, tu vas finir ta vie dans cet appartement minable, à moins que tu apprennes à réagir.

Jinny allait... Oui, elle allait le frapper. Renversant soudain la tête en arrière, elle éclata d'un rire fou et, la voix blanche, se mit à crier :

— Ça a marché avec toi, n'est-ce pas ? Ça a marché que je ne me laisse pas faire... Sors d'ici ! Fiche le camp ! Tout de suite ! Sinon, je crois que je vais réagir pour de bon...

Ray Collard se dirigea vers la porte d'entrée. Il s'arrêta, resta un moment sans rien dire, sans la regarder. Puis il fit demi-tour.

— Je suis sincèrement désolé, dit-il. J'aurais aimé que les choses se passent autrement, mais il est trop tard... Et le plus curieux dans tout ça, c'est qu'Emily n'a même pas envie que nous nous mariions. Elle veut simplement vivre avec moi. Mais je l'épouserai dès que l'enfant sera né. Et c'est juste. Au revoir, Jinny.

« Je l'épouserai dès que l'enfant sera né, et c'est juste... »,
se répéta Jinny dès qu'il eut disparu. Étranges ces vieux
relents de morale qu'avaient parfois les gens. Pourquoi
n'épousait-il pas Emily *avant* que l'enfant soit né ? Elle
connaissait parfaitement la réponse : il avait dû se dire
qu'elle pouvait très bien faire une fausse couche ou accou-
cher d'un mort-né. Auquel cas, il se mettrait la corde au
cou pour rien. Il ne pourrait même plus se consoler en se
disant qu'il avait fait son devoir vis-à-vis de l'enfant.

Jinny dénoua son écharpe, retira son chapeau, son manteau, et elle alla les suspendre dans la penderie de sa
chambre. La pièce était glaciale et elle frissonna.

Revenant dans le salon, elle s'assit sur un pouf près du
radiateur à gaz et, les bras croisés sur sa poitrine, se mit à
réfléchir en regardant les grilles qui rougeoyaient dans la
pénombre. Une employée modèle, avait dit Ray Collard...
C'est bien ainsi qu'elle se conduisait. Elle voulait absolument faire plaisir aux gens. C'était son défaut. Depuis que
ses parents étaient morts, elle éprouvait le besoin maladif de
se retrouver à nouveau au sein d'une famille. Bien que fille
unique, tant que ses parents avaient été vivants, elle n'avait
jamais éprouvé le besoin de rencontrer qui que ce soit
d'autre : le monde se résumait à sa famille. La seule note
discordante dans cette vie harmonieuse avait été Nell
Dudley, la cousine de sa mère. Ses parents avaient toujours
laissé entendre que Nell était une femme très ordinaire.
Très différente donc de la mère de Jinny qui était raffinée et
distinguée. D'ailleurs, elle disait souvent que sa cousine
Nell avait eu de la chance de décrocher un aussi bon parti.
Elle était mariée à un avocat, un homme charmant, et
vivait, grâce à lui, dans une maison indépendante avec
jardin, dans la banlieue de Shields.

Un jour où Jinny lui rendait une visite de politesse, elle
s'était soudain exclamée d'une voix prophétique : « Ça ne
peut pas durer votre histoire : toi et tes parents, vous vous

bercez d'un bonheur illusoire. Ce n'est pas normal d'avoir une vie comme la vôtre, douce et sans souci. Un de ces jours, il va vous arriver un coup dur. Prends garde, ma petite ! Et prépare-toi à... »

Le jour de l'enterrement de sa mère, Nell n'avait pas pu s'empêcher, bien sûr, de donner son avis. « Ce sont toujours les meilleurs qui s'en vont les premiers », avait-elle dit. Elle fit suivre cette remarque plutôt chaleureuse d'un commentaire presque dédaigneux : « Pour affronter les gens et la vie d'aujourd'hui, il vaut mieux avoir quelque chose dans le ventre », et changeant à nouveau de ton, elle avait ajouté gentiment : « Si, un jour, tu as besoin de nous, tu sais où nous trouver. »

Ce jour-là, Jinny s'était dit que, quel que soit à l'avenir son besoin de compagnie, elle n'irait pas chez sa cousine, pour rien au monde. Pourtant, il ne lui avait pas fallu longtemps pour se rendre compte que Nell avait au moins raison sur un point : il fallait avoir quelque chose dans le ventre pour affronter les gens et la vie d'aujourd'hui. Et ce fameux « quelque chose » faisait souvent défaut à Jinny.

C'est sans doute pour cette raison qu'elle ne s'était pas méfiée des avances de M. Pillon. Cela faisait un mois qu'elle travaillait chez Henderson lorsque, un soir où il pleuvait, celui-ci avait proposé de la ramener chez elle en voiture. Elle avait très volontiers accepté. Quelques jours plus tard, il l'avait invitée à venir boire un pot avec lui à la sortie du bureau. La troisième fois, au lieu de la reconduire directement chez elle, il avait arrêté sa voiture dans une rue peu passante et tenté de pratiquer avec elle ce qui lui paraissait être la seule occupation nocturne digne de ce nom et une juste rétribution pour l'avoir invitée à sortir avec lui. Jinny l'avait violemment repoussé contre la portière et elle était descendue de la voiture. Il l'avait alors agrippée par le bras en lui disant : « Et puis quoi encore ? Vous saviez très bien ce qui allait se passer. Sinon, pourquoi êtes-vous venue ? »

Jinny n'avait éprouvé aucune colère. Elle avait simplement eu peur et s'était sentie humiliée. Elle avait aussi attrapé un bon rhume car elle avait été obligée de rentrer chez elle à pied sous une pluie battante.

Le lundi matin, en arrivant au bureau, quand Betty Morris lui avait dit : « J'ai vu que tu partais avec Pillon vendredi soir. Fais attention ! Si sa femme l'apprend, tu risques de passer un mauvais quart d'heure », elle avait cru mourir de honte.

Pillon, marié ? Jamais elle n'aurait imaginé une chose pareille. Il ne se comportait pas en homme marié. Mais savait-elle seulement comment se conduisaient les hommes lorsqu'ils étaient mariés ? Elle était vraiment complètement idiote. Mais cela lui avait servi de leçon.

Un mois plus tard, par l'intermédiaire de Betty Morris, elle avait rejoint la troupe des Fellburn Players et rencontré Ray Collard. Il aimait le théâtre depuis que, tout jeune, il avait fait partie de la troupe du lycée et, au dire des autres acteurs, il avait du talent.

Baissant soudain la tête, Jinny faillit se mettre à pleurer. Maintenant qu'elle ne sortait plus avec lui, comme la semaine allait lui paraître longue ! Cinq jours interminables passés au bureau, au milieu du cliquetis des machines à écrire qu'interrompaient régulièrement les ordres lancés d'une voix grinçante par Mlle Cadwell. A midi, le brouhaha de la cantine, les bavardages et les cancans, les cols blancs installés d'un côté de la salle, les ouvriers, de l'autre. L'idée de les faire tous déjeuner dans la même salle venait de M. Henderson. Ce n'est qu'à cette condition qu'il avait accepté de faire construire une cantine. Mais son initiative avait mal tourné : tout le monde mangeait dans la même salle, mais sans se mélanger. Et on disait dans l'entreprise que si, jusque-là, il n'y avait pas eu de grève, cette fraternisation forcée risquait d'en provoquer une.

Un diable d'homme que ce M. Henderson ! On disait

qu'il arrivait au bureau bien avant tout le monde et ne quittait l'entreprise que tard le soir. Ce n'était pas le cas de
M. Garbrook, son associé. Celui-ci faisait une brève appari-
tion chaque trimestre, le jour du conseil d'administration
seulement.

A cinq heures précises — pas une seconde plus tôt chez
Henderson! — tout le monde se précipitait vers les grilles
de l'usine, allait rejoindre soit le parking, soit l'arrêt du bus.
Avec un peu de chance, Jinny attrapait le premier bus.
Mais parfois, elle était obligée d'en laisser passer deux ou
trois avant d'en trouver un qui ne soit pas trop bondé. En
arrivant chez elle, elle dînait rapidement et bavardait avec
Emily, lorsque celle-ci était là. Deux soirs par semaine,
lorsque les Fellburn Players répétaient une pièce, elle rejoignait la troupe. De temps en temps, elle allait au cinéma.
Les autres soirs, elle restait chez elle et écoutait la radio ou
elle en profitait pour travailler son français. Le plus dur,
c'était le dimanche, surtout lorsqu'il pleuvait.

C'était sa vie avant de sortir avec Ray Collard. Au début,
celui-ci lui avait plu, surtout parce qu'il ne l'embêtait pas. Il
avait attendu d'être sorti trois fois avec elle avant d'essayer
de l'embrasser et même s'il était allé de plus en plus loin
dans ses caresses, elle ne s'était pas retrouvée dans son lit.

Lorsqu'il lui avait demandé de l'épouser, elle avait
accepté avec joie. Et même avec reconnaissance. Pourquoi
s'était-elle montrée aussi reconnaissante? Ray Collard
n'était pas si extraordinaire que ça: sa personnalité, son
physique et sa situation n'avaient rien de remarquable.
Maintenant qu'elle avait appris à le connaître, elle savait
bien que, non content d'être un « je-sais-tout », il était aussi
un parfait égoïste. Et pourtant, elle l'aimait encore. Ou,
disons, qu'il lui plaisait toujours... Malheureusement, dès
qu'ils avaient été fiancés, l'attitude de Ray Collard avait
changé du tout au tout. On aurait dit qu'il venait de décrocher la permission de faire l'amour avec elle: il considérait

ça comme un dû. Pourquoi attendre puisqu'ils étaient fiancés? Ils n'allaient pas tarder à se marier, oui ou non? Pourquoi Jinny se montrait-elle aussi vieux jeu? Elle avait vingt et un ans et on était en 1978. Il y avait bien longtemps que les principes de la reine Victoria étaient relégués au rang d'antiquités. Et le mariage, au fond, ce n'était qu'un bout de papier.

Lorsque Jinny, toujours assise sur son pouf, se redressa, elle sentit que son cou lui faisait mal. A force de rester assise dans la même position, elle avait dû attraper une crampe. Pour se détendre, elle bougea doucement la tête de gauche à droite. Cela lui rappela le nombre de fois où, désespérée, elle avait remué la tête, de la même façon, après avoir résisté à Ray Collard. Elle était justement en train de se bagarrer avec lui quand, un beau soir, Emily était rentrée plus tôt que prévu. Cela devait faire quatre mois environ. Et, à compter de cette date, elle n'avait plus jamais eu besoin de se battre avec Ray.

« Est-ce que j'avais deviné ce qui se passait? »

Elle se posa la question en se levant de son pouf. S'était-elle posé la question de savoir pourquoi Ray avait cessé de la harceler et était devenu presque respectueux envers elle? N'avait-elle pas été étonnée qu'ils ne discutent plus au sujet de l'appartement? Que Ray ne lui propose plus de le sous-louer pour venir habiter au-dessus de sa boutique?

Elle devait savoir ce qui se passait. Mais alors, pourquoi n'avait-elle rien fait? Oui, pourquoi? Inutile de chercher la réponse bien loin. Elle était là: dans le calme qui régnait ce soir dans l'appartement, ce silence que seul rompait le sifflement du radiateur à gaz.

Soudain, Jinny se précipita vers la porte d'entrée et la ferma à clef. Courant toujours, elle entra dans sa chambre, se jeta tout habillée sur le lit et, la tête cachée dans son oreiller, elle se mit à crier:

— Maman! Maman! Je n'en peux plus! Jamais je ne

pourrai supporter la solitude. Aide-moi à ne pas faire de bêtise. Oh, oui, mon Dieu, aide-moi...

Au fond, l'auteur de cette pièce avait tout à fait raison : rien au monde ne coûtait plus cher que la chasteté.

2

Le lundi suivant, lorsque Jinny arriva au bureau, elle avait beau s'être parfaitement maquillée, Noreen Power, en voyant ses yeux rougis et son visage gonflé, se rendit compte aussitôt que quelque chose n'allait pas.

— Qu'est-ce qui t'arrive? demanda-t-elle avec tact. Tu couves un rhume ou quoi?

— Ce doit être ça, répondit Jinny.

— Ne compte pas sur la sympathie de notre adjudant-chef. Regarde-la.

Et Noreen, hochant discrètement la tête en direction de la paroi de verre qui, au fond de la pièce, séparait le bureau des dactylos de celui de la surveillante, ajouta :

— A moins que je ne me trompe, il y a quelqu'un qui est en train de lui en faire baver à l'autre bout du fil.

La porte s'ouvrit. La surveillante s'avança d'un air guindé au milieu de la rangée des huit bureaux. Elle gardait les yeux fixés sur le huitième bureau et, s'en approchant, elle annonça :

— Mademoiselle Power, vous allez monter dans le bureau de M. Henderson. Mlle Honeysett est tombée malade et elle est à l'hôpital. Quel niveau avez-vous en français ?

Noreen Power ouvrit la bouche comme si elle voulait

dire quelque chose. Après avoir lancé un coup d'œil à Jinny, elle répondit :

— Ça devrait aller... Je suppose... Je parle couramment cette langue. Mais... je ne sais pas l'écrire.

— Vos suppositions ne nous intéressent pas, mademoiselle Power ! Vous êtes *censée* être compétente en français. Je vous prierai donc de vous dépêcher de monter afin que M. Henderson puisse profiter de vos compétences.

— Bien, mademoiselle Cadwell.

Alors que la surveillante repartait en direction de son bureau, Noreen Power sortit de son tiroir un bloc-notes tout neuf. Puis elle se dépêcha de tailler un crayon, cassa la mine et, tout en recommençant à le tailler, chuchota en direction de Jinny :

— C'est toi qu'elle aurait dû envoyer là-haut...

Oubliant un instant ses propres soucis, Jinny lui répondit à voix basse :

— Je suis sûre que tu vas t'en sortir. J'ai entendu dire qu'il aboie plus fort qu'il ne mord.

— Moi, j'ai entendu un autre son de cloche, chuchota Ann Cartnell, dont le bureau se trouvait en face de celui de Jinny.

— Ne t'inquiète pas ! conseilla Jinny. Et surtout garde ton calme.

— Tu parles ! intervint à nouveau Ann Cartnell. Elle aura beau garder son calme, le « Vieil Ogre » va la bouffer en moins de deux.

Dès que Jinny eut recommencé à travailler, elle se dit que, dans n'importe quel bureau, il y avait toujours, au moins, une fille du genre d'Ann Cartnell. Au fond, peut-être était-ce une chance que, sur huit dactylos, il n'y en ait qu'une comme elle.

En ce qui la concernait, Jinny savait pertinemment que Mlle Cadwell ne l'aimait pas. Elle ignorait pourquoi. Tout ce qu'elle savait, c'est que cette antipathie était réciproque.

Malheureusement pour elle, la surveillante avait du pouvoir. Elle pouvait vous faciliter les choses ou, au contraire, vous mettre des bâtons dans les roues. Et, vis-à-vis de Jinny, elle avait adopté cette seconde attitude.

Il était exactement dix heures un quart quand le téléphone sonna à nouveau sur le bureau de Mlle Cadwell. Au même instant, la porte qui donnait sur le couloir s'ouvrit, livrant passage à Noreen Power qui se précipita dans la pièce, tête basse et sanglotante.

Toutes les dactylos cessèrent de taper. Jinny, qui avait quitté son siège, se dirigea vers Noreen et lui demanda :

— Que s'est-il passé ?

— Il... il m'a jeté un bloc-notes à la tête et m'a traitée de... de quelque chose d'horrible !

Tous les regards se tournèrent alors vers Mlle Cadwell. Celle-ci tenait le téléphone à cinquante centimètres de son oreille et était devenue écarlate. Après avoir reposé avec mille précautions le combiné sur son support, comme si elle craignait de le briser, elle jeta un dernier coup d'œil à l'appareil, ouvrit la porte et pénétra dans le bureau des dactylos.

Cette fois, c'est Jinny qu'elle regardait.

— Mademoiselle Brownlow, vous allez monter immédiatement dans le bureau de M. Henderson. Nous allons voir si vous êtes capable de faire mieux que Mlle Power.

Tous les regards se tournèrent vers Jinny.

— J'aimerais bien savoir pourquoi vous avez cessé de travailler ! hurla Mlle Cadwell. Ce n'est pas la première fois, j'imagine, que vous voyez quelqu'un se ridiculiser... Manque de compétence ! ajouta-t-elle en fusillant Noreen Power du regard. Allez vous asseoir à votre bureau, mademoiselle, et voyez si vous êtes capable d'exécuter l'a b c du métier de dactylo... en anglais. J'ai bien dit : *en anglais* !

Au moment où Jinny quittait le bureau, elle répéta pour

elle-même, en imitant la voix stridente de Mlle Cadwell :
« En anglais ! En anglais ! » Puis, quand elle se retrouva
dans le couloir, elle ajouta, à voix haute cette fois :
« L'anglais, elle ne le parle même pas correctement ! »

Lorsqu'elle sortit de l'ascenseur au dernier étage, le jeune
liftier lui indiqua d'un geste la porte du bureau où elle
devait se rendre. Et il dit, à voix basse :

— Moi, à votre place, je mettrais mon armure, mademoiselle. Il est en pleine forme aujourd'hui. Il n'a pas arrêté
de gueuler depuis qu'il est arrivé.

Jinny ne put s'empêcher de lui dire avec un léger sourire :

— Ça m'est complètement égal.

Et c'est vrai qu'elle s'en fichait : elle était en guerre
contre les hommes — tous les hommes.

La veille, elle était restée chez elle toute la journée et,
entre deux crises de larmes, avait eu largement le temps de
réfléchir. Elle en était arrivée à la conclusion qu'elle n'avait
pas rencontré un homme bien depuis la mort de son père.
Même si leurs manières de parvenir au but étaient différentes aujourd'hui, les hommes n'avaient qu'un objectif
dans la vie : vous déshabiller et coucher avec vous.

Jinny en avait « ras le bol », comme disait sa grand-mère.
C'était une expression un peu vulgaire que sa mère n'aurait
jamais employée. Il lui fallait faire attention : elle était en
train de devenir grossière. Jamais sa mère... Et puis zut ! Il
n'y avait pas que la vulgarité qui la guettait. Si elle continuait comme ça, elle risquait aussi de devenir prétentieuse.

Dans quelques instants, elle allait de nouveau avoir
affaire à un homme. Et si celui-ci lui jetait un bloc-notes à
la tête, elle ne se gênerait pas pour en faire autant. Elle se
ferait aussitôt renvoyer. Et après ? Dans l'état d'esprit où
elle se trouvait, elle s'en foutait pas mal... Voilà qu'elle
recommençait à jurer. Pourtant, elle savait que ça ne servait
à rien. Son père disait toujours : « Quand on n'est pas

capable de s'exprimer sans jurer, c'est qu'on est un débile mental... »

— Entrez !

L'ordre, lancé d'une voix tonitruante, tira Jinny de sa rêverie. Elle pénétra dans la pièce et, arrivée au milieu, s'arrêta net pour regarder l'homme qui était assis derrière le bureau. Jusqu'ici elle n'avait fait que l'apercevoir dans les couloirs. C'était la première fois qu'elle le voyait de près. Assis, il paraissait très grand. En réalité, il devait avoir les jambes courtes, car elle savait qu'il était de taille moyenne. Les quelques mèches de cheveux qui rebiquaient sur le sommet de sa tête étaient d'un brun-roux indéfinissable et il avait les tempes grisonnantes. Des yeux bleus. Un regard perçant. Son visage n'était pas à proprement parler ridé, mais plutôt raviné, comme si sa peau, qui semblait rugueuse, était creusée de profonds sillons. Il avait déboutonné le col de sa chemise sans dénouer son nœud de cravate et celui-ci pendait au milieu de sa poitrine.

— Que pensez-vous faire ici ? demanda-t-il après avoir regardé Jinny avec la même insistance que celle-ci avait mis à l'observer.

— C'est à vous de répondre à cette question, monsieur.

— A moi ! s'exclama-t-il en lui lançant un regard furieux. Qu'est-ce qui vous arrive ? demanda-t-il en plissant les yeux. Vous m'avez l'air bien agressive. On dirait que vous en voulez au monde entier.

— Même si c'est vrai, c'était déjà le cas avant que je n'entre dans ce bureau, monsieur.

Qu'est-ce qui lui prenait ? Pourquoi répondait-elle sur ce ton ? Elle avait soudain l'impression de se retrouver avec son père. Lorsque celui-ci la taquinait, elle avait toujours la repartie facile. Il disait souvent qu'elle avait de l'esprit. Pas de l'humour : de l'esprit. Apparemment, ce n'était pas la même chose.

— Chapeau, mademoiselle ! reprit M. Henderson en

s'appuyant contre le dossier de son fauteuil. Si vous avez la langue aussi bien pendue en français qu'en anglais, nous risquons de nous entendre. Je suppose que vous savez pourquoi je vous ai fait appeler.

— *Oui, monsieur* [1].

— Ce genre de choses ne prend pas avec moi, mon petit. Le premier imbécile venu est capable de dire : *oui, monsieur*. Même moi, j'en suis capable. La personne qui était là avant vous savait dire *Oui monsieur*, elle aussi. Mais son français était encore plus mauvais que mon anglais. Ce qui n'est pas peu dire... en ce qui concerne mon accent, en tout cas. Et maintenant, prenez votre bloc et asseyez-vous. Je vais vous dicter une lettre et ensuite, vous la traduirez en français.

« Cet homme pense qu'il a tous les droits », se dit Jinny en s'asseyant. Les hommes croient toujours qu'ils ont tous les droits, lui avait dit un jour Emily. Emily... Le moment était bien mal choisi pour penser à elle.

— Relisez-moi ce que je viens de dire.

— Vous avez dit : « Cher monsieur Fonier. En ce qui concerne la commande de deux mille barres d'acier, que vous avez passée à mon fils, le 24 octobre 1978, j'ai le plaisir... » Vous en étiez là, monsieur.

— Ce n'est pas ce que je vous ai dicté.

— Vous avez employé des mots analogues...

— J'ai dit : « Au sujet de la commande... »

— Et moi, j'ai pensé que « en ce qui concerne la commande » sonnait mieux.

— Tiens ! Vous avez pensé ça... Est-ce que vous connaissez Mlle Honeysett ?

— De vue, monsieur. Je ne lui ai jamais été présentée.

— Elle aurait tourné cette phrase comme vous... Quel âge avez-vous ?

---

1. En français dans le texte. *(N.d.T.)*

— J'ai eu vingt et un ans en septembre dernier.

— Vous paraissez plus âgée que ça.

Jinny ne dit rien.

— Où avez-vous appris le français?

— En grande partie avec mes parents. Ma grand-mère paternelle était française et mon père parlait parfaitement cette langue.

— Depuis combien de temps travaillez-vous ici?

— Plus d'un an, monsieur.

— Plus d'un an! s'écria-t-il en appuyant ses deux coudes sur son bureau. Pourquoi la mère Cadwell ne vous a-t-elle pas envoyée ici plus tôt? Vous n'allez pas me dire que vous êtes restée coincée dans le pool des dactylos depuis un an...

— Non, monsieur. Il m'est arrivé de faire des remplacements dans d'autres bureaux.

Après avoir tourné la tête sur le côté comme s'il réfléchissait, Bob Henderson reprit en regardant à nouveau Jinny:

— La vieille Aggie... je veux dire Mlle Honeysett... a été absente pendant plusieurs semaines cette année. Pourquoi ne vous a-t-on pas proposé de la remplacer?

— Vous aviez Mlle Bellamy, monsieur. Mais elle a quitté la maison pour se marier.

— Mlle Bellamy. Oh! là là! Elle en tenait une couche celle-là... Incapable d'orthographier correctement! Et ne faites pas cette tête-là! Si vous travaillez avec moi, vous allez entendre un bon nombre de mots qui ne sont pas dans le dictionnaire. Et maintenant, au travail! Où en étions-nous?

Quand Jinny eut relu le début de la lettre, il recommença à dicter. Puis il attendit qu'elle ait fini de taper la lettre à la machine pour lui dire:

— Je vais y jeter un coup d'œil.

Aussitôt, Jinny lui apporta la lettre.

Après l'avoir parcourue rapidement, il releva la tête et annonça, s'efforçant de sourire :

— A dire vrai, je suis incapable de comprendre un fichu mot de tout ça... Est-ce que vous avez fait des fautes ?

— Oui, là, répondit Jinny en montrant du doigt un des passages de la lettre. Au lieu d'un point, j'aurais dû mettre un point-virgule. Cela aurait facilité la lecture.

— Un point-virgule... Fichtre ! Cela fait un sacré bout de temps que je n'avais pas entendu ce mot-là. Je crois que nous allons nous entendre, ajouta-t-il en plissant à nouveau les yeux. Et je vais vous dire pourquoi : tant que vous en voudrez au monde entier, vous garderez l'esprit vif, vous serez sur le qui-vive, comme on dit... Continuons ! Il y a toute une pile de lettres en attente. Je ne pense pas que nous ayons fini avant cinq heures et demie. Est-ce que vous êtes très à cheval sur les horaires ?

— Pas précisément...

— Qu'entendez-vous par là ? Vous êtes mariée ?

Jinny respira un grand coup avant de répondre.

— Non, monsieur, je ne suis pas mariée.

— Dommage, en un sens... Parce que vous risquez de vous faire embarquer par le premier venu. C'est une pratique courante dans cette maison. La vieille Aggie est bien la seule que j'ai pu garder. Personne n'a jamais eu l'idée de me la piquer, précisa-t-il avec un sourire en coin. C'est une bonne fille et elle connaît son travail. Quand elle reviendra, je m'arrangerai pour que vous ne retourniez pas chez les ptérodactyles, conclut-il en éclatant de rire.

Dactylos. Ptérodactyles. La plaisanterie ne parut pas à Jinny du meilleur goût. Elle s'obligea pourtant à sourire et dit :

— Merci, monsieur...

A midi, lorsqu'elle arriva à la cantine, les dactylos voulurent savoir comment s'était passée sa matinée. Est-ce que le boss était aussi terrible qu'on le disait ? Quel genre de travail lui avait-il demandé ? Était-ce vrai que sa secrétaire travaillait dans le même bureau que lui pour qu'il puisse la surveiller ? Est-ce que Jinny allait tenir le coup ?

Tout s'était bien passé, répondit Jinny. Son travail consistait simplement à taper du courrier. Et elle pensait pouvoir tenir le coup sans problème.

A cinq heures vingt, après avoir tapé une dernière lettre, elle demanda :

— Est-ce tout pour aujourd'hui, monsieur ?

— Oui, mon petit, c'est fini pour aujourd'hui. Et demain, nous referons la même chose. Après-demain aussi. Le même train-train tous les jours. Pensez-vous que vous tiendrez le coup ?

— Pourquoi pas, monsieur ?

— Quel est votre prénom ?

— Jinny.

— Jenny ou Jinny ?

— Jinny, avec un « i ».

— Joli prénom. Typique du nord de l'Angleterre. C'est drôle qu'avec un prénom pareil, vous fassiez autant de manières...

Jinny rougit jusqu'aux oreilles.

— Est-ce que vous vivez chez vos parents ?

— Non, mes parents sont morts et je vis seule.

— Ce n'est pas une bonne chose. Personne ne devrait vivre seul. Surtout à votre âge. Si j'étais plus jeune, je m'occuperais de ça... Ne me regardez pas comme ça !

Il leva soudain la main.

— Si nous devons travailler un certain temps ensemble, ce qui risque d'être le cas, puisque la vieille Aggie doit rester plusieurs semaines à l'hôpital, autant mettre tout de suite les choses au point. Dites-vous bien que, même si j'ai cinquante ans passés, je suis toujours dans la course. Je sais encore apprécier un joli visage, et les rares fois où je lève les yeux de mon travail, ça ne me déplaît pas d'avoir en face de moi une jeune et charmante secrétaire. Mais ne vous faites aucune illusion ! Et tâchez d'oublier toutes ces histoires

idiotes qu'on raconte sur les rapports entre un patron et sa
secrétaire. Tirez carrément un trait là-dessus !

Il leva à nouveau la main.

— Je vais vous expliquer ce qu'il en est. Peut-être l'avez-
vous déjà entendu dire, et c'est la vérité : je suis très heureux en ménage et j'ai six enfants. Celui dont il est question
dans la lettre que je vous ai dictée ce matin s'appelle Glen et
c'est mon fils aîné. Il doit se marier le mois prochain. Pour
se marier en décembre, en blanc et en grand tralala, il faut
avoir un grain. Je parle de ma future belle-fille, bien
entendu...

Il allait continuer quand, soudain, le téléphone se mit à
sonner. Aussitôt, Jinny décrocha.

— Allô, ici Mme Henderson, entendit-elle à l'autre bout
du fil. Est-ce que M. Henderson a déjà quitté le bureau ?

Avant qu'elle ait pu répondre, l'intéressé lui arracha le
téléphone des mains.

— Hello, mon cœur ! cria-t-il aussitôt. Je suis toujours
là. J'étais en train de dire au revoir à ma nouvelle secrétaire.
Celle-là au moins, elle est jeune, continua-t-il en lançant un
clin d'œil à Jinny. Elle remplace la vieille Aggie qui est
entrée à l'hôpital, pour se faire opérer de l'estomac. Ça fait
des années que je me tue à lui dire qu'il faut qu'elle se fasse
soigner... Oui, mon amour, je sais que nous avons du
monde ce soir. Et ça ne me fait pas particulièrement plaisir
car je suis fatigué. Je me fais vieux...

Après avoir écouté ce que lui disait sa femme, il serra les
lèvres puis, jetant un coup d'œil à Jinny, répondit en baissant la voix cette fois :

— Je rentrerai le plus tôt possible. A tout de suite,
chérie...

A peine avait-il raccroché qu'il reprit à l'adresse de
Jinny :

— J'ai une femme épatante ! Si vous travaillez pendant
quelque temps avec moi, vous aurez certainement l'occa-

sion de la rencontrer. Mais pas ici. Elle n'a pas mis les pieds au bureau une seule fois depuis que nous sommes mariés. Par principe... C'est une femme merveilleuse. Très belle, en plus. Attendez seulement de l'avoir vue! Ce jour-là, comme tous les damnés crétins qui m'entourent, vous vous demanderez : Mais qu'est-ce qu'elle a bien pu lui trouver? Ce qu'elle a trouvé, c'est un type qui était décidé à faire son chemin et qui n'a pas encore dit son dernier mot. Il est temps de rentrer chez vous, mon petit, ajouta-t-il. Vous en avez assez fait pour aujourd'hui. Je crois que je vous ai fourni largement de quoi réfléchir.

Au moment où Jinny allait quitter le bureau, il cria dans son dos :

— Est-ce que vous en voulez toujours au monde entier?

Jinny, qui s'était retournée, le regarda, quelques secondes, avant de répondre :

— Oui! Mais un peu moins que ce matin...

A nouveau, elle eut l'impression de plaisanter avec son père.

La journée avait été longue et intéressante mais l'avait épuisée. Jinny ne s'en rendit compte que lorsqu'elle fut rentrée chez elle. Elle était en train de se faire un œuf poché et venait de le mettre dans l'eau bouillante quand, soudain, elle éprouva le besoin de s'asseoir, comme si elle était à bout de forces. Elle s'installa sur une des chaises de la cuisine, croisa ses bras sur la table et y posa sa tête.

Ce début de matinée lui semblait très, très loin comme si, en quelques heures, il lui était arrivé des tas de choses. Et pourtant, que s'était-il passé? Elle avait simplement changé de bureau. Mais quelle différence! Et quel curieux individu! Avait-elle envie de continuer à travailler avec lui? Il lui fallut quelques secondes de réflexion avant de décider que oui. Et pourtant ce M. Henderson était une sorte de brute. Un grossier personnage, pour être tout à fait exacte.

Il donnait cependant l'impression d'être très franc. Personne ne devait jamais avoir le dernier mot avec lui, c'était évident. Et ça devait être très fatigant de travailler à longueur de journée avec un homme pareil. Il ne devait jamais vous laisser une seconde de répit. Toujours en train de donner des ordres ou d'exiger quelque chose de vous. Maintenant qu'elle avait eu affaire à lui, Jinny comprenait mieux la frayeur de Noreen.

Elle, elle n'avait pas eu peur. Parce qu'au moment où elle était entrée dans son bureau, elle était folle de rage. Si elle avait été dans son état normal, peut-être aurait-elle pris, elle aussi, ses jambes à son cou... Non ! Elle n'aurait pas fait ça. Elle se serait contentée de tenir bon. Tandis que là, elle lui avait carrément tenu tête. Et il avait eu l'air d'aimer ça.

Cette journée avait eu l'avantage, en plus, de lui faire oublier la soirée de samedi avec Ray Collard.

Soudain, Jinny fronça le nez, comme si elle venait de sentir une mauvaise odeur. Et, en effet, ça sentait le brûlé dans la cuisine. Se levant d'un bond, elle courut à la cuisinière. Il n'y avait plus une goutte d'eau dans la casserole et l'œuf qu'elle avait mis à cuire un peu plus tôt était collé au fond du récipient. Tant pis ! De toute façon, elle n'avait pas faim. Elle allait prendre une douche et se coucher tôt.

Une heure plus tard, en robe de chambre, alors qu'elle était en train de mâchonner une pomme, assise tout près du radiateur à gaz, on sonna à la porte. Au lieu de se lever pour aller ouvrir, elle fixa la porte longuement. Maintenant qu'Emily n'habitait plus là et que Ray Collard l'avait quittée, qui pouvait bien lui rendre visite ?

Quand la sonnette retentit à nouveau, elle s'approcha de la porte et demanda :

— Qui est là ?

— C'est moi, Hal...

Hal ? Hal Campbell ? Après avoir resserré la ceinture de sa robe de chambre, Jinny se décida à ouvrir.

— En passant devant chez vous, j'ai vu la lumière allumée... commença Hal. J'espère que je ne vous dérange pas.

— Pas du tout. Entrez, je vous prie...

Après avoir jeté un coup d'œil au pardessus de son visiteur, Jinny s'écria, étonnée :

— Il neige ?

— En effet, il s'est mis à neiger il y a quelques minutes.
Mais ce n'est que de la neige fondue...

— Approchez-vous du radiateur, proposa Jinny. J'allais
justement me faire du café. En voulez-vous une tasse ?

— Avec plaisir.

— Installez-vous dans ce fauteuil, conseilla Jinny en
montrant un siège en osier dont le fond et le dossier étaient
rembourrés. C'est certainement le plus confortable.

— Merci. Si vous le permettez, je vais enlever mon
manteau.

Après un bref silence, Jinny répondit :

— Je vous en prie.

Lorsqu'elle se retrouva dans la cuisine pour préparer le
café, elle se demanda, un peu intriguée, pourquoi Hal
Campbell était passé la voir. A aucun moment, il n'avait
été question que les Fellburn Players cessent de jouer la
nouvelle pièce et, théoriquement, ils ne devaient pas
commencer à répéter le prochain spectacle avant le mois
de février.

— Je vous ai menti, lança Hal alors que Jinny se trouvait
toujours dans la cuisine.

Celle-ci, qui n'avait pas compris ce qu'il disait, s'approcha de la porte et lui demanda de répéter.

— Je vous ai menti, dit-il à nouveau.

Comme Jinny le regardait d'un air interrogateur, il
ajouta en souriant :

— Je ne suis pas passé devant chez vous par hasard. J'ai
pensé qu'il fallait que je vienne aux nouvelles. Je me faisais
du souci pour vous.

— Ah! dit simplement Jinny en baissant les yeux.

Puis, après avoir fait demi-tour pour rentrer dans la cuisine, elle ajouta :

— C'est très gentil à vous.

— Ça fait un bon bout de temps que j'avais envie de vous parler, reprit Hal. Je ne voulais pas avoir l'air de me mêler de ce qui ne me regarde pas. En plus, je croyais que ce n'était qu'une passade et qu'il finirait par se montrer raisonnable. Mais c'est un imbécile !

Jinny attendit d'avoir disposé sur le plateau les tasses et la cafetière et d'être revenue dans le salon pour demander :

— Est-ce que tout le monde est au courant ?

— Tout le monde, peut-être pas... Mais la plupart des acteurs savent que Ray vous a quittée. Ils aimeraient vous dire d'ailleurs...

Jinny l'interrompit en lui tendant une tasse de café.

— Ils doivent se dire que je suis une belle idiote de ne pas avoir deviné plus tôt ce qui se passait. Ce n'est pas à nous de lui ouvrir les yeux, voilà ce qu'ils ont dû se dire. « On apprend à tout âge », a sûrement ajouté Gladys Philips. Je l'entends d'ici...

Hal Campbell lui lança un regard étonné.

— C'est drôle, on dirait que vous avez changé...

— Changé ? Dans quel sens ?

— Pour l'instant, je ne saurais pas dire exactement... reconnut-il en souriant gentiment.

Jinny but son café. Puis elle posa sa tasse et sa soucoupe sur une petite table à côté d'elle.

— Si je vous raconte ce que Ray m'a dit samedi soir, peut-être comprendrez-vous mieux ce qui m'est arrivé, reprit-elle. Il m'a dit que j'étais le type même de l'employée modèle. Toujours polie, toujours souriante, toujours prête à rendre service. S'il avait utilisé le langage courant, il m'aurait tout simplement dit que j'étais une sacrée imbécile de me laisser faire comme ça. Il n'y a qu'avec lui que je résistais, bien entendu...

» D'après ce que j'ai compris, sous prétexte de faire plaisir aux gens, je me charge toujours du sale boulot. Il paraît qu'en plus je ne me rends même pas compte que tout le monde en profite pour me marcher sur les pieds.

— Mais non, voyons...

— Mais oui! Ray a raison. J'avais tellement envie de me faire des amis que deux fois par semaine, je me conduisais comme une vraie carpette. Le véritable problème c'est que, mis à part les Fellburn Players, je ne connais personne. Aussi, quand Ray Collard a daigné s'intéresser à moi, ma gratitude n'a plus eu de bornes, comme on dit...

— Vous m'étonnez...

— Pourquoi?

— Je n'arrive pas à comprendre pourquoi vous avez agi comme vous l'avez fait tout en sachant ce que vous venez de me dire.

— Il n'y a qu'aujourd'hui que je peux me permettre d'être aussi sincère. Je suis une grande fille maintenant. Les Fellburn Players ont constitué un excellent cours du soir. Les cours n'ont pas duré longtemps, mais ça a été très profitable.

— Je vous trouve bien amère tout d'un coup... Ça ne vous ressemble pas.

Jinny tourna la tête vers le radiateur pendant quelques secondes avant de répondre :

— Ce n'est pas vraiment de l'amertume. Je suis surtout furieuse de m'être montrée aussi bête. Quand les gens sont gentils avec moi, je me sens une telle dette à leur égard que j'ai toujours l'impression de ne pas en faire assez. Cela doit venir du fait que j'ai eu des parents très affectueux...

— Jinny... intervint soudain Hal Campbell en se penchant vers elle. Je comprends parfaitement ce que vous voulez dire. Ou si vous préférez : je sais quel genre de sentiment se cache derrière les mots que vous avez employés. Moi aussi, je suis passé par là. Moi aussi, j'ai voulu à tout prix être aimé et retrouver une famille. Ce besoin ne m'a

d'ailleurs jamais quitté. Je pense que vous avez entendu dire
que j'étais divorcé...

— En effet, se contenta de répondre Jinny.

Ce qu'elle avait entendu dire, c'est que, si la première
femme d'Hal Campbell n'était pas morte pendant la procédure de divorce, il aurait été obligé de divorcer non pas une
fois mais deux.

— J'ai été marié deux fois et deux fois, ça a été un
échec... En réalité, je ne devrais pas dire ça, corrigea-t-il
aussitôt. Puisqu'en fin de compte, ces deux mariages m'ont
permis d'avoir ce que je voulais, c'est-à-dire une famille.
Voulez-vous que je vous raconte ce qui m'est arrivé ?

— Il s'agit de votre vie privée...

— Non, plus maintenant ! Une grande partie de ma vie
appartient au domaine public pour ainsi dire... Mais elle a
commencé comme la vôtre. Je n'ai pas connu mon père
mais ma mère m'aimait beaucoup. Elle était tout pour moi.
Lorsqu'elle est morte, j'ai eu l'impression que mon existence était complètement vide. Et puis j'ai rencontré Peggy.
Elle avait vingt-quatre ans et moi vingt-cinq à l'époque.
Elle s'était mariée très jeune et avait déjà deux enfants, un
garçon de huit ans et une petite fille de sept. Elle était d'ailleurs restée très juvénile. Mais ça ne me gênait pas car,
grâce à elle, j'avais trouvé une famille. Nous étions mariés
depuis deux ans quand...

Hal détourna soudain la tête. Après quelques secondes
de silence, il ajouta :

— ... quand Peggy est morte. Ce n'était pas très facile
pour un homme de s'occuper de deux jeunes enfants, mais
j'ai tenu le coup car je ne voulais pas me séparer d'eux.
Comme mon travail d'agent immobilier m'obligeait parfois
à travailler tard le soir, j'ai cherché une gouvernante. Et je
l'ai trouvée, précisa-t-il en riant. Elle s'appelait Dora Morton et avait un fils de seize ans, Michael. Deux ans après
son arrivée chez moi, je l'ai épousée. Et deux ans plus tard,

elle m'a quitté. Au moment du divorce, elle a demandé à Michael s'il voulait partir avec elle et, contre toute attente, il lui a répondu qu'il préférait continuer à vivre chez moi. Il y a trois ans de ça environ... Et aujourd'hui, je crois qu'on peut dire que je ne me suis pas trop mal débrouillé pour élever les trois enfants. Michael a décroché son diplôme de comptable et c'est un garçon très brillant. A quinze ans, Rosie est devenue une adorable jeune fille. Quant à Arthur... Arthur, mon Dieu! dit-il en riant à nouveau. Ça reste un sacré problème! Disons que, pour l'instant, on dirait qu'il en veut au monde entier.

— J'imagine facilement ce qu'il doit éprouver, dit Jinny en souriant au souvenir de ce que lui avait dit Bob Henderson. Vous avez été drôlement gentil de vous charger de ces trois enfants.

—J'en ai retiré de grandes joies. Et quelques peines parfois. Quoi qu'il en soit, je voulais vous demander si ça vous ferait plaisir de faire leur connaissance le week-end prochain.

— Bien sûr que ça me ferait plaisir.

— Venez déjeuner avec nous dimanche, proposa Hal Campbell. Et maintenant, je dois partir, ajouta-t-il en se levant pour prendre congé.

Lorsque Hal Campbell eut quitté l'appartement, Jinny se dit que les choses avaient plutôt l'air de s'arranger. Bien sûr, chaque soir, elle se retrouverait toute seule chez elle. Mais tant qu'elle remplacerait la secrétaire de Bob Henderson, ses journées seraient bien remplies. Et si elles ressemblaient toutes à aujourd'hui, elle serait si fatiguée en rentrant, qu'elle n'aurait plus qu'une idée : se mettre au lit.

Jinny s'aperçut soudain que son humeur était en train de changer : elle n'était pas heureuse, à proprement parler, mais elle se sentait joyeuse et impatiente à l'idée de retourner au travail le lendemain matin. C'était bien la première fois que ça lui arrivait.

3

Le vendredi suivant, en arrivant au bureau, Jinny eut vite fait de comprendre que son patron était d'une humeur massacrante.

— Je parie que vous êtes du genre à interroger votre montre toutes les cinq minutes, lui lança-t-il au moment où elle arrivait. Neuf heures pile ! ajouta-t-il en regardant la pendule. Quand je pense que je suis au boulot depuis huit heures...

Le premier instant de surprise passé, Jinny lui fit remarquer calmement :

— C'est normal que vous soyez là à huit heures, monsieur. Il s'agit de votre propre affaire. Plus vous travaillez et plus vous gagnez d'argent.

— Vous allez arrêter ça, jeune fille ! Je n'ai pas à recevoir de leçons d'une gamine.

— Je n'oserais pas vous en donner, monsieur, si vous ne me tyrannisiez pas. Mon bus s'arrête en face de l'usine à neuf heures moins cinq. Si je prenais le précédent, j'arriverais ici à huit heures vingt. Et qu'est-ce que ça me rapporterait de...

Jinny s'interrompit soudain. Elle sentit qu'elle était allée trop loin.

— Ça suffit ! hurla Bob Henderson.

Ses yeux bleus lançaient des éclairs et sa mâchoire inférieure était agitée d'un tic nerveux.

— Excusez-moi, dit Jinny au moment où il repoussait rageusement une mèche de cheveux qui lui tombait sur le front.

— Je suppose que vous allez ajouter que vous ne savez pas ce qui vous a prise.

— Non, je n'en ferai rien.

— Restons-en là, proposa-t-il, l'air soudain radouci. Enlevez votre manteau et mettons-nous au travail.

Cela faisait environ une demi-heure que Jinny tapait à la machine, s'interrompant régulièrement pour répondre au téléphone, quand celui-ci sonna à nouveau. Aussitôt elle reconnut la voix de M. Pillon. Elle le laissa parler puis, couvrant l'écouteur de la main, se tourna vers Bob Henderson pour lui dire :

— C'est le directeur du personnel adjoint. Il dit qu'il a dans son bureau deux délégués qui aimeraient vous voir.

— Deux délégués ? Quels délégués ? D'où sortent-ils ?

— Atelier de fabrication et transport, d'après ce que j'ai compris.

— Encore des problèmes avec les syndicats ou avec la cantine... Ils ont bien choisi leur jour ! Je me sens en pleine forme pour les recevoir. Dites-leur de monter.

Jinny transmit la réponse et, après avoir raccroché, se remit à taper à la machine.

— A quelle classe pensez-vous appartenir ? lui demanda soudain Bob Henderson.

— Quelle classe... Vous voulez dire à quelle classe sociale, monsieur ?

— Oui ! C'est de ça que je parle.

— Je ne suis qu'une employée de bureau... commença Jinny.

Puis, après avoir hésité quelques secondes, elle ajouta :

— Mais je dirais que j'appartiens à la petite bourgeoisie.

— C'est ce que vous diriez, alors?

— Oui, dans la mesure où vous m'avez posé la question. En réalité, c'est le genre de chose à laquelle je n'ai jamais réfléchi parce que je n'y attache pas beaucoup d'importance.

— Tant mieux pour vous! Mais vous admettez malgré tout que vous appartenez à la bourgeoisie. A la couche inférieure de la bourgeoisie, comme on dit...

— Dans un certain sens, nous faisons tous partie des classes laborieuses, monsieur.

— Là, je sens pointer des idées socialistes... Mais ce n'est qu'une façade chez vous pour le plaisir de la discussion. Avec votre façon de parler et vos manières, vous avez raison de dire que vous appartenez à la bourgeoisie.

— Je suis née dans un certain milieu social et mes parents ne m'ont pas demandé mon avis.

— Là, nous abordons un autre problème, mon petit... « On ne m'a pas demandé mon avis », c'est toujours ce que les gens disent quand ils se détournent de la religion.

« Il est vraiment de mauvais poil », songea Jinny. Quelque chose devait le contrarier.

Elle comprit très vite ce qui le tracassait. Après qu'on eut frappé à la porte et que Bob Henderson eut hurlé : « Entrez! », deux ouvriers pénétrèrent dans le bureau. Le menton en avant et l'air intraitable, ils semblaient d'humeur aussi agressive que leur patron.

— Tiens, bonjour, monsieur Newland et bonjour à vous, monsieur Trowell, attaqua aussitôt Bob Henderson. Que puis-je faire pour vous aujourd'hui? Attendez... Ne me dites rien! Je crois que j'ai deviné. Vous êtes venus me dire que vous n'avez pas assez de travail, que vous êtes trop payés, que les conditions de travail sont bien plus intéressantes chez moi que celles qu'on vous offre dans la région du Tyneside et que, comme vous êtes de fieffés imbéciles, vous ne vous en êtes encore jamais rendu compte. Vous comptez conclure en me disant qu'à partir d'aujourd'hui, vous êtes décidés à changer d'attitude. C'est ça que vous êtes venus me dire, n'est-ce pas ?

Bob Henderson les fixa l'un après l'autre, dans l'attente d'une réponse. Ce fut Jack Newland, le plus grand des deux hommes, qui prit la parole.

— Depuis le temps, nous connaissons vos façons, monsieur Henderson. Ça n'avancera à rien de nous répondre par des sarcasmes. Vous savez très bien que nous sommes venus vous parler de la cantine.

— Ah, cette cantine... Vous y allez tous les jours, vous, à la cantine, dit-il en tournant la tête vers Jinny. Et vous ne me direz pas qu'elle n'est pas formidable, cette cantine, et qu'elle vaut bien les meilleurs cafés-restaurants de Newcastle.

Jinny ne dit rien. Son patron n'attendait d'ailleurs aucune réponse. Se tournant à nouveau vers les deux hommes, il reprit :

— J'ai fait construire cette cantine pour que l'ensemble du personnel puisse se restaurer à l'heure du déjeuner. J'ai bien dit : l'ensemble du personnel. C'est-à-dire, tous les employés sans distinction.

Cette fois-ci, ce fut Peter Trowell qui prit la parole. Il semblait avoir perdu une partie de sa belle assurance.

— Nous savons très bien ce que vous avez fait, monsieur Henderson. Mais nous aimerions avoir une pièce rien que pour nous. Il serait facile de diviser la cantine en deux en faisant construire une cloison. De toute façon, les cols blancs mangent d'un côté, et nous de l'autre. Ouvriers et employés ne sont jamais assis à la même table. C'est pour ça qu'avant c'était mieux.

— Comme dans l'armée, alors ? Les troufions d'un côté, les sous-officiers de l'autre et les officiers encore à part...

— Quelque chose comme ça, monsieur Henderson.

— Et vous, les délégués syndicaux, où irez-vous manger ? Dans le mess des sous-officiers ?

— Bien sûr que non! intervint Jack Newland. Nous, on mange avec les ouvriers.

— C'est pas normal, ça! s'écria Bob Henderson. Dans l'armée, le mess des sous-officiers est... Quel est le mot? Vous pourriez me donner le mot exact? demanda-t-il en regardant Jinny.

— Sacro-saint, répondit-elle après un instant d'hésitation.

— Ouais, c'est ça! Sacro-saint, comme vous dites. Ce qui, autant que je sache, signifie : « Entrée interdite. »

— Nous, on n'est pas comme ça.

— Ne me racontez pas d'histoires, Jack Newland!

Bob Henderson le coupa d'un ton sec et n'avait plus du tout l'air de plaisanter.

— Depuis toujours, vous avez l'étoffe d'un parvenu. Quand j'ai commencé à travailler ici, il y a trente ans de ça, vous sortiez tout juste de l'école et ne connaissiez rien à rien. Mais, au bout de quelques années, vous vous êtes mis à avoir des prétentions. Naturellement, vous ne possédiez aucune des qualités nécessaires pour réaliser vos projets. Heureusement pour vous, les ouvriers sont des moutons de Panurge. Il suffit que l'un d'eux leur dise : Suivez-moi! pour qu'aussitôt ils lui emboîtent le pas. C'est grâce à eux que vous êtes aujourd'hui délégué syndical. Mais dites-vous bien que si les types qui ont trois sous de jugeote et qui ne s'occupent que de leur travail venaient à vos réunions, vous vous feriez virer aussi sec.

— Je m'élève contre vos insinuations, monsieur Henderson.

— Vous pouvez vous élever contre tout ce que vous voulez, je m'en fous complètement. Ce n'est pas la première fois que vous vous élevez contre ce que je dis et certainement pas la dernière. Qui vous a soufflé l'idée de séparer la cantine en deux? Vos amis les rouges?

— Je proteste...

— Fermez-la! Et faites-moi grâce de vos objections...
Vous vouliez dire quelque chose, Peter? demanda-t-il en
regardant Trowell.

— Une chose simplement, monsieur Henderson...
annonça Trowell d'un ton calme et raisonnable. Tous ces
cols blancs... les employés et compagnie, eux non plus, ils
ne veulent pas manger avec nous. Ils préféreraient avoir
une pièce pour eux tout seuls. En tout cas, il y en a pas mal
qui le disent...

— Je veux bien vous croire, Peter, quand vous me dites
que les employés préféreraient manger à part. Mais je suis
sidéré que vous repreniez ça à votre compte, comme si vous
pensiez que vous n'êtes pas dignes de manger à la même
table qu'eux. Moi-même, je me considère toujours comme
un travailleur et régulièrement, je descends déjeuner à la
cantine. Une fois à une table, une fois à une autre.

— C'est votre position qui vous permet de faire ça, monsieur Henderson.

Bob Henderson se pencha par-dessus son bureau comme
s'il désirait se rapprocher de l'homme debout qui lui faisait face.

— Si je fais ça, reprit-il, ce n'est pas à cause de ma position, mais parce que je pense que je suis l'égal des gens qui
déjeunent à la cantine, qu'ils portent un costume-cravate ou
un bleu de chauffe. Et, chez moi, ce genre d'idées ne date
pas d'aujourd'hui. Je pensais déjà la même chose lorsque
j'étais ouvrier chez Carter, dans le Sunderland, et que toute
la journée je charriais des poutrelles entre l'atelier de fabrication et les camions. Là-bas, mon salopard de patron était
tellement radin que, si je lui avais demandé l'heure, il ne me
l'aurait même pas donnée. Mais au moins ça m'a poussé à
m'en sortir et c'est grâce à ça que je suis arrivé là où je suis
aujourd'hui. Je sais très bien ce que tout le monde dit :
épouser une femme qui a de l'argent arrange bien des
choses. C'est sûr! J'ai eu un sacré coup de bol, n'est-ce pas?
Mais là n'est pas l'important. Ce qui compte, c'est que je

me suis toujours battu et que je continuerai à me battre contre les gens bornés. La seule supériorité que je respecte, c'est celle de l'intelligence. Et, si je m'écoutais, je mettrais les gens intelligents d'un côté et les imbéciles de l'autre. Oui, c'est ce que je ferais...

Jack Newland, que Bob Henderson n'avait pas quitté des yeux, se mit à rougir comme un gamin pris en faute.

— C'est pas une manière de nous parler, monsieur Henderson, marmonna-t-il. Si vous ne voulez pas nous écouter, nous irons voir M. Garbrook.

— Vous feriez mieux d'aller voir en enfer si j'y suis, conseilla Bob Henderson en éclatant de rire. Vous auriez certainement plus de chance avec le diable qu'avec mon associé. Parce que je peux vous dire tout de suite ce qu'il va vous répondre. Il va vous faire un grand sourire et il vous dira : « Oui, Jack — car lui, il vous appelle toujours par votre prénom, bien entendu —, oui, oui, Jack, je vous comprends parfaitement. Ne vous inquiétez pas : je vais en parler à mon associé. » Voilà mot pour mot ce que M. Garbrook va vous répondre. Mais que ça ne vous empêche pas de tenter le coup. Moi, voilà ce que je vous conseille, ajouta-t-il en baissant la voix. Retournez tous les deux dans vos ateliers et, à l'heure du déjeuner, descendez à la cantine, prenez votre courage à deux mains et allez vous asseoir à l'autre bout de la salle, à côté de... M. Pillon, par exemple. Ou de M. Waitland. Oui, à côté de M. Waitland, celui qui travaille dans le bureau juste à côté du mien. Ou encore à côté de M. Meane qui dirige le bureau des dessinateurs. Il est très sympa, M. Meane. Ils sont tous très sympa... Oubliez un instant que vous vous sentez inférieurs à eux et tentez l'expérience... Ce sera tout pour aujourd'hui, messieurs, conclut-il.

Silencieux, les deux hommes le regardèrent pendant quelques secondes, puis ils firent demi-tour et quittèrent le bureau.

Durant une longue minute, le plus complet silence régna

dans la pièce qu'ils venaient de quitter. Puis le poing de Bob Henderson s'abattit sur son bureau avec une telle violence que le lourd presse-papiers qui s'y trouvait faillit tomber.

— Bande d'imbéciles! s'écria-t-il sans desserrer les dents.

Jinny recommença à taper à la machine. « Il est vraiment terrible! » songea-t-elle. Le plus curieux c'est qu'elle était d'accord avec ce qu'il avait dit. Seulement, c'était sa façon de le dire... En tout cas, elle ne l'avait jamais vu manger à la cantine. Il y avait peut-être longtemps qu'il n'y était pas allé. Sinon, il n'aurait pas dit ça...

— Que pensez-vous de cette première leçon de diplomatie ouvrière? lui demanda-t-il.

Après quelques secondes d'hésitation, elle répondit calmement :

— Il me semble que c'était justement très édifiant en ce qui concerne le manque de diplomatie.

— Quoi? Que dites-vous?

— Je... Je pense que vous avez parfaitement entendu ce que je disais, monsieur.

— Oui, oui, j'ai entendu... Vous voulez dire que dans cette leçon, il y avait tout sauf de la diplomatie.

— Oui, monsieur.

— Des gens comme eux, il n'y en a pas que chez les ouvriers. Ils s'infiltrent aussi dans tous ces sacrés bureaux... Mais vous aviez raison tout à l'heure de dire que vous apparteniez à la petite bourgeoisie. Un de ces jours, je vous en donnerai la preuve.

Après un dernier regard furieux en direction de Jinny, il se plongea dans l'examen des dossiers qui se trouvaient devant lui. Jinny se remit à taper à la machine.

A onze heures, l'atmosphère changea complètement. La porte du bureau s'ouvrit brusquement, livrant passage à un jeune homme de taille moyenne, avec de magnifiques yeux bruns. Le nouveau venu s'arrêta un instant sur le seuil de la pièce, puis après avoir fait claquer la porte derrière lui, s'approcha du bureau de Bob Henderson.

— Salut! lança-t-il en se penchant sur le bureau. Me voilà de retour.

— J'ai encore une bonne vue, rappela Bob Henderson. Est-ce que ta mère sait que tu es rentré?

— Bien sûr qu'elle le sait!

— Je parie que tu es passé à la maison avant de venir au bureau.

— Même réponse que tout à l'heure : bien sûr que je suis passé à la maison.

— Tu aurais dû venir directement ici en descendant de l'avion. J'ai besoin de savoir certaines choses.

— Tu seras au courant bien assez tôt.

Tournant soudain la tête pour regarder le bureau où Jinny était en train de taper à la machine, il demanda :

— Qu'est-il arrivé à Aggie?

— Elle est à l'hôpital. Ça fait déjà un bon bout de temps qu'elle aurait dû y aller. Nous avons une nouvelle recrue. Elle s'appelle Jinny. Et j'aime autant te dire tout de suite qu'elle est plutôt... effrontée.

— Ah oui?

Jinny, qui n'avait pas levé les yeux de son travail, attendit que Glen ait enlevé son manteau, et qu'il se soit assis à côté du bureau de son père, pour lui jeter un coup d'œil. Les deux hommes ne se ressemblaient absolument pas. Ni physiquement ni dans leurs manières. Leur seul point commun c'était qu'ils étaient l'un et l'autre pleins de vitalité. Il suffisait de les écouter discuter pour s'en rendre compte. Jinny ne saisissait que des bribes de leur conversation car leurs voix étaient couvertes par le cliquetis de sa machine à écrire. Mais, quand elle eut fini de taper, elle entendit Bob Henderson dire à son fils :

— Bien. Très bien. Mieux en tout cas que ce que nous pouvions espérer.

— Ne crois pas que ça a été facile. Il y avait six concurrents. L'un d'eux avait laissé courir le bruit qu'à l'heure actuelle n'importe quel pays au monde est capable de fabriquer de l'acier... Pour enlever le marché, j'ai été obligé d'accepter une marge bénéficiaire extrêmement faible.

— Ce qui compte, c'est d'avoir décroché un nouveau contrat.

— Ils ont bien insisté sur le fait qu'il fallait que la livraison ait lieu à la date fixée.

— Est-ce que nous ne livrons pas toujours à la date fixée ? C'est ce qui fait notre force, mon garçon. Qu'il pleuve, qu'il vente ou qu'il neige, nous livrons ! C'est notre devise.

— J'ai entendu dire qu'il y aurait peut-être des grèves...

— Il n'y aura pas de grève. Le mouvement va avorter. Les ouvriers ne sont pas tous idiots, au point de scier la branche sur laquelle ils sont assis. S'ils font grève, les usines vont fermer, ce qui, dans notre activité, n'est encore jamais arrivé. Dommage qu'on ne puisse pas en envoyer quelques-uns au Japon ou en Allemagne. Après un séjour là-bas, ils auraient vite fait de comprendre que nous ne sommes pas les seuls au monde à produire de l'acier et que dans ce domaine la compétition est vraiment acharnée. Peut-être se rendraient-ils compte que, pour continuer à les faire travailler, il faut que nous puissions enlever des marchés, donc que nous soyons compétitifs. Mais, ces derniers temps, les gens ont bien changé.

— Et ce n'est pas trop tôt ! s'écria Glen en riant. D'après ce que tu m'as dit, les conditions de travail d'autrefois n'étaient pas des meilleures.

— Il n'empêche que, dans ce domaine, il vaut mieux agir avec modération. Ce qui m'inquiète, c'est l'avidité dont les gens font preuve à l'heure actuelle. Le mot d'ordre aujourd'hui, c'est : Je veux ce que tu as, mais je ne veux pas travailler pour l'avoir !

Bob Henderson se tut pendant quelques secondes, puis il demanda soudain à son fils :

— Est-ce que tu rentres déjeuner à la maison ?

— Oui. Et mère m'a dit que tu devais rentrer avec moi.

— Non, mon cher, je ne peux pas !

— Bien sûr que tu peux. L'usine ne va pas s'écrouler sous prétexte que tu t'es absenté une heure.

— Laisse-moi t'expliquer...

— Tu ne m'expliqueras rien du tout, intervint Glen.

Puis, se tournant vers Jinny, il demanda :

— Que fait-il pendant l'heure du déjeuner d'habitude, Jennie ?

— Je ne sais pas. Cela ne fait pas assez longtemps que je travaille ici pour pouvoir vous répondre.

— Elle dit la vérité, intervint Bob Henderson. Elle n'en sait rien. Et, pour la petite histoire, elle ne s'appelle pas Jennie, mais Jinny. Elle a raison de dire que cela ne fait pas longtemps qu'elle travaille avec moi, mais je peux t'assurer qu'elle a déjà eu largement le temps de m'en faire voir.

— Excellente chose, remarqua Glen.

Il sourit à Jinny, qui lui rendit son sourire.

— Et tu sais ? demanda Bob Henderson en regardant son fils. C'est une bourgeoise. De la petite bourgeoisie, comme elle dit si bien.

— Très intéressant, répondit Glen en hochant la tête. Dans la vie, il vaut mieux savoir à quelle classe sociale on appartient.

— C'est votre père qui a insisté pour savoir de quel milieu j'étais issue, intervint Jinny. Jusque-là, je n'avais pas vraiment réfléchi à ce genre de choses...

— Tu remarqueras qu'elle a réponse à tout, et qu'elle répond toujours très poliment, souligna Bob Henderson.

— Je suis content que tu aies enfin trouvé quelqu'un à

qui parler, remarqua Glen. Cette pauvre Aggie en a vu de
dures avec toi.

— Aggie était tout à fait capable de se défendre.

— Elle se défendait tellement bien que lorsque tu te
fâchais, elle fondait en larmes.

— Faux! corrigea Bob Henderson. Quand Aggie pleurait, c'est parce que j'étais gentil avec elle.

— Tu parles! rétorqua Glen en enfilant son manteau.

Il ajouta en regardant sa montre.

— N'oublie pas qu'on t'attend pour déjeuner. Tâche de
quitter le bureau à l'heure.

— On verra...

— Au revoir, Jinny, ajouta Glen en se dirigeant vers la
porte.

— Au revoir, monsieur.

Dès que son fils eut refermé la porte derrière lui, Bob
Henderson se tourna vers Jinny et lui demanda avec une
pointe de fierté :

— Que pensez-vous de lui?

— Je ne le connais pas. Et de toute façon...

— Mon Dieu... la coupa aussitôt Bob Henderson.

Le coude appuyé sur le bureau, il soutint sa tête de la
main et ferma les yeux d'un air excédé avant d'ajouter :

— Ne me répondez pas que ce serait déplacé de votre
part de m'en parler.

— Je n'avais pas l'intention de vous dire une chose
pareille.

— Qu'alliez-vous me dire? demanda Bob Henderson.

Il releva la tête pour la regarder.

— Si j'avais eu l'intention de vous répondre quelque
chose, monsieur, je vous aurais dit que votre fils était le
contraire de vous.

— Le contraire de moi? Qu'est-ce qui vous fait penser
ça?

— Pour commencer, j'ai l'impression que ce n'est pas le
genre d'homme à élever la voix. Et ensuite...

Jinny s'interrompit soudain. Elle ne pouvait tout de même pas lui dire que son fils, lui, ne s'était jamais battu pour arriver au poste qu'il occupait. Ce serait vraiment aller trop loin.

Prenant les lettres qui se trouvaient devant elle, elle s'approcha du bureau en disant :

— Si vous voulez bien signer ces lettres...

— Finissez d'abord votre phrase.

Comme Jinny gardait le silence, il ajouta :

— Vous ne voulez pas finir votre phrase parce que vous alliez dire quelque chose de désagréable. Quelque chose qui ne m'aurait pas plu.

— Peut-être...

— Ça alors ! Je n'ai jamais vu quelqu'un d'aussi culotté !

Jinny sentit sa gorge se nouer. Elle allait se faire renvoyer. Regagner le bureau des dactylos en pleurant, comme Noreen quelques jours plus tôt.

Alors qu'elle se préparait au pire, Bob Henderson éclata soudain de rire.

— Je crois que nous sommes faits pour nous entendre, dit-il. La petite bourgeoisie et la couche inférieure de la classe ouvrière : on aura tout vu !

« Quel homme étonnant ! » songea Jinny. On avait beau dire mais Bob Henderson avait aussi un côté attachant.

Tout l'après-midi, il plut à torrents, et le ciel était si sombre qu'ils durent allumer la lumière pour pouvoir travailler. A cinq heures, Bob Henderson demanda :

— Est-ce qu'il pleut toujours autant ?

Jinny s'approcha de la fenêtre.

— Oui, on dirait que le temps tourne à la neige. C'est un peu tôt. Nous ne sommes qu'au mois de novembre.

— Nous allons avoir un Noël sous la neige, prédit Bob Henderson. Tant mieux, j'adore ça !

Puis, il changea soudain de sujet et demanda :

— Comment rentrez-vous chez vous ?

— Je prends le bus.

— Ah oui, c'est vrai, vous me l'avez déjà dit. Vous n'avez pas encore de voiture, n'est-ce pas ? Aujourd'hui, la plupart des gens en ont une. Dire que quand j'étais jeune, mon grand rêve c'était de pouvoir acheter une bicyclette. Les gens ne se rendent pas compte de la chance qu'ils ont. Quand je dis ça, je passe pour un vieux radoteur. Mais, j'ai raison. Plus les gens en ont, plus ils en veulent. Ils sont trop gourmands.

Passant devant le bureau de Jinny, Bob Henderson se dirigea vers les lavabos. Quand il eut quitté la pièce, celle-ci se dit à nouveau qu'il était bien l'homme le plus étonnant qu'elle ait jamais rencontré. Mais elle s'était attachée à lui, et le jour où elle cesserait d'être sa secrétaire, elle trouverait certainement son travail bien monotone. Dans la maison, tout le monde avait peur de lui. Et pourtant Jinny savait bien que si, un jour, elle était affectée dans un autre bureau, jamais elle ne pourrait se permettre de répondre à son supérieur comme elle le faisait à Bob Henderson. La situation était vraiment des plus curieuses...

Quand Bob Henderson revint dans son bureau, elle était en train de recouvrir sa machine à écrire de sa housse.

— Allez chercher votre manteau, lui dit-il. Je vous ramène chez vous. Ce n'est pas un temps à mettre un chien dehors.

Quelques minutes plus tard, ils prirent l'ascenseur ensemble et après avoir traversé le hall, sortirent par la porte que leur tenait obligeamment le portier.

— Bonsoir, monsieur, dit celui-ci. Sale temps, ce soir.

Bob Henderson ne répondit pas à son salut et ne le remercia pas. Quand Jinny fut assise à côté de lui dans la voiture, il lui dit, avec une note de gaieté dans la voix :

— Alors que personne ne m'a jamais vu descendre en

compagnie d'Aggie Honeysett, je viens de vous faire l'honneur de quitter le bureau avec vous. Ça va faire jaser les gens, c'est moi qui vous le dis !

— A mon avis, à partir du moment où ça fait jaser les gens, l'honneur que vous me faites est bien discutable.

Au moment où ils passaient la grille, Bob Henderson fit remarquer avec un petit rire :

— Je suis sûr que vous prenez plaisir à me répondre. C'est toujours exact et joliment emballé. Un mélange d'institutrice et de journaliste de télévision.

Un mélange... Tiens donc ! Mais elle savait qu'il avait raison. Elle prenait plaisir à lui répondre. Et elle trouvait toujours le mot exact, comme il avait dit, ce qui n'était pas dans ses habitudes. Elle en était la première étonnée. Si les Fellburn Players avaient pu l'entendre discuter avec son patron, ils n'auraient jamais cru qu'ils avaient affaire à la même personne. Lorsqu'elle était avec eux, elle n'arrêtait pas d'aller de droite et de gauche pour répondre à ce qu'on attendait d'elle. Ils avaient dû se dire qu'elle était vraiment une imbécile, une fille complètement stupide et sans personnalité. Et tout ça, sous prétexte de plaire aux gens et de ne pas se retrouver toute seule... Mais c'était fini, bien fini. Jamais plus elle ne se comporterait ainsi.

— Que faites-vous de vos week-ends ? lui demanda soudain Bob Henderson.

— La plupart du temps, j'en profite pour lire et mettre de l'ordre dans la maison. Mais cette semaine, je sors : je suis invitée à déjeuner dimanche.

Quelques instants plus tard, Bob Henderson arrêtait sa voiture devant la maison de Jinny. Au moment où il se penchait devant elle pour ouvrir la portière, il lui dit :

— Ne restez pas toute seule chez vous à broyer du noir. Allez au cinéma au lieu de faire du ménage. Ou alors, allez dans un pub pour boire quelque chose. Non, ce n'est pas un bon conseil ! corrigea-t-il aussitôt. Vous ne pouvez pas aller toute seule dans un pub. Il n'empêche que le temps va vous paraître bien long jusqu'à dimanche.

— Ne vous inquiétez pas, monsieur Henderson, répondit Jinny avant de refermer la portière. Et merci pour tout. Passez un bon week-end. A lundi...

Au moment où elle claquait la portière, elle s'aperçut que derrière la vitre noyée de pluie, il lui faisait au revoir de la tête.

« Il a beau râler toute la journée, en réalité, c'est un homme prévenant et gentil », songea-t-elle en rentrant chez elle. Ce n'était pas désagréable de se dire qu'il y avait au moins quelqu'un qui se faisait du souci pour vous et s'inquiétait de votre sort.

Quand Jinny eut ouvert la porte de son appartement, elle eut l'impression de rentrer dans une glacière, comme s'il faisait encore plus froid dedans que dehors. D'ailleurs, elle alluma le chauffage et se prépara un thé avant d'enlever son manteau.

Elle était assise tout près du radiateur et venait de boire sa seconde tasse de thé lorsqu'un sentiment étrange l'envahit soudain. Elle sauta sur ses pieds, agrippa le manteau de la cheminée. Sa poitrine se soulevait comme si elle manquait d'air. La tête dans les mains, elle se mit à pleurer à chaudes larmes en se demandant : « Qu'est-ce qui ne va pas ? »

Très vite, elle comprit ce qui n'allait pas : à cause de la gentillesse de M. Henderson, de l'intérêt qu'il lui avait témoigné, elle ne supportait pas l'idée de devoir rester toute seule jusqu'à dimanche. Ça lui paraissait une éternité.

Le dimanche matin, à onze heures, Hal Campbell vint la chercher. Le soleil brillait mais comme il avait plu toute la nuit, les rues étaient encore mouillées. Hal traversa la ville, longea le parc et gagna Brampton Hill. Au moment où ils passaient devant de hautes grilles qui donnaient sur une longue allée, il dit à Jinny en montrant la propriété d'un signe de tête :

— C'est là qu'habite votre patron.

— Ah bon ?

Jinny tourna la tête pour essayer de voir la maison, mais il était trop tard et elle n'aperçut qu'une haute haie de lauriers.

— Son fils, celui qui va bientôt se marier, a acheté une maison tout en haut de la colline. Elle est moins grande que celle-là, mais il a tout de même dû la payer très cher.

— C'est votre agence qui s'est occupée de la vente ?

— Non, malheureusement... répondit Hal en riant. Mais on nous a confié trois ventes sur Brampton Hill. A chaque fois il s'agissait de maisons divisées en appartements. A une certaine époque, Brampton Hill était vraiment le quartier chic de Fellburn. Mais, à l'heure actuelle, il ne reste plus que cinq propriétés. Malgré tout, le quartier est encore très coté et les loyers passablement élevés.

Au sommet de la colline, la route traversait des terrains cultivés avant de longer quelques immeubles modernes.

— Vous habitez loin d'ici ? demanda Jinny.

— Non, pas très loin. A environ deux kilomètres. Nous avons eu beaucoup de chance... Je veux dire : ma mère et moi. Nous avons acheté cette maison au début des années soixante quand les prix étaient encore très bas. Le seul ennui, c'est le jardin : il est vraiment trop grand. J'ai engagé un homme qui vient deux jours par semaine, mais j'ai l'impression qu'il ne fait pas grand-chose. C'est toujours comme ça quand vous n'êtes pas là pour surveiller les gens. D'ailleurs, j'ai le même problème avec Mme Grayson, la femme de charge. Pour quelqu'un d'un peu à cheval sur la propreté, son travail laisse à désirer. Je passe mes week-ends à nettoyer la maison et à cuisiner. J'espère que le déjeuner n'a pas brûlé, ajouta-t-il en souriant à Jinny. J'ai demandé à Rosie de s'en occuper et je lui ai interdit d'allumer la télévision. Espérons qu'elle m'aura obéi...

Ils avaient maintenant dépassé les immeubles modernes

et se trouvaient en pleine campagne. Après avoir tourné dans un petit chemin, Hal annonça :

— Ça y est ! Nous y sommes.

Jinny aperçut un champ, puis un bouquet d'arbres dont les cimes laissaient apparaître le premier étage d'une maison.

— Ça a l'air très grand, remarqua-t-elle.

— Pas si grand que ça. Dix pièces en tout, en comptant les chambres mansardées. La maison était en bien mauvais état lorsque nous l'avons achetée et il nous a fallu faire pas mal de travaux.

— J'ai l'impression que vous vivez en pleine campagne.

— Nous habitons entre deux fermes. Et c'est vrai que nous avons de la chance. Mais, pour combien de temps ? Nul ne peut le dire. A une certaine époque, les terres cultivables étaient considérées comme sacro-saintes. Mais de nos jours, si une propriété qui ne se trouve pas en zone protégée est à vendre, le premier promoteur venu peut l'acheter et y construire une ville nouvelle.

Hal venait d'engager sa voiture entre les deux battants d'un portail peint en blanc et, quelques mètres plus loin, il s'arrêta devant une maison qui ressemblait à un petit manoir. Construite en pierre, elle montrait une solide porte d'entrée en bois sombre, flanquée de chaque côté de trois hautes fenêtres. Le premier étage possédait lui aussi six ouvertures, tout à fait semblables à celles du rez-de-chaussée, mais en plus petit. Juste au-dessus, il y avait les fenêtres du grenier.

Après avoir ouvert la portière du côté de Jinny, Hal entraîna son invitée dans la maison. En arrivant dans l'entrée, il appela :

— Où êtes-vous donc tous ?

Comme si elles n'attendaient que ce signal, trois personnes apparurent alors. D'abord une jeune fille, qui semblait avoir seize ou dix-sept ans — ce devait être Rosie — et qui s'arrêta sur le seuil de la cuisine. Ensuite, un jeune garçon. Il avança la tête, par l'entrebâillement d'une porte située au fond de l'entrée, à côté de l'escalier. Mince, le visage fin, les traits tirés, ce devait être le frère de Rosie. Il se contenta de jeter un coup d'œil inquiet autour de lui sans bouger. Le troisième arriva de l'autre côté de l'entrée. Grand, au moins aussi grand qu'Hal Campbell, c'était un jeune homme brun au visage un peu allongé.

Après avoir aidé Jinny à enlever son manteau, Hal annonça :

— Voici Mlle Brownlow, Jinny, si vous préférez. Jinny, continua-t-il en lui montrant la jeune fille, je vous présente Rosie. Celui-ci, c'est Arthur. Et l'Adonis, là-bas, se nomme Michael.

Michael fut le premier à s'approcher de Jinny.

— Bonjour, dit-il.

— Bonjour, répondit Jinny.

Après avoir fait quelques pas dans sa direction, Rosie s'arrêta à un mètre d'elle et inclina légèrement la tête.

— Bonjour, lui dit Jinny.

— Approche-toi, ordonna Hal Campbell au jeune garçon qui n'avait toujours pas bougé.

Il obéit aussitôt, mais sans dire un mot. Et, arrivé à quelques pas de Jinny, il se contenta de l'observer en silence. Un silence qui serait bien vite devenu pesant si Michael n'avait proposé :

— Allons dans le salon.

— Bonne idée, renchérit Hal. Installez-vous dans le salon, pendant que je prépare le déjeuner.

En y entrant, Jinny remarqua aussitôt que la pièce était très bien meublée : canapé confortable avec deux fauteuils assortis, table basse et deux vitrines remplies de figurines. Un feu brûlait dans l'âtre de la cheminée en pierre et le sol de cette pièce, comme celui de l'entrée, était recouvert d'un épais tapis rouge.

Jinny s'installa à un bout du canapé et Michael à l'autre. Rosie alla s'asseoir sur le tapis devant le feu et son frère resta debout, l'épaule appuyée contre la cheminée. La tête légèrement tournée en direction de Jinny, il ne la quitta pas des yeux tandis qu'elle répondait aux questions que lui posait Michael.

Elle travaillait bien chez Henderson, n'est-ce pas ?

Oui.

Est-ce que son travail lui plaisait ?

Oui, absolument. Surtout depuis qu'elle remplaçait la secrétaire du patron.

Michael avait entendu parler du vieil Henderson et on lui avait dit qu'il était terrible. Est-ce que c'était vrai ?

Jinny n'était pas de cet avis.

Cela faisait combien de temps qu'elle travaillait là-bas ?

Un peu plus d'un an.

Avait-elle toujours vécu à Fellburn ?

Oui. Elle était née ici.

Michael avait entendu dire qu'elle était orpheline : est-ce que c'était vrai ?

Avant que Jinny ait pu répondre à sa question, Arthur se mit à réciter d'une voix moqueuse : « Annette, la petite orpheline, est venue chez nous pour y vivre, faire la chasse aux poules qui picorent sur le porche et balayer les miettes de pain. »

— Arrête, Arthur ! ordonna Michael.

Puis il se tourna à nouveau vers Jinny et ajouta :

— Force m'est de reconnaître que mon demi-frère est un garçon grossier et ignorant. Il n'a qu'une seule excuse : son jeune âge. Nous sommes en droit d'espérer qu'il se transforme rapidement en un être humain normal. Bien que, parfois, j'aie de sérieux doutes à ce sujet...

Quittant l'appui de la cheminée, Arthur se précipita hors de la pièce en lançant au passage à Michael :

— Ça va, bille de clown !

Rosie, à genoux devant la cheminée, se pencha vers l'âtre pour pousser une bûche dans le feu.

— Ne faites pas attention à lui, conseilla-t-elle. Il aime faire l'intéressant. Je parie que la prochaine fois que vous viendrez, il sera tout le temps dans vos jambes.

Puis elle se retourna et sourit à Jinny. Celle-ci lui sourit à son tour en se disant que la grossièreté de son frère avait eu au moins l'avantage de briser la glace.

— Voulez-vous boire quelque chose? lui demanda Michael.

— Avec plaisir. Je prendrai bien un sherry.

— Est-ce que je peux en avoir une goutte, moi aussi, Michael?

— D'accord. Mais dépêche-toi de l'avaler avant que le grand manitou revienne. Sinon, je vais me faire engueuler.

Tandis que Jinny buvait son sherry, elle se demanda, un peu étonnée, pourquoi personne n'était allé donner un coup de main à Hal pour préparer le déjeuner. Michael devait avoir eu la même pensée qu'elle car il demanda soudain à Rosie :

— Est-ce que tu as mis la table?

— Bien sûr. Et j'ai aussi préparé les légumes. Je suis capable de faire des tas de choses quand j'en ai envie...

— Je sais. Le problème c'est que tu n'en as pas souvent envie.

— Pourquoi est-ce que je me fatiguerais alors que Mme Grayson vient pendant la semaine et que le grand manitou passe ses week-ends à astiquer? On n'a pas besoin de moi.

— Pour une fois, je pense qu'on a besoin de toi. Va voir à la cuisine ce que tu peux faire. Allez, vas-y!

— Tu sais quoi? Tu es encore pire que lui!

Rosie prit tout son temps pour se relever et, quand elle fut debout, elle fit une grimace à Michael avant d'ajouter :

— Tâche de te tenir correctement, sinon je le dirai au grand manitou.

— Sors d'ici ! lui lança Michael en faisant mine de se lever.

Il se laissa retomber aussitôt au fond du canapé et dit à Jinny :

— Elle a un tel aplomb qu'elle serait capable de décontenancer un détective new-yorkais. A cet âge-là, les filles sont vraiment épouvantables. Aucune éducation. La nature à l'état pur.

— Pourquoi un détective new-yorkais ?

— L'influence de la télévision, je suppose, répondit Michael en riant. Ils ont l'air beaucoup plus coriace que les détectives anglais. Rien ne les atteint... Ça fait longtemps que vous connaissez Hal ? demanda-t-il soudain.

Jinny fut un peu surprise par cette question. Elle pensait qu'Hal leur avait expliqué que si elle était là aujourd'hui c'est qu'il avait eu pitié d'une pauvre jeune femme esseulée.

— Un peu plus d'un an, répondit-elle. Le temps de monter quatre pièces.

— Ça fait un an que vous faites partie des Fellburn Players ? demanda Michael, qui semblait tout surpris.

— Oui.

— Que pensez-vous d'eux ?

— Qu'entendez-vous par là ? Vous voulez savoir ce que je pense d'eux en tant qu'individus ou en tant qu'acteurs ?

Après avoir réfléchi pendant quelques secondes, Michael finit par répondre :

— Les deux, j'imagine...

— Il y a un peu de tout dans cette troupe... Leur seul point commun c'est qu'ils pensent tous qu'ils sont capables de faire du théâtre.

« Pourquoi dire une chose pareille ? » songea Jinny aussitôt. C'était vraiment rosse.

Michael éclata de rire, et Jinny jeta un coup d'œil en direction de la porte, se disant que quelqu'un allait entrer, pour demander ce qui les amusait tant. Personne n'avait entendu.

— Vous avez touché juste! s'écria-t-il. Je n'arrive pas à comprendre que des gens comme eux osent monter sur une scène et se donner en spectacle comme ils le font. Oui, se donner en spectacle, il n'y a pas d'autre mot...

— Je ne pense pas que M. Campbell partage votre opinion. Sinon, jamais il n'aurait travaillé avec eux.

— Depuis quand sortez-vous avec lui? demanda Michael qui avait retrouvé son sérieux.

— Je ne suis jamais sortie avec lui, répondit Jinny d'une voix soudain tendue. Il a simplement eu la gentillesse de m'inviter à déjeuner aujourd'hui parce qu'il savait que je venais d'avoir une déception et que je me retrouvais toute seule.

Michael haussa les sourcils pour bien marquer son étonnement. Puis, après avoir hoché plusieurs fois la tête d'un air incrédule, il dit calmement :

— On apprend à tout âge...

Jinny avait hâte de changer de sujet.

— Je crois savoir que vous êtes comptable, dit-elle.

— Oui, c'est exact, je suis comptable. Et depuis quelques mois, comptable diplômé, qui plus est. Je travaille chez Ford & Branham's. Nos bureaux ne sont pas très loin de l'usine Henderson.

— Vous devez faire tous les jours un sacré trajet pour aller travailler...

« Que je suis bête! » songea Jinny aussitôt. Michael devait avoir une voiture... Et qu'est-ce que dix kilomètres pour quelqu'un qui allait travailler en voiture?

— En effet, je faisais tous les jours ce sacré trajet. Mais, depuis février dernier, je vis en ville. Je me suis installé dans mes meubles.

— Vous allez vous marier?

Michael répondit en baissant la tête sans quitter, pour autant, Jinny des yeux.

— Non. J'habite avec une amie. Je ne pense pas vous choquer en vous disant ça, puisque, de nos jours, rien ne choque plus les femmes.

Jinny n'émit aucun commentaire et se contenta de le regarder.

— Je vous ai choquée! s'écria Michael. Ça c'est la meilleure...

Il se mit à rire doucement.

Sur le coup, Jinny ne sut pas quoi répondre. Elle se demanda pourquoi elle avait la repartie si facile lorsqu'elle se trouvait avec M. Henderson, alors que la présence de ce jeune homme à ses côtés lui donnait soudain l'impression de se retrouver parmi les Fellburn Players. Craignait-elle de lui déplaire si jamais elle ouvrait la bouche? Et pourtant, c'était fini tout ça. Elle n'avait pas peur de déplaire à ce garçon, pas plus qu'aux autres.

— Vous vous trompez, dit-elle. Je ne suis pas choquée. Je pense tout simplement que ce n'est pas très original. Aujourd'hui, on vit ensemble, on ne se marie pas. C'est comme dans le jeu des chaises musicales. Chaque fois que la musique s'arrête, tous les joueurs se précipitent vers une chaise. A la fin du jeu, il n'y a plus qu'une seule personne assise. C'est la gagnante, puisqu'elle a éliminé tous ses partenaires. Mais qu'a-t-elle gagné en réalité?

Immédiatement, Jinny comprit que ce qu'elle venait de dire n'avait pas plu à Michael. Il se contenta de lancer d'un air désinvolte :

— Toutes les femmes qui philosophent sont pareilles : le peu qu'elles savent, elles l'ont appris dans les livres.

D'un bond, Jinny fut debout. Sautant à son tour sur ses pieds, Michael lui dit :

— Excusez-moi. C'était vraiment méchant de ma part. Je suis encore pire qu'Arthur. Oublions tout ça, proposa-t-il en souriant gentiment. Faisons comme si nous venions juste de nous rencontrer.

A ce moment-là, Hal les rejoignit.

— Si vous avez faim, le repas est prêt, annonça-t-il. Est-ce que Michael vous a offert quelque chose à boire? S'est-il occupé de vous?

Tout en parlant, Hal s'était approché de Jinny et il la prit par l'épaule. Même si cette marque de possession semblait un peu prématurée, elle le laissa faire.

— Je suis sûr que la conversation de Michael vous a amusée, ajouta-t-il. Ce garçon est un véritable cynique. Il méprise les conventions sociales. Mais, cessons de parler de ça et allons déjeuner.

Tenant toujours Jinny par l'épaule, Hal sortit de la pièce, traversa l'entrée et poussa la porte qui menait à la salle à manger. Rosie et Arthur s'y trouvaient déjà et le déjeuner était servi : rôti de bœuf et légumes. Dans des plats munis de couvercles pour les tenir au chaud.

Le déjeuner était excellent, mais ne paraissait pas exceptionnel dans cette maison, de même que le verre de vin auquel eurent droit Rosie et Arthur pour tenir compagnie aux adultes.

Comme dessert, Hal avait préparé une compote de prunes et il expliqua à Jinny que les prunes venaient de son jardin. Il ajouta qu'il avait congelé suffisamment de fruits pour couvrir leur consommation pendant l'hiver.

Le repas terminé, Jinny proposa un coup de main pour la vaisselle à Hal, qui accepta sa proposition. Elle fut quelque peu étonnée, d'autant plus que les trois jeunes gens auraient très bien pu se charger de cette corvée. De toute façon, elle ne détestait pas faire la vaisselle et elle alla retrouver Hal dans la cuisine.

Jinny commençait à se sentir un peu plus à l'aise que lorsqu'elle était arrivée dans cette maison. Pendant le repas, Hal lui avait expliqué qu'il adorait cuisiner. Puis il lui avait demandé si elle savait faire la cuisine. Elle avait répondu qu'elle croyait pouvoir préparer un repas, mais moins bon que celui-ci, bien sûr. Sa spécialité, avait-elle ajouté, c'était plutôt la pâtisserie. Elle avait appris à faire des gâteaux avec sa mère qui était une excellente pâtissière.

— Quel genre de gâteaux ? avait aussitôt demandé Rosie.

— Des cakes, des biscuits de Savoie et des gâteaux suédois.
Tout le monde avait voulu savoir ce que c'était que ce
fameux gâteau suédois. Jinny avait alors expliqué que c'était
une simple tarte aux pommes que l'on faisait cuire dans un
moule à haut bord, après avoir parfumé la pâte avec de la
cannelle.

Si bien qu'après avoir fait la vaisselle, elle prépara un
gâteau suédois qu'ils mangèrent à l'heure du thé.

L'atmosphère était maintenant si détendue que Hal
demanda à Jinny si elle accepterait de jouer quelque chose
au piano. Celle-ci obéit aussitôt, comme si elle participait,
de nouveau, à une des répétitions des Fellburn Players.
Hal, Michael et Rosie, debout autour du piano, étaient en
train de chanter leur chanson favorite, *I love you because*,
quand soudain Arthur, qui était resté assis, près du feu,
sans se joindre à eux, annonça :

— Je sors.

Il avait crié si fort que Jinny s'arrêta aussitôt de jouer.
Les chanteurs en firent autant. Au lieu de se retourner vers
son beau-fils, Hal Campbell choisit une nouvelle partition
qu'il plaça devant Jinny.

— Tu ne sortiras pas, dit-il. Pas ce soir.

— Si, insista Arthur.

— Si tu sors, ce sera à pied. Il n'est pas question que tu
prennes ta mobylette. Il pleut à torrents.

— Tu sais très bien que je suis capable de faire de la
mobylette, même quand il pleut.

— Pas quand il fait noir.

Hal ne s'était toujours pas retourné.

— Tu m'emmerdes ! cria Arthur. Moi, je sors.

Alors que le jeune garçon se dirigeait vers la porte, Hal
fit soudain demi-tour, se précipita sur lui et, l'attrapant par
les épaules, le fit sortir de la pièce.

Comme la porte était restée ouverte, ils entendirent les
cris de protestation d'Arthur tandis que son beau-père

l'emmenait à l'étage. Michael se dépêcha d'aller fermer la porte. Il allait dire quelque chose quand Rosie, qui venait de se laisser tomber sur le tapis à sa place habituelle, s'écria :

— Il gâche tout ! Il faut toujours qu'il gâche tout...

— Ce n'est pas vrai, intervint aussitôt Michael.

Jinny, qui observait la scène, fut étonnée par le ton de sa voix.

— Tu prends toujours sa défense, lui reprocha Rosie.

— Je prends la défense de ceux qui sont dans leur droit.

«Tiens, tiens... » se dit Jinny. Ainsi Michael pensait que ce jeune garçon mal élevé et grossier était dans son droit et que Hal, beau-père patient — il était certainement plus que patient — avait tort. Pourquoi Michael pensait-il ça ? Il y avait certainement quelque chose là-dessous. De toute façon, ça ne regardait pas Jinny...

Ils entendirent une porte claquer à l'étage au-dessus. Puis le bruit de coups de pied dans le bois. Du moins cela y ressemblait. Le bruit suivant était, lui, clairement reconnaissable : quelqu'un était en train de taper du pied. Rosie se releva et, après avoir lancé un regard noir à Michael, sortit en courant de la pièce. Michael se laissa tomber sur le canapé et dit, en haussant les épaules d'un air fataliste :

— Je suis désolé, si vous devez revenir dans cette maison, il vaut peut-être mieux que je vous dise tout de suite de quoi il retourne : le beau-père domine son beau-fils et le beau-fils n'aime pas ça. On peut leur trouver à tous deux des excuses. Mais j'imagine qu'à vos yeux la balance doit plutôt pencher du côté du beau-père.

Jinny ne répondit pas tout de suite.

— Pour quelqu'un d'extérieur, comme moi, il est vrai qu'Arthur donne l'impression d'être un enfant difficile, dit-elle finalement.

— C'est l'impression qu'il donne en effet. Mais asseyez-

vous donc, proposa Michael. Vous n'allez pas revoir votre
hôte avant un bon quart d'heure. Il prend toujours le temps
de se calmer avant de réapparaître en public.

Jinny en déduisit que ce genre de disputes devait être
assez fréquent.

Quand elle fut à nouveau installée à un bout du canapé
alors que Michael était assis à l'autre, celui-ci lui expliqua :

— En général, je ne suis jamais là le samedi, ni le
dimanche. Je viens simplement dîner le soir de temps en
temps. Mais cette semaine, Catherine, mon amie, est partie
passer le week-end dans sa famille. J'ai préféré ne pas l'accompagner car, en ce moment, je n'ai pas tellement la cote
chez elle. C'est surtout sa mère qui m'en veut : elle fait une
véritable fixation sur le mariage.

Michael avait dû espérer que Jinny réagirait. Comme elle
ne disait rien, il lui demanda :

— Est-ce que vous tenez absolument à vous marier ?

Jinny sentit qu'elle avait du mal à avaler sa salive, mais
elle se força néanmoins à répondre :

— Disons que je ne tiens pas à avoir une liaison, comme
on dit, avec qui que ce soit.

— Votre réponse ne m'étonne pas.

— Pourquoi ?

— C'est la réponse habituelle. Jamais une fille charmante comme vous n'oserait admettre qu'elle aimerait bien
suivre son instinct et ses penchants naturels.

Le visage en feu, Jinny voulut se lever et quitter immédiatement la pièce. Mais elle comprit aussitôt que si elle
réagissait aussi violemment à ce que Michael venait de dire
c'est qu'il avait raison. Il avait réussi à éveiller chez elle la
même fureur que le soir où elle s'était expliquée avec Ray
Collard. Quand on l'attaquait sur ce point précis, elle avait
l'impression que l'on touchait à ce qu'elle avait de plus
intime. Et cela la mettait en rage.

Se penchant vers elle, Michael recommença à s'excuser.

— Je ne pensais pas un mot de tout ça, dit-il. C'était seulement pour vous taquiner.

Il poursuivit avec un petit rire :

— Au fond, c'est peut-être aussi bien si, à l'avenir, nous n'avons pas trop l'occasion de nous rencontrer. J'ai l'impression qu'à chaque fois nous nous disputerions. A condition, bien entendu, que vous daigniez me répondre. Peut-être que la prochaine fois vous resterez assise sans dire un mot, comme maintenant, en vous contentant de me regarder comme si vous souhaitiez que j'aille au diable. Ça y est ! ajouta-t-il en baissant la voix. Voici votre sauveur.

Regardant vivement vers la porte, Jinny vit entrer Hal Campbell. Il avait les traits un peu tirés, mais lorsqu'il parla, sa voix ne laissait percer aucune irritation.

— Un simple problème familial... Trouvez-moi une famille où il n'y ait pas de problèmes et moi je vous démontrerai tout de suite que ce n'est pas une vraie famille.

Après s'être installé dans un des fauteuils près de la cheminée, il demanda à Jinny :

— Comment Michael s'est-il comporté avec vous ? C'est un contestataire, vous savez. Même quand il n'y a aucune raison de se plaindre, il trouve toujours quelque chose à redire. C'est vrai, Michael, non ?

Jinny, qui était en train d'observer les deux hommes, sentit qu'il y avait entre eux une réelle animosité.

— Tu as raison, répondit Michael. J'ai tendance à prendre la défense des opprimés.

« Si c'est ça une famille heureuse... » songea Jinny. Et pourtant Hal Campbell n'avait pas d'autre but dans la vie que celui-là. Il faisait certainement tout ce qu'il pouvait pour les trois enfants. Mais Jinny voyait bien qu'il ne s'occupait que d'assurer leur confort matériel : de bons repas et une maison agréable. Apparemment, cela ne suffisait pas pour qu'ils soient heureux. Ils avaient besoin d'autre chose. Et Michael reprochait à son beau-père de rester totalement insensible à ce genre de besoin. Il devait surtout trouver qu'il se montrait trop dur vis-à-vis d'Arthur. Le problème, c'était qu'à partir du moment où Hal Campbell avait endossé le rôle du père, il fallait bien qu'il fasse preuve d'autorité. Sans compter qu'Arthur avair l'air d'être un enfant particulièrement difficile. En tout cas, Jinny aurait bien aimé se retrouver chez elle, même si ce n'était qu'un appartement vide. Et pourtant, elle avait aussi désespérément besoin de compagnie.

Quand Rosie les rejoignit au salon, elle se dit qu'elle était bien la seule des trois enfants qui ait l'air d'apprécier le chef de famille. En effet, la jeune fille alla aussitôt s'asseoir sur le tapis, aux pieds de Hal Campbell et posa la tête sur ses genoux. Et celui-ci se mit à lui caresser tendrement les cheveux.

A neuf heures du soir, Jinny annonça qu'elle devait rentrer chez elle car elle avait à se préparer pour travailler le lendemain matin. Michael, qui était debout, dos à la cheminée, proposa alors, en regardant Hal :

— Je peux raccompagner Jinny chez elle, si tu veux. Tu as bu deux verres ce soir et je sais que tu es contre le fait de conduire quand on a bu. Moi, je n'ai pas ce genre de scrupules. En plus, quoi qu'il arrive, je conserve toute ma tête.

A nouveau, le visage de Hal prit cet air sombre et chagrin qu'il avait eu, un peu plus tôt dans la soirée, juste avant de faire sortir Arthur de la pièce. Mais le ton de sa voix ne trahit rien de son sentiment en répondant à son beau-fils.

— Je crois que je serai capable de me débrouiller. Je pense que ça ne vous embête pas trop, Jinny, si sur le chemin du retour, nous emboutissons un ou deux réverbères.

— Pas du tout, répondit Jinny.

Elle tenait absolument à ce qu'on comprenne que c'était avec Hal qu'elle voulait rentrer.

Au moment du départ, dans l'entrée, Rosie demanda à Jinny avec un grand sourire :

— Est-ce que vous reviendrez nous voir ?

— Oui. Ça me ferait très plaisir, répondit-elle.

Puis elle se tourna vers Michael, debout à quelques mètres d'elle, et lui souhaita « Bonne nuit » en inclinant légèrement la tête.

— Bonne nuit, dit-il.

Et il inclina la tête plus bas encore qu'elle ne l'avait fait.

Hal attendit qu'ils soient pratiquement arrivés en ville pour lui dire :

— J'ai l'impression que vous n'avez pas passé une journée tellement agréable.

— Mais si, c'était parfait.

Les yeux fixés sur la route, Hal reprit :

— Ce problème avec Arthur... Michael qui se montre sous son jour le plus déplaisant... Ma famille n'a pas dû vous faire une très bonne impression.

— Comme ce premier contact n'a pas été très réussi, la prochaine fois ça ne peut être que mieux.

Hal eut un petit rire.

— On peut en effet voir les choses comme ça. Il n'empêche que je suis désolé de vous avoir laissée vous débrouiller toute seule avec Michael.

— Je pense m'en être pas mal sortie...

— Cela ne m'étonnerait pas... Vous savez que vous me surprenez drôlement, Jinny.

— Que voulez-vous dire ?

— La Jinny avec laquelle j'ai travaillé pendant un an me donnait l'impression d'être une... une gentille petite souris, disons, qui trottinait dans tous les sens pour répondre aux désirs des uns et des autres. Vous aviez l'air tellement timide...

— C'est certainement l'impression que je devais donner. Comme je vous l'ai dit l'autre soir, j'avais absolument besoin de compagnie. Ça n'a pas changé d'ailleurs...

La voix de Jinny se teinta de tristesse.

— Dans votre cas, ce genre de problème ne devrait pas tarder à être résolu. Je pense que si vous le voulez vraiment, vous pourrez rapidement fréquenter des gens qui vous plairont. Ma famille... et moi ne sommes qu'un bouche-trou en quelque sorte.

— Non, non ! Jamais je n'oublierai à quel point vous avez été gentil avec moi. Et même si vous ne m'invitez plus jamais, je vous serai toujours reconnaissante pour la journée que nous avons passée ensemble, aujourd'hui.

— Que faites-vous pour Noël ? Avez-vous déjà prévu d'aller chez des parents ?

— Non, je n'ai rien prévu. La seule famille qui me reste est une cousine qui vit à Shields et il faudrait vraiment que je sois au bout du rouleau pour aller chez elle.

— Voulez-vous venir passer Noël avec nous ? proposa Hal. Je ne peux pas vous promettre que l'esprit de paix régnera tout le temps dans la maison, mais nous devrions pouvoir profiter de quelques accalmies. Noël est encore loin bien sûr. Mais au moins vous saurez déjà où vous passerez vos vacances.

Jinny resta silencieuse un long moment, et elle répondit :

— C'est vraiment très gentil de votre part, Hal. Jusque-là, je pensais à vous en tant que M. Campbell, mais à partir de maintenant, ce sera Hal. Je viendrai chez vous, à Noël, avec grand plaisir et j'espère que je me sentirai suffisamment chez moi pour participer, moi aussi, aux disputes familiales.

A cette idée, ils rirent de bon cœur tous les deux.

Quelques minutes plus tard, Hal s'arrêtait devant l'immeuble de Jinny. Il fit le tour de la voiture pour ouvrir sa portière, et quand ils se retrouvèrent tous deux, face à face, dans la rue mal éclairée, Jinny se demanda ce qu'il allait faire maintenant. Allait-il lui demander la permission d'entrer quelques minutes chez elle ? Ou, après l'avoir accompagnée jusqu'à sa porte, la prendre dans ses bras en exigeant une rétribution pour l'invitation d'aujourd'hui ? Ou se contenterait-il de l'embrasser ?

Hal ne fit rien de tout ça.

— Bonne nuit, Jinny, dit-il en lui caressant gentiment la joue. Cela m'a fait plaisir que vous soyez venue chez nous. Si, un de ces jours, je passe devant votre appartement, je viendrai vous dire un petit bonjour. Sinon, je reviendrai vous chercher dimanche prochain. D'accord ?

— D'accord, Hal. Et merci pour tout. Bonne nuit.

— Bonne nuit, Jinny.

« Il est vraiment sympathique », se dit Jinny au moment où il démarrait. Hal lui plaisait. Il était tellement différent des autres hommes. Oui, il lui plaisait vraiment beaucoup.

4

— Voulez-vous venir au mariage ?

— Au mariage ?

— Oui, au mariage. C'est bien ce que j'ai dit.

— Mais c'est la semaine prochaine... Et je n'ai pas de tenue habillée. Et puis vis-à-vis de Mme Henderson...

— Ne vous occupez pas de Mme Henderson. Si la vieille Aggie avait été là, c'est elle qui aurait été invitée. Question tenue, si le temps ne change pas, des sous-vêtements en flanelle et une bonne couverture en guise de manteau feront parfaitement l'affaire... Voulez-vous venir ou non ?

— Bien sûr, ça me ferait très plaisir. Merci, monsieur Henderson.

— La cérémonie aura lieu à St. Matthey, à midi, mercredi prochain. Dans une semaine aujourd'hui... Mon Dieu ! Comme le temps passe. Notre Glen va drôlement nous manquer, vous savez. Même s'il n'habite pas très loin de chez nous, ce ne sera plus la même chose. Il ne restera plus que Lucy avec nous. Et d'après ce que m'a dit sa mère, elle aussi va bientôt nous quitter. Et pas pour aller habiter à cent mètres de la maison. Si j'ai bien compris, elle a l'intention de partir pour la Nouvelle-Zélande. Je ferai tout mon possible pour empêcher ça. Ces trucs se passent sous mon

nez et je ne m'en rends même pas compte. En plus, conclut
Bob Henderson, c'est vraiment une enfant gâtée.

— A qui la faute?

— Petite insolente! Lucy était la dernière et il est vrai
que, lorsqu'on arrive au bout du chemin comme on dit, on
a tendance à en faire trop. De toute façon, je ne serai pas
mécontent de me retrouver tout seul avec ma femme. Ça ne
nous arrivera pas souvent, car je connais mes enfants : ils
ont la fâcheuse habitude de nous tomber dessus comme
une nuée de sauterelles.

S'interrompant soudain, Bob Henderson referma le dossier devant lui et se mit à le tapoter, d'un air songeur, avant
de reprendre :

— C'est drôle, mais après la naissance de notre second
enfant, Florrie, ou Florence comme elle exige maintenant
qu'on l'appelle, je suis devenu un peu jaloux de mes
enfants. Je les aimais toujours autant mais, quand j'étais à la
maison et que je voyais Alicia leur consacrer tout son
temps, ça me mettait en colère. Ça ne vous étonne pas une
chose pareille?

— Pas du tout. Tout le monde sait qu'à partir du
deuxième enfant, les maris ont tendance à sortir du droit
chemin...

Faisant pivoter son fauteuil pour se retrouver en face de
Jinny, Bob Henderson écarquilla les yeux, d'un air étonné,
et lui demanda avec une pointe d'ironie :

— Alors comme ça tout le monde sait ça?

— Vous êtes en train de vous moquer de moi.

— Que voulez-vous que je fasse d'autre? Que j'applau-
disse? Vous êtes intelligente, non? Et pendant vos études,
vous avez bien dû entendre parler une ou deux fois de psy-
chologie? Alors laissez-moi vous éclairer sur un point au
moins : si, après le deuxième enfant, un homme a tendance
à sortir du droit chemin, comme vous dites, c'est que,
depuis un bon bout de temps déjà, il trompe sa femme. Des
âneries que tout ça!

Bob Henderson fit de nouveau pivoter son siège pour se retrouver face à son bureau.

— Et maintenant : au travail! Assez causé comme ça. Avec la vieille Aggie, je n'avais jamais ce genre de problème. Elle au moins savait rester à sa place. Si j'avais eu le malheur de lui parler de sous-vêtements en flanelle, comme je l'ai fait avec vous tout à l'heure, elle serait aussitôt devenue rouge comme une tomate, et se serait écriée : Voyons, monsieur Henderson!

Bob Henderson fit semblant de se tordre les mains.

— Et elle aurait quitté le bureau. Mais Aggie appartient à une autre époque. De son temps, les femmes savaient se tenir.

Jinny dut se retenir pour ne pas éclater de rire. Comment se faisait-il que, dans ce bureau, avec Bob Henderson, elle avait l'impression d'être chez elle? Il y avait maintenant un mois qu'elle travaillait pour lui et sa vie avait complètement changé. Bien sûr, Hal y était aussi pour quelque chose. Mais il avait beau être adorable avec elle, jamais en sa présence elle n'était gaie et brillante comme lorsqu'elle travaillait avec Bob Henderson. Deux jours plus tôt, elle avait appris qu'Aggie Honeysett venait de sortir de l'hôpital et qu'elle était en convalescence. Et elle se demandait, avec inquiétude, ce qu'il adviendrait d'elle, le jour où elle retournerait dans le bureau des dactylos. Si elle se retrouvait de nouveau sous les ordres de Mlle Cadwell, celle-ci allait lui en faire voir de toutes les couleurs. Jamais elle ne pourrait supporter ça...

— Jinny.

— Oui, monsieur.

— Téléphonez à ma femme, s'il vous plaît. Et demandez-lui si elle peut venir me rejoindre dehors à quatre heures et demie. Il y a un bijou chez Bentley que j'aimerais lui montrer. Je lui en ai parlé hier soir. Elle croit que c'est pour la jeune mariée. En réalité, c'est à elle que je veux l'offrir. Mais n'allez pas lui raconter tout ça! Demandez-lui seulement si elle peut venir me rejoindre.

Jinny décrocha son téléphone et composa le numéro de la maison.

A l'autre bout du fil, ce fut une voix masculine qui répondit.

— M. Henderson aimerait parler à Mme Henderson, s'il vous plaît, expliqua Jinny.

— Dites à M. Henderson que Mme Henderson est sortie. Ou plutôt passez-le-moi, Jinny.

— Je vous le passe, monsieur Henderson.

— Comment va Son Altesse aujourd'hui? demanda Glen en baissant la voix.

« Comme d'habitude », faillit dire Jinny. Mais comme l'Altesse en question la regardait, elle préféra répondre :

— En effet, le temps est orageux comme d'habitude. Mais nous avons eu quelques belles éclaircies.

Quand Glen éclata de rire à l'autre bout du fil, elle serra les lèvres pour ne pas en faire autant et détourna la tête devant le regard inquisiteur de son patron. Celui-ci venait de décrocher son propre combiné si bien qu'elle l'entendit hurler à la fois sur la ligne et dans le bureau :

— Va chercher ta mère illico, monsieur je-sais-tout. Et arrête de faire perdre son temps à ma secrétaire. Je ne la paie pas pour qu'elle se dégourdisse l'esprit avec toi... Ou avec qui que ce soit d'autre! Et maintenant, dis-moi où est ta mère.

Juste avant de raccrocher, Jinny eut le temps d'entendre la réponse de Glen :

— Elle est sortie, papa. Puis-je être utile à quelque chose?

— Où est-elle allée?

Interloqué, il fixa le récepteur et demanda :

— Qu'est-elle allée faire là-bas?

Après quelques secondes, il ajouta :

— Non, tu ne peux rien faire pour moi. Non, répéta-t-il, je ne peux pas te dire pourquoi je voulais la voir. A plus tard.

Après avoir raccroché rageusement, il marmonna quelques mots indistincts, puis ordonna à Jinny :

— Appelez-moi M. Waitland et dites-lui que je veux le voir tout de suite. Même chose pour M. Meane, du bureau des dessinateurs. Et passez-moi le dossier Longman.

Jinny décrocha son téléphone et demanda qu'on lui passe le poste de M. Waitland.

— Raccrochez ! aboya Bob Henderson au moment où elle allait parler.

Il s'était levé et était en train de boutonner son veston. Puis il resserra son nœud de cravate.

— Allez me chercher mon manteau, ordonna-t-il. Prenez aussi le vôtre.

— Moi ?

— Oui, vous. Il n'y a personne d'autre dans cette pièce que je sache, ajouta-t-il en regardant autour de lui.

— Où m'emmenez-vous ?

— Où je vous emmène ! Chez le bijoutier avec moi, tiens ! Désolé ! ajouta-t-il aussitôt.

Il se frotta nerveusement le menton.

— Voilà que je recommence à m'excuser ! Je n'ai jamais fait autant d'excuses de ma vie que depuis que vous êtes arrivée dans ce bureau, mon petit. J'aimerais simplement savoir si vous auriez l'obligeance de m'accompagner chez le bijoutier pour m'aider à choisir un bijou pour ma femme ?

— Avec grand plaisir, monsieur Henderson.

— Merci, merci infiniment, mademoiselle Brownlow. Alors qu'attendez-vous ? Dépêchez-vous d'aller chercher nos manteaux.

Jinny s'exécuta aussitôt. Avant de quitter le bureau, elle regarda la pendule. Quatre heures un quart. Jamais elle n'était partie aussi tôt.

Quand ils arrivèrent tous deux dans le hall, le portier leur jeta un coup d'œil étonné.

— Vous voulez votre voiture, monsieur Henderson ?

— Inutile de vous déranger, Sam, elle est juste devant la porte.

— Heu! aujourd'hui, elle n'est pas tout à fait là, monsieur Henderson. M. Waitland a demandé le double des clefs au bureau pour pouvoir la déplacer. Il pleuvait à torrents et il ne voulait pas que Mlle Philips, sa secrétaire, se fasse mouiller.

— *Il a fait quoi!*

Bob Henderson avait hurlé si fort que les quelques personnes qui se trouvaient dans le hall se retournèrent pour le regarder. Personne ne parut surpris.

— Oser déplacer ma voiture! Le petit con! Il va avoir de mes nouvelles, celui-là. *Personne*, vous m'entendez, Sam, personne, n'a le droit de toucher à ma voiture! Vous devriez le savoir depuis le temps que vous êtes là!

Et il enfonçait son doigt dans la poitrine du portier.

— Oui, monsieur, oui, monsieur Henderson, oui. Mais M. Waitland espérait être redescendu avant que vous... Vous comprenez, vous êtes en avance.

— En avance? Qu'est-ce que ça a à voir? Même si je ne devais pas quitter mon bureau pendant trois semaines, j'exigerais que ma voiture reste à cette même place. Cela fait des années que je la gare à cet endroit-là. Mes aïeux! Ne vous inquiétez pas, il aura de mes nouvelles. Allons-y!

Et il poussa brutalement Jinny devant lui.

La voiture de Bob Henderson était garée à l'abri de l'auvent. Mais il pleuvait si fort qu'avant de s'y engouffrer ils furent tout de même légèrement mouillés. Quand elle se retrouva à l'intérieur, Jinny se retint pour ne pas pouffer de rire. On pouvait dire ce qu'on voulait, mais, avec Bob Henderson, on ne risquait jamais de s'ennuyer. Dire qu'elle quittait le bureau, bien avant cinq heures, pour l'accompagner chez un bijoutier et choisir un bijou pour sa femme!

Bob Henderson avait une manière de conduire plutôt déconcertante qui effrayait Jinny. En plus, il n'arrêtait pas de parler. Comme d'habitude, sa conversation était émaillée de jurons sonores qui, dans sa bouche, semblaient aussi naturels que s'il avait dit : « Dieu soit loué ! » Jinny avait l'impression qu'il le faisait exprès. Au fond, il mettait un point d'honneur à ne pas ressembler aux autres patrons d'industrie. C'était un individualiste et, s'il avait choisi une autre voie, il se serait comporté exactement de la même façon.

En pénétrant dans la bijouterie, Jinny se rendit compte tout de suite que son patron était connu dans la maison et qu'on le traitait avec une politesse excessive. Sa présence aux côtés de Bob Henderson ne manqua pas de susciter une certaine surprise.

— Vous voulez certainement parler du pendentif qui vous avait plu la dernière fois que vous êtes venu, monsieur Henderson ? demanda le bijoutier.

— Ouais, celui-là. Vous l'avez toujours, je suppose.

— Toujours. La jeune mariée a-t-elle été contente du bijou que vous lui avez acheté ?

— Je n'en sais rien. Nous ne le lui avons pas encore offert.

— Ah bon...

Le bijoutier se tourna vers la vitrine, derrière lui, pour y prendre un présentoir en velours sur lequel étaient exposés une chaîne en or et un pendentif en forme de croissant, bordé de deux rangs de pierres précieuses. Puis il posa le présentoir sur le comptoir avec des gestes lents et cérémonieux, comme s'il était en train d'accomplir quelque rite.

— C'est une très belle pièce, n'est-ce pas ?

— Le prix n'est pas mal non plus.

— Le prix est toujours fonction de la qualité de ce qu'on achète.

— Ce n'est pas la première fois que j'entends ça, remarqua

Bob Henderson. Qu'en pensez-vous? demanda-t-il en se
tournant vers Jinny.

Quittant à regret le bijou des yeux, elle regarda son
patron et lui répondit :

— C'est vraiment un bijou magnifique. Une merveille...

— Une merveille, le mot est exact, renchérit le bijoutier.
Et parfait pour une jeune femme.

— Pour une jeune femme? Que voulez-vous dire par
là? Ce sacré machin est pour ma femme. Et elle, ajouta Bob
Henderson, c'est ma secrétaire.

Le bijoutier fit un bond en arrière comme s'il venait de
recevoir un coup de poing et pâlit légèrement.

— Je suis désolé, murmura-t-il. Affreusement désolé.
J'ai commis... une regrettable erreur.

— Regrettable, en effet. Moi-même, j'en suis gêné. Surtout pour Mlle Brownlow.

— Je vous prie d'accepter mes excuses, mademoiselle.
Et le bijoutier jeta un regard implorant à Jinny.

— Ne vous inquiétez pas, le rassura-t-elle en souriant.
Ce sont des choses qui arrivent. Ce n'est pas de votre faute.

Jetant un coup d'œil à son patron, Jinny devina aussitôt
la question qu'il allait poser. « De qui est-ce la faute
alors? » était-il sur le point de demander.

Quelque chose dans le regard qu'elle lui lança dut le faire
réfléchir. Comprenant qu'il était en grande partie responsable de ce qui venait d'arriver, il expliqua au bijoutier
d'une voix légèrement radoucie :

— Ma femme n'a pas pu venir. J'avais besoin d'un avis,
féminin si possible, avant de me décider à jeter par la
fenêtre deux mille trois cents livres.

Deux mille trois cents livres! Jinny en eut le souffle
coupé. A Newcastle, pour vingt livres, on pouvait se procurer facilement une bonne imitation de ce genre de bijou
dans une des boutiques de Northumberland Street...

— Faites un paquet! ordonna Bob Henderson.

Le bijoutier s'exécuta aussitôt, puis il remercia longuement Bob Henderson du chèque qu'il lui tendait et les
reconduisit en personne jusqu'à la porte.

Quand ils furent assis tous les deux dans la voiture, au
lieu de démarrer aussitôt, Bob Henderson demanda à
Jinny, avec un sourire crispé :

— Ça vous est déjà arrivé qu'on vous prenne pour la
maîtresse de quelqu'un ?

— Non, c'est la première fois.

— Vous dites ça comme si vous espériez que ce ne serait
pas la dernière, dit-il en souriant franchement cette fois-ci.

— Vous vous trompez. C'est quelque chose qui ne me
tente absolument pas.

— Vous avez tout à fait raison, mon petit. Et ne cédez
pas tant que vous n'aurez pas la bague au doigt.

Au moment où il démarrait, Bob Henderson ajouta :

— Une tasse de thé ne me ferait pas de mal. Et vous ?

Après avoir hésité quelques secondes, Jinny répondit :

— On ne refuse jamais une tasse de thé. Malgré tout...

— Malgré tout... Quoi ? Qu'alliez-vous dire ?

— Rien.

— Tiens... Ça c'est nouveau ! Accepteriez-vous de courir
le risque de venir boire une tasse de thé avec moi « Chez
Germaine » ? J'aime mieux vous prévenir tout de suite que,
si on nous voit ensemble, votre réputation est fichue.

— Je suis prête à courir ce risque.

— Très bien. Alors, allons « Chez Germaine ». Ça fait
un sacré bout de temps que je ne suis pas retourné dans cet
endroit. Alicia et moi, nous avions l'habitude d'y aller
quand les gosses étaient petits car, même si l'endroit est un
peu snob, ils ne disent rien quand on vient avec des enfants.
Leurs thés sont fabuleux et le restaurant, lui aussi, marche
très fort. Ça s'explique peut-être par le fait que le patron
soit français... J'aimerais bien qu'on me dise pourquoi les
Français se débrouillent mieux que nous autres avec les

femmes ? Le patron de « Chez Germaine » a réussi à garder le même personnel depuis des années. Il a une serveuse qui est là depuis bientôt trente ans. Je suis sûr que, si elle reste, c'est qu'elle est tombée amoureuse de lui dès le début. Il n'y a pas beaucoup de filles qui tombent amoureuses d'un patron anglais.

Bob Henderson éclata bruyamment de rire.

— Elles se marient avec eux, d'accord. Mais ce qui les intéresse, en réalité, c'est la position du mari, son argent et sa belle maison. Ça leur permet, aussi, de gravir les échelons dans la boîte où elles travaillent.

Il tourna la tête pour regarder Jinny et ajouta :

— Je sais de quoi je parle. C'est arrivé chez nous. Tiens, ça y est, nous y sommes. Dieu merci, il ne pleut plus. Le parking se trouve juste derrière le salon de thé.

Après avoir garé sa voiture, Bob Henderson poussa les deux portes battantes qui permettaient d'accéder directement au rez-de-chaussée du salon de thé. Comme l'établissement jouxtait un jardin, avec pelouse, rocailles et quelques arbres, cette partie de la salle était presque entièrement vitrée pour que les clients puissent profiter de la vue.

— Mon Dieu ! s'écria Bob Henderson qui s'était arrêté pour jeter un coup d'œil dans la salle. Quelle situation ! Jamais je n'aurais imaginé une chose pareille...

Il venait de reconnaître trois personnes qui, assises à une table d'angle sur sa gauche, l'observaient à travers la vitre.

Prenant Jinny par le bras, il la conduisit directement à cette table.

— Pris en flagrant délit, annonça-t-il d'une voix tonitruante.

En les voyant approcher, Glen s'était levé, mais les deux femmes qui l'accompagnaient restèrent assises.

— Permettez-moi de vous présenter l'objet du délit, leur dit Bob Henderson. Elle s'appelle Jinny. Jinny, ajouta-t-il, je vous présente ma femme.

Alicia Henderson donnait l'impression d'avoir une quarantaine d'années. Elle était habillée très simplement. Mais on sentait que cette simplicité portait la griffe d'un grand couturier. Elle devait rire beaucoup, car elle avait de légères pattes d'oie au coin des yeux. Mais le reste de son visage n'était pas ridé.

« Qu'elle est belle ! » songea Jinny qui aurait bien aimé disparaître sous terre. Alicia ne ressemblait pas du tout à son mari. En les voyant l'un à côté de l'autre, Jinny pensa soudain à la Belle et la Bête. Non ! corrigea-t-elle aussitôt, Bob Henderson était trop gentil pour qu'on le compare à une bête, quelle qu'elle soit. Seules ses manières un peu frustes avaient pu lui donner l'idée de cette comparaison. En tout cas, il semblait bien plus âgé que sa femme.

— Ravie de vous connaître, lança Alicia. Venez vous asseoir avec nous. Nous venons juste de passer notre commande. Vous boirez bien une tasse de thé.

Avant que Jinny ait pu répondre, son patron reprit :

— La nana qui est assise à côté de ma femme, c'est ma future belle-fille. Elle va bientôt faire partie de la famille. Encore une femelle avec laquelle il va falloir se battre...

— Bonjour !

Jinny se sentait trop gênée pour pouvoir répondre et elle se contenta de s'asseoir sur la chaise que Glen avait avancée pour elle.

— Qu'est-ce qui t'amène ici ? demanda Bob Henderson en regardant sa femme.

Elle répondit, une lueur malicieuse au fond des yeux :

— Vous ne croyez pas, monsieur Henderson, que ce serait plutôt à moi de poser ce genre de question ?

Et elle ajouta, se tournant vers son fils :

— Tu sais que je ne mets jamais les pieds au bureau, Glen, alors j'aimerais bien que tu me dises s'il est déjà arrivé que ton père quitte l'usine avant cinq heures ?

— C'est la première fois que j'entends parler d'une

chose pareille, répondit Glen le plus sérieusement du monde.

Il se tourna vers sa fiancée.

— Comme je l'expliquais à Yvonne tout à l'heure, si père n'était pas curieux de savoir comment nous nous débrouillons sans lui, je pense qu'il ne mettrait jamais les pieds à la maison et qu'il planterait sa tente au bureau.

— Si un jour je sors du droit chemin, ce sera bien fait pour vous : vous ne m'appréciez pas à ma juste valeur. Mais dites-vous bien que si l'envie me prend de faire des fredaines, jamais je ne choisirai une fille comme elle, précisa Bob Henderson en montrant Jinny du pouce. Elle te ressemble bien trop. Elle a réponse à tout et passe son temps à fourrer son nez dans mes affaires.

Et là, il s'adressait à Glen qui était rouge de honte. Alicia se tourna vers Jinny.

— Je pense que ce sont les meilleures qualités qu'on puisse souhaiter à la secrétaire de mon mari. Cette pauvre Mlle Honeysett se laissait rudoyer à longueur de journée. Je lui ai expliqué plus d'une fois que ce n'était pas la bonne manière de le prendre, qu'il fallait qu'elle lui tienne tête ou qu'elle l'ignore. Cela la choquait. Elle ne comprenait pas mon attitude.

— Et elle n'était pas la seule, intervint Bob Henderson. Il y a des tas de gens qui me plaignent.

— Cite-m'en un seul !

Avant qu'il ait pu répondre, Glen se tourna vers sa fiancée en disant :

— Même toi, Yvonne, la première fois que tu l'as vu, tu m'as dit qu'il avait l'air d'un vrai plouc.

— *Ce n'est pas vrai, papa Bob*[1] ! N'allez pas croire une chose pareille. J'ai simplement dit à Glen que vous ne ressembliez pas aux autres Anglais. Je voulais dire par là que vous étiez quelqu'un de tout à fait exceptionnel.

---

1. En français dans le texte. *(N.d.T.)*

Yvonne était française et, comme la plupart de ses compatriotes, elle parlait anglais avec un accent très agréable. Elle n'était pas jolie, à proprement parler, mais avait beaucoup de charme. Petite et mince, elle était habillée, à peu de chose près, comme sa belle-mère. Elle portait, elle aussi, un tailleur de couleur sombre qu'égayait, dans son cas, un chemisier blanc à jabot et, sur son abondante chevelure noire, un petit chapeau assorti. Elle avait les cheveux aussi bruns que ceux de Glen si bien que, pendant un court instant, Jinny se dit que, la taille et le poids mis à part, ils se ressemblaient comme frère et sœur.

— Ne pensez-vous pas que, dans le cas de mon beau-père, les apparences sont trompeuses ? demanda Yvonne à Jinny. Quand on le connaît un peu mieux, on découvre qu'il est vraiment gentil.

Comme Jinny, au lieu de répondre, regardait son employeur en riant, celui-ci lui dit :

— Ne vous gênez surtout pas pour moi ! Allez-y...

— Peut-être que dans le cas de M. Henderson les apparences sont trompeuses, répondit Jinny avec un sourire malicieux, mais je le connais depuis trop peu de temps pour avoir pu m'en rendre compte.

Tout le monde éclata de rire autour de la table, sauf l'intéressé qui s'empressa de préciser :

— De toute façon, vous n'aurez pas le temps de mieux me connaître, mademoiselle. Vous n'allez pas tarder à vous faire virer.

— Ne vous inquiétez pas pour ça, lui conseilla Yvonne. Vous pourrez toujours venir travailler comme interprète avec moi. D'après ce que m'a dit Glen, vous avez un très bon niveau en français...

— C'est vrai en ce qui concerne la langue écrite. Pour le reste, je crains que mon accent soit plutôt... provincial, disons.

— Quelle importance ? Le mien l'est aussi. Êtes-vous déjà allée en France ?

— J'ai fait un court séjour là-bas il y a quelques années. Ma grand-mère était originaire du nord de la France...

— Quand vous aurez fini de parler de vos ancêtres, coupa Bob Henderson, je pourrai peut-être placer un mot et expliquer pourquoi j'ai quitté le bureau plus tôt que d'habitude. Sachez d'abord, jeune homme, que ce n'est pas la première fois que je me tire avant l'heure, précisa-t-il à son fils. En plus, si vous faites appel à votre mémoire, vous vous souviendrez certainement qu'avant de quitter le bureau, j'ai téléphoné chez moi et demandé à parler à ma femme. Exact ?

— Exact, monsieur, répondit Glen en hochant la tête d'un air solennel.

— Vous m'avez alors répondu qu'elle était sortie.

— Toujours exact, monsieur.

— Soit dit en passant, pouvez-vous m'expliquer, jeune homme, comment vous avez fait pour vous retrouver ici avec ces deux dames alors que vous étiez à la maison lorsque j'ai téléphoné et que votre mère était déjà sortie ?

— C'est très simple, monsieur, nous étions déjà convenus de nous rencontrer dans ce salon de thé à une heure bien précise.

— Ah bon !

Bob Henderson se tourna vers sa femme.

— Madame, vous avez maintenant la preuve que j'ai essayé de vous joindre avant d'embarquer celle-ci — il montra à nouveau Jinny du pouce — avec moi.

— Oui, mon chéri, j'ai compris.

— Maintenant, est-ce que tu te souviens que nous sommes allés chez Bentley la semaine dernière pour le simple plaisir de jeter notre argent par les fenêtres ?

— Je m'en souviens, mon chéri. Et nous avons en effet jeté notre argent par les fenêtres, comme tu dis si bien. C'était une expérience infiniment agréable.

— Veux-tu te taire ! Écoute-moi... Ce jour-là, j'ai vu que

tu regardais un pendentif et j'ai entendu que tu demandais combien il coûtait. Alors, voilà... conclut-il.

Après avoir fouillé dans une des poches de sa veste, il en sortit un petit paquet qu'il poussa sur la table en direction de sa femme.

Le plus complet silence régna pendant quelques secondes autour de la table, puis Alicia s'écria :

— Oh, Robert ! Oh, mon chéri...

— Au lieu de baver comme ça, ouvre donc ce paquet et regarde s'il est aussi joli que dans la boutique.

Quand Alicia Henderson vit le pendentif, elle s'écria :

— Tu n'aurais pas dû... Ce bijou valait une fortune !

Ses yeux brillaient. Elle se mordit la lèvre comme si elle hésitait avant de prendre une décision. Puis soudain, elle se leva de sa chaise, s'approcha de son mari et, le prenant par le cou, l'embrassa sur les lèvres.

— Holà ! Tu n'as pas honte de faire une chose pareille ? Que vont penser les gens ?

Bob Henderson jeta un coup d'œil aux deux ou trois tables qui étaient occupées, mais cela ne l'empêcha pas de garder la main de sa femme dans la sienne.

— Je tenais à te remercier pour toutes ces années que nous venons de passer ensemble, mon petit, dit-il d'une voix si douce que Jinny eut bien du mal à la reconnaître. Et j'espère bien que nous allons continuer encore longtemps comme ça tous les deux.

Alicia retourna s'asseoir. Elle sortit le bijou de l'écrin, le tint pendant quelques secondes au creux de sa main et, après avoir jeté un coup d'œil à sa future belle-fille, puis à Jinny, elle leur dit :

— C'est vraiment ridicule d'offrir un bijou pareil à sa femme en plein milieu d'un salon de thé. Il aurait pu attendre que je sois chez moi, et en déshabillé, pour me le montrer.

— Tais-toi ! Tu vas leur donner des mauvaises idées.

Elles en savent déjà assez comme ça. Quant à moi, écoute, je meurs de soif. Théoriquement, je suis venu pour boire une tasse de thé. C'est vrai ou pas que nous sommes venus ici pour ça ? demanda-t-il en regardant Jinny.

Celle-ci se sentit soudain envahie par un sentiment très étrange — aussi nouveau et étonnant que celui qu'elle avait éprouvé, un mois plus tôt, en se mettant en colère pour la première fois de sa vie. Cette fois-ci, c'était très différent. Elle savait qu'elle venait de voir quelque chose d'extrêmement rare : cette sorte d'aura que l'amour crée autour de deux êtres qui s'aiment passionnément. Si elle avait osé, elle aurait caché sa tête dans ses mains et se serait mise à pleurer comme une gamine.

Glen Henderson, qui la regardait à ce moment-là, dut deviner quel était son état d'esprit car, sans transition, il orienta la conversation sur son futur mariage.

— Si vous vouliez bien oublier un instant la passion dévorante qui vous habite, dit-il en regardant ses parents, nous pourrions peut-être parler de l'événement qui doit avoir lieu la semaine prochaine. Ce n'est pas ton avis, Yvonne ?

— Si, tout à fait, répondit la jeune femme.

Et de lui emboîter aussitôt le pas.

— J'ai reçu aujourd'hui une lettre d'une de mes tantes qui habite Bordeaux. Pour être tout à fait exacte, c'est ma mère qui m'a fait suivre cette lettre car il y a longtemps que j'avais perdu cette tante de vue. Vous ne trouvez pas que mon accent anglais est, lui aussi, très provincial ? demanda-t-elle en se tournant vers Jinny.

— Très, confirma Glen ironiquement. Je trouve que tu parles anglais avec l'affreux accent de Birmingham.

— C'est faux ! intervint sa mère. Vous avez un accent délicieux, Yvonne. Continuez.

Yvonne expliqua alors que sa tante aimerait bien venir au mariage, mais que cette idée n'enchantait guère sa mère.

— Répondez-lui que les deux maisons sont pleines à craquer.

— Cela ne servira à rien, père ! Elle va me répondre que son mari et elle peuvent très bien aller à l'hôtel.

La conversation continua à rouler sur le futur mariage jusqu'à ce qu'ils se lèvent tous de table. Au moment où ils se dirigeaient vers la sortie, Bob Henderson annonça :

— Je vais ramener Jinny chez elle. Est-ce que tu rentres directement à la maison ? demanda-t-il à son fils. Ou bien est-ce que tu me suis ?

— Je préfère te suivre car je n'ai pas confiance en toi, répondit Glen en souriant à Jinny.

Celle-ci lui rendit son sourire.

Bob Henderson allait pousser la porte quand, soudain, il s'arrêta et se retourna vers ceux qui le suivaient.

— Au fait, je l'ai invitée au mariage. Je veux parler de Jinny. J'ai pensé que personne n'y verrait d'inconvénient.

» Quant à vous, Yvonne, tâchez de lui lancer votre bouquet au moment où vous quitterez la salle. Il est largement temps qu'elle se marie. Je ne vois pas ce que les bonshommes attendent... Allez, on y va ! conclut-il en poussant la porte.

Profitant de ce que son mari et son fils s'étaient éloignés pour aller chercher les voitures, Mme Henderson se tourna vers Jinny et lui dit :

— Côté éloquence, je ne connais personne au monde qui arrive à la cheville de mon mari, mademoiselle Brownlow. Mais il n'y a pas non plus qui que ce soit au monde qui manque autant de tact que lui. J'ajouterai qu'il adore régenter la vie des autres et qu'il est incapable de s'occuper correctement de la sienne.

Alicia Henderson n'avait pu s'empêcher de laisser percer une certaine inquiétude ; Jinny la rassura aussitôt.

— Ne vous en faites pas pour moi. Je n'ai jamais été aussi heureuse que depuis que je travaille pour votre mari. Il me fait du bien.

— Ses manières ne vous ont jamais fait peur ?

— Non, jamais. En revanche, je crains d'avoir pris la mauvaise habitude de lui répondre du tac au tac.

Mme Henderson expliqua à sa belle-fille :

— Sa dernière secrétaire, la vieille Aggie, comme il l'appelle, avait une peur bleue de lui. Et pourtant, elle l'aimait bien, je dirais même qu'elle l'adorait. Mais elle était incapable de lui tenir tête. Au fond, je crois que c'est aussi bien pour elle qu'elle ait décidé de prendre sa retraite.

L'aurait-elle voulu que Jinny n'aurait pu commenter cette phrase car les deux voitures venaient de se garer le long du trottoir. Mais, en s'asseyant à côté de son patron, elle se disait : « Quel sagouin ! Depuis le début, il le savait. Il savait aussi que j'étais sur des charbons ardents et il ne m'a rien dit... »

Dix minutes plus tard, comme Bob Henderson se penchait pour lui ouvrir la portière, il garda la main sur la poignée et lui dit :

— Merci de m'avoir accompagné, mon petit. Nous avons passé un bon moment. Ça m'a fait plaisir.

— Merci à vous, monsieur Henderson. Moi aussi, ça m'a beaucoup plu et j'ai été très heureuse de faire la connaissance de votre femme.

— Maintenant que vous l'avez vue, vous savez que vous n'avez aucune chance avec moi, dit-il en ouvrant la portière.

Jinny sortit de la voiture. Avant de refermer la porte, elle se pencha vers lui.

— Je vais vous dire quelque chose, commença-t-elle.

— Oui. Quoi ?

— Même si je pensais que j'avais une chance... je n'essaierais même pas.

« Petite effrontée ! » crut-elle entendre au moment où elle claquait la portière.

Debout sur le trottoir, elle salua de la main les occupants de la seconde voiture qui lui faisaient de grands signes.

« Quelle merveilleuse famille ! » songea-t-elle au moment où les deux voitures disparaissaient au coin de la rue. Comme elle avait de la chance d'avoir rencontré des gens pareils. Elle était enfin retombée sur ses pieds.

La rue avait beau être mal éclairée et le trottoir glissant, l'appartement qui l'attendait glacial et vide, Jinny se sentait étrangement heureuse. Dans une semaine exactement, elle était invitée à un mariage. Un mariage chez des gens huppés. Et elle savait déjà à quoi elle allait occuper son weekend. Le dimanche, elle était invitée chez Hal. Et le samedi, au lieu de faire le ménage de son appartement, elle allait sortir pour essayer de trouver un cadeau pour les jeunes mariés. Pas trop cher mais pourtant joli et de bonne qualité.

Soudain la vie lui apparaissait sous un jour magnifique. Elle avait du mal à croire qu'elle ait pu, un jour, se sentir intimidée, perdue et complètement isolée. Et pourtant, ça avait été le cas. Mais c'était fini. Jamais plus elle ne se sentirait seule. Non, plus jamais...

« Jamais, c'est pour la vie.
Jamais ne finit jamais.
Ne le dites pas à n'importe qui.
C'est un mot qui peut séparer à jamais
Amoureux et amis. »

Qu'est-ce qui l'avait fait penser à ça ? Était-ce de se dire qu'elle ne sentirait plus jamais seule ? Où l'avait-elle lu ? Elle se rappela tout à coup que son grand-père aimait réciter des vers et des comptines. C'est avec lui qu'elle avait dû apprendre celui-là. Pourquoi lui était-il soudain revenu à l'esprit ? Mystère. Dans la vie parfois, certaines pensées nous viennent comme ça, à l'improviste, et semblent jeter un froid au moment où nous sommes le plus enthousiastes. Ces derniers temps, elle avait eu tendance à se montrer plutôt pessimiste. Il fallait qu'elle cesse de voir la vie ainsi. Surtout maintenant que l'avenir promettait d'être radieux.

5

L'affection que Jinny éprouvait déjà pour Hal s'accrut encore le dimanche suivant. Car après le déjeuner, alors qu'ils étaient tous installés dans le salon, elle lui avait expliqué qu'étant invitée au mariage de Glen Henderson, elle avait passé une bonne partie de son samedi à chercher un cadeau pour les jeunes mariés sans rien trouver qui soit dans ses prix.

— Vous n'avez qu'à leur acheter une bonne bouteille de vin, conseilla Michael.

— Tu plaisantes ! intervint aussitôt Rosie. A un mariage comme ça, on nage dans le champagne...

Hal, qui n'avait rien dit jusque-là, se leva, s'approcha d'une des deux vitrines et, après avoir ouvert la porte du meuble, jeta un coup d'œil aux étagères. Il finit par choisir une des statuettes et revint vers Jinny. Ce jour-là, elle avait préféré s'asseoir dans un des fauteuils installés autour de la cheminée plutôt que sur le divan pour ne pas se retrouver à côté de Michael, dont la présence la mettait mal à l'aise.

— Peut-être que celle-ci ferait l'affaire, dit-il. Elle est petite, mais de belle qualité. C'est une porcelaine de Worcester [1].

---

1. Porcelaine tendre, fabriquée à Worcester depuis 1751. *(N.d.T.)*

Jinny se leva aussitôt. N'osant pas toucher à la porcelaine, elle se contenta de la regarder. Haute d'une dizaine de centimètres environ, elle représentait une dame assise sur une chaise, une main posée sur le dossier de son siège, l'autre tenant une ombrelle rouge. Elle portait un chapeau à bride jaune, une large jupe en dentelle blanche à quatre volants, des chaussures et un corsage violet. La statuette était posée sur un socle blanc et or.

Jinny était en train de murmurer : « Non, Hal, je ne peux pas accepter... » quand Michael lança :

— A cheval donné, on ne regarde pas les dents.

— Pour une fois, tu aurais peut-être pu nous épargner ce genre de remarque, intervint Hal d'une voix glaciale.

— J'ai pensé que c'était particulièrement approprié. Ce n'est pas tous les jours que tu te dessaisis d'une de tes pièces de collection.

— Je l'ai toujours beaucoup aimée, celle-là, fit remarquer Rosie.

La jeune fille s'était approchée de Jinny pour regarder la figurine.

— Moi, intervint Arthur, j'en ai vu une comme ça dans une boutique l'autre jour, et elle coûtait quatre-vingt-seize livres.

Il était rare qu'Arthur se mêle à la conversation même si, ces derniers temps, son attitude à l'égard de Jinny s'était légèrement améliorée.

— Quatre-vingt-seize livres, répéta Hal en regardant son beau-fils. Je peux t'assurer que cette porcelaine ne m'a pas coûté ce prix-là.

— De toute façon, je ne la prendrai pas, Hal... A moins que vous n'acceptiez que je vous l'achète.

— D'accord. Si ça peut vous faire plaisir. Je vous la vends quinze livres.

— C'est ridicule...

— Trop cher ? demanda-t-il avec un large sourire.

— J'irai jusqu'à vingt-cinq livres.

— Quinze ou rien.

— Elle est vraiment belle ! s'extasia Jinny en lui prenant la porcelaine des mains. Si je vous l'achète, je ne vais plus avoir envie d'en faire cadeau.

— Vous n'avez qu'à la garder pour vous.

— Non, il n'en est pas question. Et merci, Hal, merci beaucoup.

Levant la tête, Jinny regarda Hal. Son visage était bienveillant, chaleureux... et beau. Et bien tel qu'elle se l'était imaginé la veille au soir, juste avant de s'endormir. Sa mère disait toujours que les yeux bleus ne pouvaient pas être chaleureux. Et pourtant ceux d'Hal l'étaient vraiment. Depuis qu'il était entré dans sa vie, il y avait apporté une sorte de délicatesse qu'elle appréciait beaucoup. Après l'épisode Ray Collard, c'était merveilleux d'être avec un homme qui vous sortait sans rien exiger en retour. La semaine précédente, il l'avait embrassée pour la première fois. Un baiser très doux auquel Jinny s'était abandonnée sans crainte. Toute cette semaine d'ailleurs, elle s'était demandé quel genre de femmes il avait bien pu épouser pour qu'elles éprouvent le besoin de le quitter. Sa première épouse était morte avant que le divorce soit prononcé. Mais, avec la seconde, que s'était-il passé ? Comment avait-il pu faire à nouveau la même erreur ? Peut-être était-ce parce qu'il était trop gentil justement.

— Je dois avoir une boîte qui conviendra parfaitement, dit-il. Je vais vous l'emballer.

Quand il eut quitté la pièce, Jinny retourna s'asseoir. Michael, au contraire, bondit sur ses pieds. Et se penchant sur elle :

— Il y a quelqu'un ici qui se trompe sur son compte, dit-il en s'approchant de Jinny. N'ayez pas l'air aussi bêtement reconnaissante ! Ce n'est peut-être qu'un appât pour attraper le poisson : notre chère Bella, Mme Grayson si vous préférez, vient de nous quitter. Je ne serais pas étonné si samedi prochain vous vous retrouviez ici pour l'aider à faire le ménage.

— Mme Grayson est partie ?

— C'est ce que je viens de vous dire.

— Pour moi, ce ne serait pas la mer à boire de venir aider Hal à faire le ménage samedi prochain.

Et s'efforçant de sourire :

— Votre chambre mise à part, bien entendu. Je suis certaine que c'est vous qui la nettoyez. De toute façon, si vous persuadez votre petite amie de venir donner un coup de main, lorsque vous aurez une soirée de libre la semaine prochaine, il ne restera plus grand-chose à faire pendant le week-end.

Michael s'écarta d'elle en éclatant de rire.

— Dernièrement, je me demandais à qui vous me faisiez penser, dit-il. Et l'autre soir, en regardant *Butterflies* à la télévision, j'ai trouvé. Vous ressemblez à Wendy Craig. Je veux dire physiquement... Moralement vous ne lui ressemblez pas du tout, non ?

— Je n'ai encore jamais vu une cinglée pareille, intervint Arthur. Elle est incapable de cuisiner. Elle passe ses journées dehors au lieu de s'occuper de sa maison et, chaque jour, elle rencontre un nouveau type. Et son mari ne s'en rend même pas compte. Je n'ai encore jamais vu quelqu'un d'aussi bouché que lui. Même si on voulait, on n'y arriverait pas. Semaine après semaine, il rentre chez lui pour ingurgiter des repas qu'on n'oserait même pas donner à un chien. Bien entendu, personne ne lui dit que sa femme passe son temps à baguenauder avec un autre mec, pensant que le chauffeur du monsieur en question les suit en voiture. Et pourtant le vieux tacot bleu, blanc, rouge de madame se voit comme le nez au milieu de la figure chaque fois qu'elle se gare quelque part...

Tout le monde éclata de rire, sauf Arthur.

— J'adore *Butterflies* ! s'écria Jinny. Je trouve qu'elle est fabuleuse.

— Si vous la trouvez fabuleuse, rétorqua Arthur, c'est que vous êtes vous-même un petit peu dingue. De toute façon, il faut l'être pour...

S'interrompant soudain, il hocha la tête d'un air désabusé.

— ... pour aimer une telle série télévisée ? demanda Jinny.

Arthur ne répondit pas. Quant à Michael, après avoir lancé : « A plus tard... », il quitta la pièce.

Dès qu'il eut refermé la porte derrière lui, Rosie demanda à Jinny :

— C'est vrai que vous accepteriez de venir samedi prochain donner un coup de main pour le ménage ?

— Pourquoi pas ? Si c'était vraiment nécessaire, oui.

— Mais vous êtes secrétaire. Vous ne devez pas avoir l'habitude de ce genre de travail.

— Chaque semaine, je nettoie mon appartement et, quand ma mère vivait encore, je lui donnais un coup de main pour entretenir la maison.

Rosie regardait le feu d'un air songeur.

— Je n'aurais jamais pensé qu'une secrétaire accepte de faire du ménage. Mary Randall, une de mes copines d'école dont la mère est infirmière, m'a dit que les infirmières détestaient faire ce genre de travail. Elle veut être secrétaire. Je parle de Mary Randall, bien sûr. Elle est très bonne en français. Est-ce que je peux vous montrer le devoir de français que je dois rendre demain, Jinny ? demanda-t-elle pour finir.

— Oui, bien sûr. Allez vite le chercher.

Quand Rosie eut quitté la pièce, Jinny se retrouva toute seule avec Arthur. Elle se sentit un peu gênée car le jeune garçon ne la quittait pas des yeux, sans se décider pour autant à parler.

Finalement, il se leva de son fauteuil, s'approcha de la cheminée, saisit une bûche dans le panier à bois et la plaça dans le feu.

— Est-ce que Hal vous plaît ? demanda-t-il, le corps penché à l'intérieur de la cheminée.

— Bien sûr qu'il me plaît, sinon je ne serais pas ici.

— En vous demandant s'il vous plaisait, je voulais dire un peu plus que ça... Est-ce que vous l'aimez ?

— Que voulez-vous que je réponde à une question pareille ? Je peux très bien vous dire que cela ne vous regarde pas.

— Je sais bien que vous ne me répondrez pas ça.

— C'est vrai, vous avez raison...

Arthur venait de saisir une seconde bûche et il attendit d'être à nouveau penché vers l'intérieur de la cheminée pour dire :

— Vous plaisez beaucoup à Michael.

Jinny écarquilla les yeux, l'air surpris.

— Je ne sais pas exactement ce que vous entendez par là, remarqua-t-elle avec un sourire crispé. Mais, depuis que je viens dans cette maison, Michael s'est toujours montré sous son jour le plus déplaisant.

— C'est parce qu'il vous aime...

— Ne dites pas de bêtises !

— Ce ne sont pas des bêtises ! hurla Arthur.

Il se redressa et, toujours à genoux, se tourna vers Jinny. Le visage à moins d'un mètre du sien, il la regarda dans les yeux et lui dit, l'air furieux :

— Vous êtes trop gentille et vous allez vous faire avoir. C'est Michael qui l'a dit et il a raison. Moi, à votre place, entre lui et Hal, c'est lui que je choisirais. Avec Hal, vous n'avez aucune chance... Voilà ce que je voulais vous dire.

Arthur s'était levé et il quitta la pièce d'un pas lourd.

Après son départ, Jinny ne put s'empêcher de frissonner, comme si elle avait froid, tout d'un coup. Le charme de cette journée s'était totalement évanoui. Bien sûr, elle pouvait toujours se dire que le jeune garçon était mauvaise langue. Mais elle savait bien que ce n'était pas vrai. Arthur se faisait réellement du souci pour elle. Il ne lui reprochait pas sa présence dans la maison. Au contraire, ces derniers temps, elle avait remarqué que, lorsqu'ils avaient l'occasion de discuter ensemble, ils s'entendaient plutôt bien. Pourquoi, dans ces conditions, adoptait-il une telle attitude vis-à-vis de son beau-père ? Voulait-il se venger des contraintes que celui-ci imposait ? Car, même si Hal ne perdait jamais son calme, il était très strict sur le plan de la discipline. Il avait l'habitude de commander et aimait qu'on lui obéisse, au doigt et à l'œil. C'est pour cela sans doute qu'il dirigeait si bien la troupe des Fellburn Players. Mais qu'avait voulu dire Arthur en lui expliquant qu'elle ferait mieux de choisir Michael car, avec Hal, elle n'avait aucune chance ? Pourtant, Hal était un homme adorable. Elle n'avait jamais rencontré quelqu'un d'aussi gentil. Et il n'y avait pas que vis-à-vis d'elle qu'il l'était. Lorsque les Fellburn Players ne répétaient pas de pièce, il en profitait pour s'occuper, trois soirs par semaine, de personnes du troisième âge.

Jinny réfléchissait en regardant les flammes, elle fut soudain effleurée par une pensée qu'elle repoussa immédiatement. Non, Hal ne pouvait pas être homosexuel. C'était impossible ! Rien dans son attitude ne laissait supposer qu'il soit ce qu'on appelle un « pédé ». D'ailleurs, pour le peu que Jinny en savait, il fréquentait très peu d'hommes et n'avait aucun ami. Bien sûr, elle ne le voyait que pendant le week-end. S'il n'était pas homosexuel, de quoi s'agissait-il ? Car il fallait bien qu'il y ait quelque chose pour qu'Arthur la mette en garde comme il l'avait fait.

« Peut-être est-il jaloux... », songea soudain Jinny. Il était très possible qu'Arthur ne veuille pas que son beau-père se remarie. Peut-être la poussait-il dans les bras de

Michael en espérant faire ainsi d'une pierre deux coups : être débarrassé d'elle et de son demi-frère. Il pourrait alors garder Hal pour lui tout seul. Au fond, son agressivité n'était peut-être que de la jalousie déguisée. Après avoir été séparé de son vrai père, il ne supportait pas l'idée de perdre son père adoptif.

Appuyant sa tête au dossier de son fauteuil, Jinny ferma les yeux et se sourit à elle-même. « Pourquoi n'y avoir pas pensé plus tôt ? » se demanda-t-elle, un peu étonnée. C'est vrai qu'il était difficile de savoir ce qui se passait dans la tête d'un garçon comme Arthur. En tout cas, si elle avait deviné juste, elle pouvait toujours essayer de lui expliquer qu'elle n'avait nullement l'intention de le priver de l'amour de son beau-père.

Elle se sentait mieux. Elle n'avait plus froid. La journée avait été agréable. De plus, elle avait trouvé un magnifique cadeau pour les jeunes mariés. Grâce à qui ? A Hal, bien sûr. Si elle se sentait de nouveau heureuse, c'était grâce à lui.

6

Jamais Jinny n'aurait pensé qu'un mariage puisse être aussi réussi, jamais elle n'aurait cru un jour prendre part à une telle fête et jamais, même en rêve, elle n'aurait imaginé une maison pareille.

Les jeunes mariés étaient sur le point de partir. Ils se trouvaient dans le hall, au milieu d'une foule d'invités. La mariée avait échangé sa robe de mariage en brocart crème bordé de fourrure blanche pour un tailleur de voyage. Elle semblait si heureuse, qu'en la voyant Jinny éprouva le même petit pincement au cœur que celui qu'elle avait ressenti lorsque la jeune femme avait traversé la nef centrale pour rejoindre son futur époux. Elle s'était dit, alors, et se le répétait : Une telle cérémonie, un tel jour, un tel bonheur méritent bien qu'on attende un peu... et qu'on se batte pour ça.

Glen Henderson s'était éloigné de la jeune mariée et il évoluait entre les groupes d'invités. Soudain, au grand étonnement de Jinny, il leva la main pour attirer son attention, puis lui montra un coin de la pièce où il n'y avait personne pour l'instant.

Jinny, après s'être faufilée en s'excusant entre les gens, réussit à le rejoindre. Aussitôt il lui dit :

— Je voulais vous voir pour le bouquet...

— Quel bouquet?

— Le bouquet de mariage d'Yvonne. Père lui avait dit de vous le donner, si vous vous en souvenez. Malheureusement, elle avait déjà promis à une de ses tantes qu'il serait pour sa cousine Jeannette. Jeannette a trente-trois ans bien sonnés, expliqua Glen avec une grimace expressive. Sa mère est désespérée. Elle pense qu'elle ne se mariera jamais, vous comprenez?

— Oui, tout à fait, répondit Jinny en riant. J'avais complètement oublié cette histoire de bouquet. Je croyais que c'était une plaisanterie...

— Pas aux yeux de mon père, précisa Glen. Il tient beaucoup à ce que vous vous mariiez. Il pense que vous perdez du temps. Et je suis assez d'accord avec lui là-dessus. Quoi qu'il en soit, expliquez-lui pour le bouquet.

Et il ajouta, en se penchant vers Jinny :

— Je voulais aussi vous dire autre chose avant de partir. Dans la mesure du possible, essayez de vous débrouiller pour qu'il n'ait pas trop de travail au bureau et qu'il rentre un peu plus tôt à la maison. Ma mère va se retrouver pratiquement seule. Ses enfants lui manquent, bien sûr, mais c'est surtout son mari qu'elle aimerait voir un peu plus souvent. Je peux compter sur vous?

— Bien sûr! Je ferai mon possible pour ça.

— Merci, Jinny.

Glen avait déjà fait demi-tour quand, soudain, il se ravisa.

— Il est très content de travailler avec vous, dit-il. Après Mlle... après la vieille Aggie, vous représentez une bouffée d'air frais, en quelque sorte. Et en plus vous lui tenez tête. Ce n'est déjà pas mal! On m'appelle, j'ai l'impression. Il faut que j'y aille. Au revoir, Jinny.

— Au revoir, monsieur Henderson.

Avant de disparaître dans la foule, il se retourna une dernière fois et lui cria :

— Appelez-moi Glen!

« Glen », répéta Jinny pour elle-même en riant.

Quelle famille merveilleuse ! Vraiment elle avait de la chance de travailler pour des gens pareils.

Tout le monde se précipitait maintenant vers la porte d'entrée, car la voiture des jeunes mariés était garée juste devant. Jinny ne pouvait pas voir ce qui se passait dehors, mais elle entendit des rires, des cris, une série de « au revoir ! » et pour finir, un drôle de bruit, comme si on faisait rebondir des boîtes de conserve sur les graviers de l'allée.

Quelques minutes plus tard, alors que les invités rentraient dans la maison et se dirigeaient vers le salon, elle entendit Bob Henderson dire d'une voix de stentor :

— C'est totalement infantile d'accrocher des boîtes de conserve à l'arrière d'une voiture de jeunes mariés.

En riant, Alicia Henderson prit le bras de son mari.

— Détends-toi, lui conseilla-t-elle. Le bal ne commence que dans une demi-heure. Tu devrais en profiter pour aller faire un petit tour.

Alors qu'elle était en train de parler à son mari, quelqu'un s'approcha d'elle, pour lui poser une question.

— Je pense que maintenant la bibliothèque est débarrassée, répondit-elle. Mais vous pouvez toujours vérifier. Profitez-en aussi pour aller faire un petit tour à l'étage. Les bébés sont toujours là-haut et les filles ont dû remonter s'occuper d'eux. Mais on ne sait jamais...

Poussés par la foule, Alicia et Bob Henderson se trouvèrent bientôt à la hauteur de Jinny. Celle-ci entendit alors Alicia murmurer à son mari :

— Ne te fais pas de soucis. John est allé se poster près de la grille et, quand les jeunes mariés vont arriver, il les aidera à se débarrasser de ces boîtes de conserve.

— Tant mieux s'il se rend utile pour une fois, répliqua Bob Henderson.

Puis, apercevant soudain Jinny, il lui lança :

— Avec tous les hommes qu'il y a là autour, qu'est-ce

que vous fichez toute seule dans votre coin, mon petit ? Je pensais que vous vous étiez déjà fait embarquer dans un endroit tranquille.

— Heureusement que vous le connaissez, mademoiselle Brownlow, remarqua Alicia Henderson en levant les yeux au ciel.

— Fini les noms de famille ! intervint Bob Henderson. Appelle-la donc Jinny. Quand tu parlais à la vieille Aggie, tu ne lui disais pas : Mademoiselle Honeysett.

— Je ne l'appelais pas non plus la vieille Aggie... répondit Alicia Henderson. Je vais être obligée de te quitter, ajouta-t-elle. Il faut encore que je m'occupe d'une ou deux choses... Mademoiselle... Jinny, se reprit-elle en souriant, je vais vous confier mon mari. Si vous pensez qu'il risque de se montrer grossier avec quelqu'un, appuyez avec force sur son petit orteil droit. Il a là un cor particulièrement douloureux.

Comme Jinny éclatait de rire, Bob Henderson lui dit :

— Ma femme est tout à fait sérieuse. Si vous avez l'intention de lui obéir, vous allez être obligée de marcher à la même allure que moi et en restant toujours à ma droite.

— Ne vous inquiétez pas, monsieur Henderson, je pourrai me débrouiller pour suivre ses consignes à la lettre.

— Et moi, je vous promets de ne pas vous faire de croche-pied... Que pensez-vous du mariage ? demanda soudaint Bob Henderson en retrouvant son sérieux.

— J'ai du mal à trouver les mots pour dire ce que je ressens, avoua Jinny. La cérémonie était magnifique. Le repas extraordinaire. Quant à votre maison, je ne l'aurais jamais imaginée comme ça...

— Un peu prétentieuse pour un type comme moi, non ?

— Pas du tout ! corrigea Jinny aussitôt. C'est une très belle maison, merveilleusement meublée et décorée.

— Je veux bien vous croire. Mais moi, je n'y suis pour

rien. Depuis vingt-cinq ans, la seule chose que je fais, c'est de gagner de l'argent. En ce qui concerne cette maison, elle ne vient pas de ma femme, c'est moi qui l'ai payée. J'ai voulu qu'elle vive dans le même luxe que celui où elle avait passé sa jeunesse. Mais je n'ai fait que régler les factures. L'ameublement et la décoration, c'est elle qui s'en est occupée.

Ils empruntèrent un couloir qui longeait l'arrière de la maison, passèrent une porte vitrée et Bob Henderson la précéda dans une grande serre en forme de L. Ils s'approchèrent tous deux des parois de verre et, en silence, contemplèrent le jardin. Il faisait nuit, mais il était en partie éclairé par les lumières qui venaient de la maison.

— Que pensez-vous de ma femme? demanda soudain Bob Henderson.

— Je n'ai encore jamais rencontré quelqu'un comme elle. Elle est tout à fait remarquable et je pense... que c'est vraiment la femme qu'il vous fallait.

— C'est ce que vous pensez?

— Absolument. Je ne dis pas ça pour vous faire plaisir. Et j'ajouterai que, vous aussi, vous lui convenez parfaitement.

Baissant la tête, Bob Henderson fit mine d'examiner avec attention une des dalles de pierre qui recouvrait le sol de la serre. Puis :

— Je ne suis pas d'accord avec vous. Moi, je suis une vraie brute. Si j'avais voulu, en m'appliquant un peu, j'aurais très bien pu arrondir les angles. Mais j'ai mis un point d'honneur à arriver où j'en suis sans changer d'un iota. Et vous savez pourquoi?

Il releva la tête pour regarder Jinny dans les yeux.

— Quand nous nous sommes mariés, Alicia et moi, tout le monde s'est empressé de dire que ça ne marcherait jamais. Le jour et la nuit, disaient les gens. En réalité, ils pensaient : de l'or et du plomb, l'alliage ne durera pas. Et

ils se sont mis à attendre que ça casse. Des jours, des
semaines, des mois, des années.

Il sourit d'un air diabolique.

— Et je vais vous dire une chose. Quand ils se sont
aperçus qu'ils s'étaient trompés, certains en ont fait une
vraie maladie. Comme Chris Waitland. Vous l'avez vu
aujourd'hui, non ? Toujours pendu aux basques de Garbrook. Il est allé à l'Université, lui. Et ça ne lui a pas réussi.
Je lui ai dit un jour qu'en faisant des études, il avait gâché le
peu d'intelligence qu'il possédait. Il n'a jamais pu
comprendre qu'Alicia ait pu tomber amoureuse d'un type
comme moi. Ce qu'il ne comprend pas non plus, c'est
qu'avec l'éducation qu'il a eue, ce ne soit pas lui qui dirige
la boîte à ma place. En réalité, il a obtenu un poste chez
nous uniquement grâce à sa femme, qui est une petite cousine de Garbrook. D'ailleurs, en parlant de Waitland, ça me
rappelle quelque chose. Un bruit qui court et qu'on s'est
empressé de me rapporter. Vous savez, ajouta-t-il, j'ai des
antennes partout. Aussi bien dans l'usine que dans les
bureaux et même au conseil d'administration. C'est comme
ça que j'ai appris que dans une conversation privée,
Waitland s'est renseigné pour savoir si je n'ai pas l'intention
de prendre ma retraite plus tôt que prévu. Alors, à mon
tour, j'ai fait courir le bruit qu'en effet j'allais me retirer
mais que ce serait mon fils qui prendrait la relève. Ça a dû
l'empêcher de dormir pendant quelques nuits.

Bob Henderson se laissa tomber sur une chaise de jardin
en fer et tiraille la ceinture de son pantalon.

— Je suis complètement crevé, avoua-t-il. Et j'attends
avec impatience le moment où je pourrai retirer cette salo-
perie de pantalon. Il est tellement serré que j'ai l'impression
que je vais mourir étouffé.

La tête cachée dans les mains, Jinny était en train de
pouffer de rire, quand un jeune homme les rejoignit dans la
serre.

— Je t'ai cherché partout, père, expliqua-t-il. Je voulais te dire que je partais.

Au lieu de répondre, Bob Henderson se tourna vers Jinny et fit les présentations.

— Voici John, mon autre fils. S'il ne mettait pas un point d'honneur à vivre à l'écart de la famille, il y a long-temps que vous l'auriez rencontré.

De taille moyenne, le nouveau venu ressemblait beau-coup à son père, sauf qu'il avait l'air tendu et même un peu crispé.

— Ravi de vous connaître, dit-il en inclinant la tête en direction de Jinny.

Jinny lui répondit de la même façon.

— Tu ne restes pas pour le bal ? demanda Bob Hender-son.

— Non.

— Tu sais pourtant que ça aurait fait plaisir à ta mère.

— Je sais, père. Mais mon amie m'attend.

— Bon sang ! Tu connais mon avis là-dessus. Je ne te comprends pas ! Rien ne vous arrête, elle et toi. Pourquoi vous conduisez-vous comme ça ?

— Pour la simple raison que nous en avons envie.

— Ce n'est pourtant pas dans cette maison qu'on t'a montré le mauvais exemple.

— En effet, reconnut John Henderson. Mais, même si vous m'avez élevé d'une certaine manière, je n'ai peut-être pas envie de suivre votre exemple. Avant d'en décider, je ne perds rien à essayer autre chose. De toute façon, conclut-il en jetant un coup d'œil à Jinny, c'est le genre de choses dont il vaut mieux discuter en privé.

— Ne te gêne pas pour elle. C'est ma secrétaire, elle est au courant de tout, répliqua Bob Henderson.

Après avoir jeté un regard dur à son père, John annonça :

— Je m'en vais.

— D'accord ! Va-t-en. Le jour où tu seras fatigué de la liberté, tu sais que la porte est ouverte.

Après le départ de son fils, Bob Henderson se leva brusquement et se mit à vociférer :

— Quel petit idiot ! Stupide et borné ! Il vit avec une fille. Il est le seul de la famille à avoir mal tourné.

» Il s'est tiré de chez nous à vingt et un ans. Comme je lui ai dit à l'époque : Pourquoi diable as-tu attendu si longtemps ? S'il était tellement pressé de faire sa malle, pourquoi n'est-il pas parti à dix-huit ans ? Légalement, il en avait le droit. Les lois d'aujourd'hui sont toujours du côté du vice. Nous vivons sous le règne de la pornographie. Nos mœurs se sont complètement relâchées. Et qu'on n'aille pas me dire le contraire ! A une certaine époque, seuls les gens riches pouvaient se permettre d'avoir une maîtresse. A ce moment-là, la plupart des hommes respectaient encore les femmes. Mais c'est fini, tout ça ! Aujourd'hui, dans le bus, si un homme se lève pour laisser sa place à une femme, il en profite pour lui pincer les fesses au passage. Et ne me dites pas que je suis vieux jeux ! continua-t-il en menaçant Jinny du doigt. Côté vie sexuelle, ce qui est quand même le fond du problème, je suis au moins autant dans le coup que tous ces jeunes blancs-becs. La seule différence c'est que, de mon temps, quand on disait qu'on sortait avec une fille, ça voulait dire qu'on allait se balader dehors avec elle, un point c'est tout. Tandis qu'aujourd'hui, quand on sort avec une fille, ça veut dire que celle-ci se rabaisse au rang d'une putain. Et sa réputation n'en souffre même pas ! De nos jours, tout le monde trouve normal qu'une lycéenne change sans arrêt de partenaire comme une chienne en chaleur. D'ailleurs, je ne devrais même pas dire ça : habituellement les animaux se comportent bien mieux que ces filles-là.

S'interrompant soudain, Bob Henderson tourna le dos à Jinny pendant quelques secondes. Puis il pivota vers elle, un timide sourire aux lèvres.

— Vous savez, mon petit, Alicia mise à part, vous êtes bien la seule à qui je puisse dire ce que j'ai sur le cœur, expliqua-t-il. Avec les autres, c'est différent : dès que j'ouvre la bouche, j'ai l'impression qu'ils vont tomber dans les pommes. Surtout ma fille Florrie. Vous l'avez vue aujourd'hui, non ? C'est elle qui me ressemble le plus physiquement. Elle a trois gosses et vit dans le Devon. Elle est tellement coincée qu'on dirait qu'elle a été élevée dans un couvent. Et pourtant, elle devrait avoir l'habitude de mon langage. La première fois que je l'ai engueulée, elle avait cinq ans. Elle venait de renverser un peu de soupe bouillante sur la tête de John. Son frère avait deux ans à l'époque et il a failli mourir à cause du choc. J'aimerais bien que quelqu'un se décide à lui verser à nouveau de la soupe sur la tête, continua-t-il avec une pointe de tristesse. Ça lui remettrait peut-être les idées en place. Si personne ne s'en charge, c'est moi qui le ferai. Allons-y, mon petit ! proposa-t-il soudain. Sinon les gens vont finir par remarquer notre absence. Vous aimez danser ?

— Oui, j'adore ça.

— Eh bien, tant mieux ! Vous allez pouvoir vous en donner à cœur joie.

Poussant Jinny devant lui, Bob Henderson lui fit traverser la pièce au pas de course si bien qu'en arrivant à la porte, elle faillit heurter M. Garbrook qui venait en sens inverse.

Après avoir jeté un coup d'œil par-dessus la tête de Jinny, celui-ci lança à son associé :

— Enfin, je vous trouve ! Je vous ai cherché partout. Qu'est-ce que vous fichez avec votre secrétaire ? Encore en train de parler boulot. Il serait temps de penser à autre chose.

M. Garbrook était grand, les épaules larges et l'estomac proéminent. Jinny dut se tourner sur le côté pour le laisser passer.

Elle avait déjà eu plusieurs fois l'occasion de rencontrer l'associé de son patron mais, bien qu'il se montrât toujours très cordial, elle ne l'aimait pas. Ce n'était pas le genre d'homme qui gagnait à être connu et elle était très contente qu'il passe la plus grande partie de son temps à l'usine de production de boîtes métalliques.

Il n'était pas le seul de l'équipe à avoir été invité au mariage. Il y avait aussi M. Meane qui dirigeait le bureau des dessinateurs et qui, comme d'habitude, s'était montré charmant à l'égard de Jinny. Chris Waitland et sa femme l'avaient au contraire ostensiblement ignorée. Et Jinny savait pourquoi : les Waitland avaient dû se dire qu'il n'y avait aucune raison qu'elle assiste au mariage alors que la secrétaire de Chris Waitland et même celle de M. Garbrook n'avaient pas été invitées. Mais Jinny s'en moquait. Pour l'instant, la seule chose dont elle avait envie, c'était de danser. Si quelqu'un venait l'inviter bien entendu...

Elle fut invitée plutôt deux fois qu'une et ne quitta pratiquement pas la piste de danse pendant les quatre heures qui suivirent, sauf de temps en temps pour aller boire un rafraîchissement.

Quand l'orchestre eut remballé son matériel et que les invités eurent pris congé un à un — certains danseurs ne tenant pratiquement plus debout —, Jinny se retrouva toute seule avec la famille des jeunes mariés, neuf personnes en tout. Comme Bob Henderson et sa femme insistaient pour qu'elle reste, elle accepta de se joindre à eux et ils montèrent s'installer dans une pièce du premier étage qui, d'après ce que Jinny comprit, était le boudoir de Mme Henderson et une des rares pièces de la maison où les invités n'étaient pas entrés.

Entre les trois filles aînées des Henderson, Florence, Nellie et Monica, et leurs maris, c'était à qui devinerait dans quel hôtel les jeunes mariés étaient descendus, à Paris. Bob Henderson et sa femme s'étaient installés côte à côte sur le divan. Lucy, sans égard pour sa robe de demoiselle d'honneur en soie pêche, était assise aux pieds de sa mère, sur le tapis.

Jinny, qui s'était installée un peu à part, avait l'impression de contempler ce charmant tableau de famille comme si elle était debout derrière une vitre.

Alicia Henderson dut deviner ce qu'elle éprouvait car, soudain, elle lui dit :

— Il est deux heures du matin, Jinny. Vous n'allez pas rentrer chez vous à une heure pareille. Il y a des chambres libres dans la maison. Lucy va vous en montrer une où vous pourrez passer la nuit.

— Non, c'est...

— Taisez-vous! cria Bob Henderson. Elle vous a dit de rester, alors obéissez! Je suis trop crevé pour argumenter encore avec vous. Ou avec qui que ce soit d'autre. Au lit, tout le monde! Vous aurez largement le temps de discuter demain ou après-demain.

— Pas moi, père, intervint aussitôt Florence. Demain, nous repartons dans le Devon.

— Moi aussi, je vais être obligé de rentrer demain, mon cher beau-père, annonça le mari de Nellie, un bel homme un peu grassouillet. J'ai une affaire en cours. Nous autres, nous n'avons pas de secrétaire pour travailler à notre place quand nous ne sommes pas là, n'est-ce pas Harry?

— Pour ma part, je ne verrais aucun inconvénient à ne pas retourner à Manchester, déclara Harry, le mari de Monica, en pouffant de rire comme un gamin.

Tout le monde se dit au revoir et Jinny en profita pour remercier ses hôtes.

— Merci pour cette merveilleuse journée... et cette soirée.

Alicia Henderson ne dit rien, se contentant de sourire.

— Arrêtez ce cinéma et allez vous coucher, conseilla Bob Henderson, qui n'avait rien perdu de sa verve.

Jinny s'exécuta aussitôt et suivit Lucy.

— Je pense que vous trouverez tout ce dont vous aurez besoin, lui dit celle-ci après lui avoir montré sa chambre.

Elle allait ressortir de la pièce quand, soudain, elle se retourna pour regarder Jinny.

— La manière dont mon père vous parle ne vous gêne pas? demanda-t-elle.

— Non, pas du tout, répondit Jinny avec un grand sourire.

— Il y a des gens qui ne le supportent pas. Ils trouvent qu'il est horriblement grossier.

Le sourire de Jinny s'effaça. Elle se demanda si par hasard Lucy ne partageait pas l'avis des gens dont elle venait de parler.

— Je pense que votre père est un homme merveilleux et tout à fait exceptionnel.

— On peut en effet voir les choses ainsi, reconnut Lucy en repoussant d'un léger mouvement de tête les courtes boucles qui lui tombaient sur le front. Une chose est sûre, c'est qu'en société, il ne trouve jamais personne qui soit de son avis. En plus, vous ne savez jamais ce qu'il va vous dire.

— En général, il fait preuve de bon sens, tout simplement.

— J'ai l'impression que vous vous entendrez parfaitement avec ma mère : elle pense que mon père ressemble un peu à Socrate, expliqua Lucy en riant.

Puis après avoir haussé les épaules comme si tout ça ne la concernait pas, elle ajouta :

— Bonne nuit et dormez bien.

Jinny pensait qu'après une telle journée, elle allait s'endormir dès qu'elle aurait posé sa tête sur l'oreiller. Mais il n'en fut rien. Dans son lit, les yeux grands ouverts, elle resta longtemps à contempler la chambre qu'éclairait simplement sa lampe de chevet.

Elle passa en revue les divers membres de la famille Henderson dont elle avait fait la connaissance ce jour-là et ses pensées la ramenèrent à Lucy, la petite dernière. Comme l'avait dit Bob Henderson, c'était vraiment une enfant gâtée. Elle n'appréciait ni la belle maison dans laquelle elle vivait ni les qualités de son père. Et elle n'était pas la seule à raisonner ainsi. Son frère John devait être dans le même cas puisqu'il avait quitté sa famille pour vivre avec sa petite amie.

Juste avant de s'endormir, Jinny se dit que pour être heureux, il ne suffisait pas de vivre dans une maison comme celle-ci ou d'être servi par une armée de domestiques, à une époque où plus personne ne voulait faire ce métier. Les biens matériels ne pouvaient jamais concurrencer un besoin ou un désir personnel comme celui qui avait dû pousser John à quitter la maison familiale. Toutes ces richesses n'empêchaient pas non plus que Lucy ait honte de son père. De son côté, si Jinny devait choisir entre vivre toute seule dans une luxueuse maison ou partager avec Hal un petit appartement en sous-sol, elle savait très bien ce qu'elle ferait. Au fond, elle en revenait toujours au même point : plus que toute autre chose, elle avait besoin d'amour, besoin d'aimer et d'être aimée. C'est d'ailleurs sur cette agréable pensée qu'elle s'endormit.

7

— Vous n'êtes pas en train de me mentir, au moins ?
C'est vrai que vous savez où vous allez passer vos vacances.

— Oui, oui. Je suis invitée à passer Noël dans la maison
de M. Campbell.

— Pourquoi l'appelez-vous « monsieur » Campbell ? Il
n'a pas de prénom, cet homme ? C'est pourtant bien avec
lui que vous sortez ?

— Si, il a un prénom : il s'appelle Hal. Et je pense qu'on
peut dire en effet que je sors avec lui.

— Vous n'en avez pas l'air absolument certaine.

Bob Henderson avait raison : Jinny aurait été incapable
de dire exactement quel genre de relation elle entretenait
avec Hal. Jamais encore il ne lui avait proposé de l'emmener dîner en ville, d'aller au cinéma ou au théâtre. Le jour
où elle lui avait annoncé qu'elle allait voir une pièce à Newcastle, il lui avait simplement répondu : « Excellente idée.
Passez une bonne soirée... » Pourtant, à chaque fois qu'il la
raccompagnait chez elle, il se montrait toujours très affectueux. Le seul problème c'est que Jinny aurait été incapable
de dire ce qu'elle entendait par « très affectueux »...

— Ne faites pas cette tête-là ! lui lança Bob Henderson.
Je sais que je viens encore de fourrer mon nez dans ce qui
ne me regarde pas. Mais, pour une fois, ce n'est pas de ma

faute. C'est Alicia qui m'a demandé de vous dire que, si vous n'aviez pas de projets pour Noël, vous pourriez toujours venir chez nous. Je me demande bien pourquoi cette année on nous a foutu dix jours de congé pour Noël. C'est la première fois que je vois ça ! A ce train-là, on finira par ne plus travailler que dix jours par trimestre. Et vous verrez que, malgré ça, ils trouveront encore de bonnes raisons de se mettre en grève. Bien que, pour l'instant, nous n'ayons pas trop à nous plaindre. Ça ne va pas durer, croyez-moi. Un jour ou l'autre, il va y avoir des problèmes dans la métallurgie. On est en train de fermer pas mal d'usines et ça finira par faire du raffut. C'est trop facile de dire que ça ne nous concerne pas parce que nous ne faisons que transporter et fabriquer quelques bricoles. En réalité, tout se tient. S'il n'y a plus de briques sur le marché, comment voulez-vous construire une maison ?

— Faute de briques, vous pourrez utiliser des parpaings...

— Trêve de plaisanteries, mademoiselle. Revenons aux choses sérieuses. Est-ce que nous en avons fini pour aujourd'hui ?

— Je pense que oui.

— L'affaire Radley est réglée ? demanda Bob Henderson. Bien sûr. Que je suis distrait ! Je viens juste de signer les papiers. Je devais encore penser à autre chose.

Il appuya sa tête sur le dossier de son siège et ferma un instant les yeux.

— Je suis crevé. L'un dans l'autre ça a été une sacrée année. Je ne serai pas mécontent de me reposer un peu. Comme je le disais hier soir à Alicia, je me réjouis d'avance que la maison soit vide pour Noël. Cette année nos trois filles ont décidé de passer Noël chez elles, il n'y aura pas tous ces mômes en train de cavaler à longueur de journée dans toutes les pièces. Glen sera avec sa femme, John avec sa petite amie et nous serons tous les deux seuls, Alicia et moi. Parce que Lucy, je la connais : elle va passer la nuit à courir de gauche à droite, comme un chat écorché. Au fait, ajouta-t-il, j'ai oublié de vous dire que nous avions reçu une carte de Glen. Ils sont arrivés à La Barbade. Vous saviez que nous avions une maison là-bas ?

— Non, je l'ignorais... A La Barbade ?

— Oui, c'est ça. Vous ne pouvez pas savoir le nombre de parents que je me suis découvert depuis que je possède un pied-à-terre là-bas. La maison est pleine à longueur d'année. Elle n'est pourtant pas très grande : même pas six pièces. J'ai l'air de parler comme si une maison de six pièces, ça n'était pas grand-chose à mes yeux. Dire que lorsque j'étais jeune, nous vivions à huit dans un deux pièces ! Je suis seul à être encore en vie. Et parfois je pense à ce que je pourrais faire aujourd'hui pour mes parents, pour mes frères et sœurs : ils n'auraient plus qu'à se laisser vivre. Malheureusement, mon père, mes frères et une de mes sœurs sont morts six mois avant la fin de la guerre. La vie nous joue de drôles de tours parfois. Mais pourquoi est-ce que je vous raconte des choses pareilles ?

— Je suppose que ça vous fait du bien de me le raconter. C'est mieux que de ressasser. De toute façon, écouter fait partie du travail.

— Écouter ne fait pas partie du travail. Et mon bla-bla non plus... Vous êtes sûre que vous ne voulez pas venir passer Noël chez nous ?

Jinny avait rangé sa machine et elle se dirigeait vers le vestiaire.

— Si votre invitation tient toujours, je viendrais bien pour le Nouvel An, proposa-t-elle.

— Bien sûr, répondit Bob Henderson. Vous serez la bienvenue. Et pendant que j'y suis... — Il sortit de son bureau une enveloppe qu'il tendit à Jinny — c'est votre cadeau de Noël. Attendez d'être chez vous pour l'ouvrir. Je n'ai nulle envie de discuter avec vous ce soir. La plupart des gens que je connais se contenteraient de me dire merci mais avec vous, on ne sait jamais. Passez un bon Noël, Jinny.

— Vous aussi, monsieur. Puis-je me permettre de vous remercier de m'avoir confié ce poste de secrétaire.

Bob Henderson haussa les sourcils, pinça les lèvres et finit par dire :

— Vous pouvez me remercier, en effet. Je pense que vous avez drôlement de la chance de travailler avec moi.

— Je ne suis pas sûre que tout le monde partage cet avis, parce qu'on dit aussi que vous êtes terrible.

Après s'être mesurés pendant quelques secondes du regard, ils éclatèrent tous deux de rire.

Quelques secondes plus tard, quand Jinny, adossée à la porte du vestiaire, ouvrit l'enveloppe qu'il lui avait remise, elle y découvrit cinq billets de dix livres. Elle dut se mordre les lèvres pour ne pas pleurer. Qu'il l'ait dit pour plaisanter ou non, Bob Henderson avait raison : elle avait drôlement de la chance de travailler avec lui. Et en cet instant, elle se sentait si proche de lui qu'elle avait la curieuse impression de le connaître depuis toujours.

8

La journée de Noël se passa merveilleusement bien. Aucun incident ne vint troubler la bonne ambiance qui régnait dans la maison. Même Arthur semblait heureux. Jinny se demanda si son bonheur n'était pas dû, en grande partie, au nouveau casque de moto, aux gants et aux bottes de cuir qu'Hal lui avait offerts. De son côté, Michael semblait avoir renoncé à ses insinuations malveillantes. La cravate et la chemise en soie qu'il avait reçues en cadeau étaient peut-être pour beaucoup dans son changement d'attitude. Rosie avait trouvé une veste et des gants en peau de mouton dans la cheminée. Jinny, elle, avait eu droit à un sac à main en crocodile et à un petit sac de voyage assorti. Comparés à la générosité d'Hal, les cadeaux qu'elle avait choisis avaient dû sembler bien insignifiants.

Hal était venu la chercher chez elle la veille et ils avaient passé la matinée à faire des courses. L'après-midi, elle l'avait aidé à préparer la dinde qu'ils devaient manger le jour de Noël, puis elle s'était occupée de la maison.

Le 25 au matin, après la distribution des cadeaux, Hal et Jinny s'étaient retrouvés, tous les deux, dans la cuisine. Arthur était en train d'étrenner son nouveau casque et Michael était parti rendre visite à quelqu'un, sans dire où il allait. Quant à Rosie, elle s'était installée au salon dans sa position favorite pour feuilleter le livre qu'on venait de lui offrir.

C'est à ce moment-là, alors que Jinny était debout devant l'évier, en train de préparer les légumes, qu'Hal, s'approchant d'elle par-derrière, l'enlaça et l'embrassa sur la nuque.

— Tu es vraiment ravissante, Jinny, dit-il. Il y a quelque chose chez toi, qui est fascinant.

Pour mieux la regarder, il lui fit faire demi-tour et, lui effleurant du doigt le visage et le cou, il murmura :

— C'est vraiment merveilleux que tu sois ici.

— Pour moi aussi c'est merveilleux, Hal, murmura Jinny en battant des cils.

Hal continua à lui caresser le visage.

— Tu sais à quel point la notion de famille est importante à mes yeux, et aujourd'hui, grâce à toi, j'ai l'impression d'avoir atteint dans ce domaine un équilibre. Un équilibre que je n'avais jamais connu avant. Je suis sûr que tu comprends ce que je veux dire.

Jinny, qui regardait Hal dans les yeux, faillit lui demander : « Que suis-je censée comprendre ? Y a-t-il quelque chose que tu me caches ? » Mais elle se reprit aussitôt, se disant : « Pour l'instant, contente-toi de ce que tu as. Hâtons-nous lentement. Laissons-le faire. Un homme qui a déjà divorcé deux fois doit hésiter quelque peu avant de se remarier pour la troisième fois. »

Comme Hal l'embrassait tendrement sur les lèvres, elle ne put s'empêcher de le prendre dans ses bras et de le serrer contre elle. Elle ne sut jamais s'il s'était écarté d'elle avant d'entendre claquer la porte du salon ou après. En tout cas, lorsque Rosie entra dans la cuisine, Jinny était à nouveau debout, face à l'évier, et Hal avait regagné sa place près de la table.

Il y eut une seule petite fausse note en fin de journée. Ils se trouvaient alors dans le salon, Jinny était assise sur le divan à côté de Hal, Arthur était en train de leur montrer un tour de cartes. Quand Hal prit Jinny par l'épaule pour qu'elle se rapproche de lui, son geste n'échappa pas au jeune garçon et celui-ci, quittant les cartes des yeux, lança à son beau-père un regard plein d'animosité. Le tour rata, Arthur envoya valser les cartes et alla s'asseoir dans un coin d'un air boudeur.

Le lendemain, le moral était à nouveau au beau fixe car il avait neigé pendant la nuit et il faisait un temps magnifique. En début d'après-midi, ils sortirent dans le jardin pour faire une bataille de boules de neige. Hal fit équipe avec Arthur et Rosie, Jinny avec Michael.

A un moment donné, alors que Michael se baissait pour ramasser de la neige, il dit à Jinny :

— Il y a un bal demain soir à l'Assembly Rooms. Que diriez-vous d'y aller avec moi ?

Jinny lança la boule de neige qu'elle tenait à la main puis, se baissant à son tour pour en faire une autre, elle lui demanda :

— Votre amie vous a abandonné ?

— On peut en effet présenter les choses comme ça, répondit Michael en pirouettant sur lui-même si bien que la boule de neige que venait de lui lancer Arthur l'atteignit dans le dos.

— Ainsi s'explique votre présence à nos côtés.

Jinny baissa la tête pour éviter la boule de neige qui lui était destinée.

— Oui et non. J'avais envie de passer Noël à la maison. Ce n'est pas tous les jours que nous avons la chance d'avoir une invitée.

Et Michael lança une boule dans le camp adverse.

Ce que venait de lui dire Michael rappela à Jinny une remarque qu'elle s'était faite la veille : à l'exception du facteur, il n'y avait eu aucun visiteur depuis le début des vacances. Rosie parlait souvent de ses amies du lycée mais Jinny n'en avait jamais vu aucune. Arthur appartenait à une bande de jeunes qui possédaient tous une mobylette et se réunissaient dans un des cafés de la ville. Mais ce genre de fréquentations ne devait pas être du goût de Hal et Arthur n'amenait jamais aucun copain chez lui. Quant à la petite amie de Michael, elle était restée, elle aussi, invisible et, compte tenu de ce qu'il venait de dire, il y avait de grandes chances maintenant pour que Jinny ne fasse jamais sa connaissance.

Même si elle ne se sentait toujours pas à l'aise avec Michael, elle devait reconnaître qu'il lui déplaisait beaucoup moins qu'avant. Elle trouvait qu'il avait du charme et qu'il était intelligent. Elle aimait l'écouter quand il parlait, mais continuait à être sur ses gardes car il se débrouillait toujours pour terminer les discussions par quelque remarque désobligeante.

— Que dira Hal si je lui annonce que je sors danser avec vous ? demanda-t-elle.

Michael ne lui répondit pas tout de suite car, en face, on était en train de les bombarder de boules de neige. Lorsque leurs assaillants se furent un peu calmés, il lui dit :

— A mon avis, ça lui sera complètement égal, à condition que je vous ramène ici. A ses yeux, vous faites maintenant partie des meubles.

— Je suppose que lorsque vous dites ça, vous n'avez pas l'impression d'être perfide à son égard, ni insultant envers moi... rétorqua Jinny.

Et elle lança rageusement la boule de neige qu'elle tenait à la main.

— Je considère pour ma part que je ne fais pas partie des meubles et je ne crois pas qu'Hal ait jamais pensé une chose pareille.

Michael, modelant la neige qu'il venait de ramasser pour en faire une boule, répondit :

— Vous êtes un bien curieux mélange. D'abord une secrétaire hyperefficace. C'est la partie visible de l'iceberg.

Puis, on découvre que vous êtes aussi une fille délicieuse, mais prudente. Le dernier aspect de votre personnalité est certainement le plus important, car c'est ce qui vous fait agir, à votre insu. A ce niveau-là, vous n'êtes que le produit de vos charmants parents. Et, de nos jours, cela représente un sérieux handicap.

Comme Jinny ne bougeait pas et que Michael gardait sa boule à la main, Hal leur cria :

— Dépêchez-vous ! Vous allez perdre. Nous avons trente-trois points et vous seulement trente.

— C'est normal, cria Michael en réponse. Vous êtes trois et nous sommes deux.

Puis il ajouta à voix basse, à l'adresse de Jinny cette fois :

— Vous ne me demandez pas quel est ce dernier aspect de votre personnalité ?

Claquant ses deux mains l'une contre l'autre pour les réchauffer, Jinny rétorqua :

— Ce que vous pensez de moi ne m'intéresse pas. Je me connais et ça me suffit.

Michael lui répondit d'un air tellement hargneux que Jinny en fut surprise.

— Que vous le vouliez ou non, je vais pourtant vous le dire. Vous êtes une sacrée imbécile, voilà ce que je pense ! Et si j'en suis arrivé à avoir une telle opinion de vous c'est que je me suis dit qu'il fallait être soit complètement idiote, soit complètement folle, pour ne rien chercher de plus dans la vie que ce qu'on vous offre quand vous venez ici.

Au lieu de lancer la boule de neige qu'il tenait à la main dans le camp adverse, Michael la jeta rageusement à ses pieds. Puis, tournant le dos à Jinny, il se dirigea à grandes enjambées vers la maison.

Son geste de colère n'avait pas échappé à Hal. Abandonnant Rosie et Arthur, qui s'étaient mis à se bombarder mutuellement, il s'approcha de Jinny et lui demanda :

— Que s'est-il passé ?

— Rien. Rien du tout...

— Que t'a-t-il dit ? voulut savoir Hal.

Avant que Jinny ait eu le temps de répondre, il ajouta :

— Il vaut mieux ne pas faire attention à ce que dit Michael. C'est un garçon très émotif : la moindre bagatelle le bouleverse.

Émotif, Michael ? Il avait l'esprit bien trop caustique pour ça. Et Jinny aurait juré que pour le bouleverser il fallait un peu plus qu'une bagatelle.

— Que t'a-t-il dit ? demanda Hal à nouveau.

Jinny eut bien envie de répondre : « Il m'a laissé entendre qu'en m'invitant chez toi, tu te sers de moi. C'est ce que j'ai cru comprendre en tout cas. Y a-t-il quelque chose de vrai là-dedans ? » Mais elle préféra dire :

— Il m'a demandé si je voulais venir danser avec lui demain soir. J'ai répondu que tu risquais de ne pas être d'accord. Et lui, il m'a dit que ça... que ça ne te ferait rien.

Hal ferma les yeux pendant quelques secondes comme s'il avait besoin de réfléchir avant de répondre.

— Il n'avait pas tout à fait tort, dit-il en regardant à nouveau Jinny. Si tu as envie d'aller danser avec lui, je n'y verrais aucun inconvénient, dans la mesure où il te ramènerait ensuite ici.

Jinny fut tellement surprise qu'elle en resta sans voix. Hal venait de répéter, pratiquement mot pour mot, ce que Michael lui avait dit un peu plus tôt. La seule chose qui comptait à ses yeux ce n'était pas qu'elle continue à venir le voir, lui, mais qu'elle continue à venir « ici », c'est-à-dire : chez lui, comme l'avait dit Michael.

La joie qu'elle avait éprouvée à passer Noël dans cette maison venait de s'évanouir. Tout à coup, elle avait froid et se sentait étrangement triste et perplexe à la fois.

9

Le soir où Hal ramena Jinny chez elle, les routes étaient presque impraticables car il avait neigé pendant plusieurs jours.

Jinny avait voulu rentrer le 27 décembre mais, Michael mis à part, tout le monde avait insisté pour qu'elle reste, même Arthur, ce qui l'avait un peu surprise. Elle avait donc prolongé son séjour chez Hal jusqu'au 30 décembre.

Lorsqu'elle ouvrit la porte de son appartement, il faisait un froid de canard dans le salon et ça sentait le renfermé. Comparé aux grandes pièces lumineuses de la maison de Hal, l'appartement semblait triste et sombre.

Hal, qui l'avait suivie à l'intérieur, dut avoir la même sensation qu'elle, car il lui dit :

— Cet appartement est vraiment horrible. Ton lit doit être humide et tu vas mourir de froid là-dedans. Je vais te ramener à la maison et nous reviendrons demain matin, à l'heure où tu as rendez-vous avec M. Henderson.

Mais Jinny l'assura qu'elle n'aurait pas froid dans son lit, car elle avait une couverture chauffante et que, lorsqu'elle aurait tiré les rideaux, allumé les lampes et mis en marche le radiateur à gaz, la pièce serait bien plus accueillante.

Le fait que Hal s'inquiète de son sort lui mit un peu de baume au cœur et quand il l'embrassa au moment de partir, elle le serra dans ses bras.

— La maison va me sembler bien vide sans ta présence,
dit-il en lui caressant les cheveux. Tu sais, Jinny, il est rare
de rencontrer quelqu'un comme toi, je veux dire quelqu'un
de chaleureux et de compréhensif et qui n'ait aucune exi-
gence. En général, les femmes sont très exigeantes. A mes
yeux, en tout cas. Mais avec toi, c'est différent. Tu es vraiment merveilleuse, Jinny, continua-t-il d'une voix soudain
émue. Je m'étonne que tu fréquentes quelqu'un comme
moi. Un homme qui s'est marié deux fois est toujours un
peu suspect, surtout lorsqu'on sait, en plus, qu'il a divorcé.
Les femmes veulent, en général, savoir pourquoi on a
divorcé et de quel côté étaient les torts. Mais tu sais, quand
on divorce, les torts sont toujours partagés. En général,
c'est moitié-moitié.

Tandis qu'Hal parlait, Jinny se posait des questions
qu'elle ne pouvait formuler. La plus importante était :
pourquoi restait-elle avec lui ? Cela faisait deux mois maintenant qu'elle le fréquentait mais, depuis le jour où il l'avait
embrassée pour la première fois, leur relation n'avait fait
aucun progrès. Mais qu'entendait-elle exactement par
« faire des progrès » ? Voulait-elle dire par là qu'il aurait été
normal qu'Hal exige d'elle la même chose que Ray Collard ? Était-ce ce qu'elle attendait ? Non, pas du tout. Alors,
de quoi se plaignait-elle ? Qu'est-ce qui la tracassait ? Elle
n'aurait pas pu le dire.

Le dimanche matin, à onze heures, lorsque Bob Henderson sonna à la porte, elle était prête à partir.

Dès qu'elle l'eut introduit dans l'appartement, il jeta un
coup d'œil autour de lui. Le radiateur était éteint et la pièce
semblait à nouveau froide et sombre.

— Vous devez geler là-dedans, mon petit, dit-il.

— Je suis très bien au contraire, répondit Jinny d'un ton
léger. Dès que j'allume le gaz, il fait bon.

— Mais il fait noir comme dans un trou, remarqua Bob

Henderson, en jetant un coup d'œil à travers la fenêtre qu'obscurcissait un mur extérieur.

— C'est un appartement en sous-sol, fit remarquer Jinny. Et je considère que j'ai déjà bien de la chance de l'avoir trouvé.

Après avoir fait le tour de la pièce, Bob Henderson poussa la porte de la cuisine, jeta un coup d'œil à l'intérieur, puis la referma.

— Vous méritez quand même mieux que ça !

— Que me proposez-vous ? De m'installer à vos frais dans un autre appartement ?

Cette idée lui semblait tellement incongrue qu'elle éclata de rire.

— Vous savez bien que ce n'est pas mon genre. En disant ça, je pensais simplement que vous pourriez être un peu mieux logée. En habitant un appartement au rez-de-chaussée, par exemple...

— Pour l'instant, je vis dans celui-ci et je m'en contente.

— Vous n'avez donc aucune ambition ?

Jinny, qui venait d'enfiler ses gants en laine et de prendre son sac de voyage, lui répondit d'un air soucieux :

— Bien sûr que j'ai de l'ambition et je suis bien décidée à jeter mon dévolu sur un milliardaire...

— Pourquoi n'épouseriez-vous pas un milliardaire quand c'est ce que font la plupart des mannequins ? Si vous n'aviez eu ni fesses ni poitrine, vous auriez très bien pu choisir ce métier.

— Si nous partions ? proposa Jinny.

— Tout à fait d'accord. Il fera certainement moins froid dehors que chez vous.

En arrivant chez lui, le premier soin de Bob Henderson fut de décrire à sa femme l'appartement dans lequel vivait Jinny.

— On se croirait dans un mausolée, dit-il. Il faudra que tu ailles faire un tour là-bas.

— Crois-tu qu'un jour tu apprendras à te mêler de ce qui te regarde? demanda Alicia. Asseyez-vous, Jinny, proposa-t-elle. Comme Lucy est partie pour le week-end, vous allez vous retrouver toute seule avec nous. L'endroit est particulièrement calme et les seules personnes que vous risquez de rencontrer sont des promeneurs sortis pour faire leur jogging matinal. J'espère que vous n'allez pas trop vous ennuyer...

— Comment voulez-vous que je m'ennuie quand votre mari se trouve dans les parages, madame Henderson? demanda Jinny en riant.

Elle fit de la tête un geste en direction de l'entrée où Bob Henderson venait de se précipiter en criant :

« Dorry! Dorry! Il vient ce café, oui ou non? »

— Vous avez raison, reconnut Alicia en souriant. Il n'empêche que parfois il peut se montrer vraiment agaçant. En sa présence, les gens réagissent de deux manières : soit ils l'adorent, soit ils le haïssent carrément.

— J'ai du mal à imaginer que quelqu'un puisse vraiment le haïr.

— Et pourtant c'est le cas, ma chère. Un *self-made-man* se fait toujours beaucoup d'ennemis. Le plus étonnant c'est que ce sont toujours ses proches qui lui en veulent le plus. Par « ses proches », j'entends non pas sa famille, puisqu'il n'en a plus, mais ses soi-disant amis. Comme il le dit souvent : Un ennemi n'est pas vraiment dangereux car on s'attend à ce qu'il vous tire dessus et on s'en sort toujours, mais lorsqu'un ami fait la même chose, la blessure ne se referme jamais. Mais laissons ça pour l'instant et parlez-moi plutôt de vous...

Jinny ne se fit pas prier pour raconter à Alicia Henderson quel genre de vie elle avait eu avant de rejoindre la troupe des Fellburn Players. Mais, arrivée à cet épisode, elle éprouva quelque difficulté à poursuivre.

— Est-ce que vous avez un petit ami? lui demanda soudain Alicia.

— J'ai un ami, en effet, reconnut Jinny d'une voix hésitante. Mais il n'est pas mon petit ami dans le sens où on
l'entend aujourd'hui, si vous voyez ce que je veux dire...

— Oui, oui, ma chère, je vois très bien.

— J'ai rencontré cet ami par l'intermédiaire des Fellburn
Players. Il a adopté trois enfants. Il s'agit en réalité des
enfants de sa première et de sa seconde femmes.

Comme Alicia haussait les sourcils d'un air étonné, Jinny
comprit qu'elle avait quelque mal à la suivre, aussi ajouta-
t-elle aussitôt :

— Sa première femme est morte et il a divorcé d'avec la
seconde. La première avait deux enfants d'un premier
mariage, qui sont maintenant des adolescents. Quant à la
seconde, elle s'était elle aussi mariée une première fois et avait
un fils qui a aujourd'hui vingt-trois ans, conclut Jinny en riant
d'un air embarrassé. C'est chez eux que j'ai passé les vacances
de Noël. Ils ont une maison à deux ou trois kilomètres d'ici.

Comme Jinny se taisait, Alicia lui demanda :

— Envisagez-vous de vous marier ?

Que pouvait-elle répondre à une telle question ? C'est
vrai qu'elle espérait bien se marier un jour. Mais il fallait
être deux pour ça.

— J'y pense, reconnut-elle. Mais, pour l'instant, ça ne
va pas plus loin que ça.

Elle se tut à nouveau car Bob Henderson revenait dans le
salon, suivi par une femme entre deux âges. Vêtue d'une
robe de laine bleu marine, elle portait un plateau sur lequel
étaient posées une cafetière, des tasses et des soucoupes.
Après avoir déposé le plateau sur une table qui se trouvait à
côté d'Alicia, elle demanda d'une voix où perçait un fort
accent du nord de l'Angleterre :

— Voulez-vous un peu de cognac, madame ?

Avant qu'Alicia ait pu dire quoi que ce soit, Bob Henderson répondit à sa place :

— Bien sûr que nous en voulons. Mais c'est moi qui vais

aller le chercher. Sinon, le temps que vous rapportiez la bouteille, elle sera à moitié vide.

— Vous êtes encore pire qu'avant, monsieur Henderson, j'ai l'impression.

— Jamais il ne s'arrangera, Dorry, fit remarquer Alicia.

— Il pourrait s'il voulait, madame...

C'était la première fois que Jinny buvait un café arrosé de cognac et elle trouva ça très bon. Elle apprécia aussi le déjeuner qui suivit et fut tout heureuse lorsque, en début d'après-midi, Bob Henderson lui proposa de le suivre dans son bureau. Celui-ci était encore plus grand que la pièce qu'il occupait, tout en haut des établissements Henderson, et au moins aussi bien équipé. Comme Jinny s'en étonnait, il lui expliqua que, quatre ans plus tôt, il avait fait un infarctus et avait été obligé de travailler chez lui pendant quelque temps.

— Je serai drôlement heureux de retourner travailler, dit-il en s'installant dans le fauteuil en cuir derrière le bureau. Pas vous ?

— Pas moi, répondit immédiatement Jinny.

— Vous alors, vous ne manquez pas de culot, dit-il en riant.

Et comme Jinny lui demandait pourquoi il ne travaillait pas chez lui, ce qui aurait l'avantage de lui simplifier la vie en lui évitant le trajet jusqu'au bureau, il répondit aussitôt :

— Vous n'y pensez pas ! Si je travaillais chez moi, tout ce beau monde n'aurait rien de plus pressé que de prendre ma place. Je sais d'avance ce qui arriverait si je m'en allais. Chris Waitland ne peut pas me sentir. Je n'aurais pas plus tôt tourné le dos qu'il sauterait dans mes chaussures. Et il en profiterait pour enfiler aussi mes chaussettes pendant qu'il y est. J'ai toujours été contre sa nomination au poste de sous-directeur. Mais, comme je vous l'ai expliqué, c'est un parent de Dick Garbrook. C'est ce qu'on appelle du népotisme, n'est-ce pas, Jinny ?

— Du népotisme, c'est exact.

— J'ai toujours fait mon possible pour sauvegarder un certain équilibre. Mais je ne sais pas si nous pourrons continuer encore longtemps comme ça. A cause de toutes ces grèves, le pays est complètement déboussolé. Et si maintenant les camionneurs s'y mettent, nous allons être dans un sacré pétrin. Cinquante pour cent de nos activités sont tributaires des transporteurs. A quoi ça sert de fabriquer et même d'avoir des commandes si on ne peut pas livrer la marchandise ? J'attends avec impatience le retour de Glen : il a un véritable flair pour tout ça. Jamais je n'aurais cru qu'il se débrouillerait aussi bien.

Bob Henderson eut un sourire sans joie.

— Quant à John, j'ai longtemps cru que, comme il me ressemblait, ce serait lui qui prendrait ma suite, mais la manière dont il a tourné me rend malade. Quand je pense qu'il est allé à l'Université et qu'un beau jour, il a tout laissé tomber. C'est à la fac qu'il a rencontré l'espèce de tête brûlée avec qui il vit. Et vous savez ce qu'il fait maintenant ? Il s'occupe de gosses retardés ! Lui, la grosse tête de la famille, perdre son temps dans un truc pareil ! Alors qu'il était plus intelligent que Glen. Le plus intelligent de tous. Florrie n'était pas bête non plus. Mais Nellie et Monica sont simplement de gentilles filles. Quant à Lucy... Parlons-en de Lucy ! Comme je vous l'ai déjà dit, c'est une enfant gâtée et la seule chose qui l'intéresse dans la vie, c'est sa petite personne.

Bob Henderson se tut pendant quelques secondes puis, après avoir lancé un coup d'œil perçant à Jinny, il reprit :

— La première fois que je vous ai vue dans mon bureau, je me suis dit que vous auriez pu être ma fille, car même si vous avez l'air douce et gentille, ça ne vous empêche pas d'être une femme de tête. Et environ une semaine plus tard je me suis rendu compte que je ne m'étais pas trompé. Vous avez pigé tout de suite quel genre de travail j'attendais de vous. En plus, vous savez vous y prendre avec les gens. Comme avec ce représentant français, l'autre jour : vous vous en êtes drôlement bien sortie alors que moi, je nageais complètement...

Après avoir jeté un coup d'œil à sa montre, il lui dit :

— Vu l'heure qu'il est, je vous propose d'aller voir s'il n'y a pas une tasse de thé qui traîne dans cette maison. Au fait, ajouta-t-il en se levant, je tenais à vous dire que votre salaire sera doublé à partir du premier janvier.

— Oh non !

— Grand Dieu ! Jamais je n'ai vu quelqu'un refuser une augmentation ! Et dites-vous bien que l'idée n'est pas de moi mais d'Alicia. Elle considère que si l'on est capable d'être secrétaire de direction et qu'on fait bien son travail, on doit être payé en conséquence. Vous savez comme moi que si j'avais le malheur de vous augmenter de trois pence par semaine, j'aurais aussitôt droit à une visite des délégués syndicaux. En revanche, comme me l'a dit Alicia, rien ne m'interdit de vous donner de l'argent de la main à la main. Et vous me ferez le plaisir d'utiliser cette somme pour quitter l'affreux donjon dans lequel vous vivez. Et arrêtez d'ouvrir la bouche comme ça ! On dirait un poisson qu'on vient de sortir de l'eau.

Un peu plus tard dans la soirée, quand Jinny remercia Alicia de son initiative, celle-ci lui répondit :

— C'est tout à fait normal, mon petit. Vous faites beaucoup de bien à mon mari. Non seulement vous êtes compétente mais il a enfin trouvé à qui parler. J'ai encore du mal à croire que vous arriviez à lui tenir tête : vous semblez tellement fragile et vous avez tellement l'air d'une jeune femme comme il faut.

— Je ne suis certainement pas quelqu'un de fragile, répondit Jinny en riant. Je n'ai jamais été souffrante de ma vie. Et si j'ai l'air comme il faut, je suppose que c'est dû en grande partie au fait que je ne suis pas vraiment de mon

temps. Je pense que notre époque manque totalement de
moralité si bien que ce qu'on aurait considéré autrefois
comme un mal semble un bien aujourd'hui. Comme je ne
partage pas ce point de vue, je passe pour quelqu'un de
complètement vieux jeu.

Comme Alicia la regardait en silence, Jinny se rappela
soudain que l'un de ses fils, peut-être même son fils préféré,
non seulement partageait les idées d'aujourd'hui, mais avait
décidé de les mettre en pratique, au point de rompre avec
sa famille.

— Excusez-moi, ajouta-t-elle aussitôt. Je n'aurais pas dû
m'exprimer ainsi.

— Je vous comprends parfaitement, mon enfant, et
même je vous admire.

— Oh, je crois qu'il n'y a rien à admirer là-dedans. Et je
me dis parfois qu'il faut être un peu idiot pour adopter une
telle attitude. J'étais fiancée, vous savez, et nous avons
rompu parce que mon fiancé ne partageait pas mon point
de vue.

— Mais maintenant vous fréquentez cet homme dont
vous m'avez parlé...

— Oui, c'est ça.

La conversation en resta là car Jinny se doutait bien que,
même si Mme Henderson partageait ses idées et était tout à
fait opposée au fait qu'on ait une liaison avec quelqu'un,
elle ne devait pas pour autant voir d'un très bon œil le fait
qu'elle fréquente un homme qui avait deux mariages et un
divorce à son actif.

Il y eut tellement de visites ce soir-là chez les Henderson
que Jinny aurait été bien incapable de se souvenir des noms
de tous les gens qu'on lui présenta. Et le téléphone n'arrêtait pas de sonner. A chaque fois, c'est Alicia qui décrochait
et, après avoir écouté pendant quelques secondes, elle criait
à son mari : « C'est Florence et les enfants », ou alors :
« C'est Nellie », ou encore : « C'est Monica qui appelle. »

Bob Henderson la rejoignait alors et criait invariablement dans l'écouteur : « Bonne année ! Et n'oubliez pas que vous auriez dû la commencer chez nous ! »

Quand Glen appela, il se précipita sur le téléphone et lui cria :

— Il est grand temps que tu rentres ! Trois semaines de voyage de noces c'est amplement suffisant pour qui que ce soit. Dépêchez-vous de le ramener, Yvonne, ajouta-t-il quand il eut sa belle-fille au bout du fil. J'en ai par-dessus la tête de m'occuper de votre maison. Il gèle à pierre fendre ici et toutes vos conduites d'eau ont éclaté. La maison a été complètement inondée.

Alicia, qui venait de lui reprendre le téléphone, rassura aussitôt sa belle-fille :

— Ne faites pas attention à ce qu'il vous raconte, Yvonne ! Tout va bien. La maison est en parfait état et elle le sera encore à votre retour.

Quand les douze coups de minuit sonnèrent, ils n'étaient plus que tous les trois et regardaient la télévision, assis dans le salon.

— Bonne année, mon amour ! souhaita aussitôt Bob Henderson à sa femme.

— Bonne année à toi, mon chéri.

En voyant avec quelle tendresse ils s'embrassaient, Jinny sentit sa gorge se nouer. C'est exactement ainsi que ses parents se souhaitaient la bonne année. Eux aussi se regardaient longuement dans les yeux après s'être embrassés et le court instant de silence qu'ils observaient alors laissait entendre qu'ils se juraient à nouveau un amour éternel.

Après avoir embrassé sa femme, Bob Henderson serra Jinny dans ses bras et lui appliqua un baiser sonore sur la bouche.

— Bonne et heureuse année, Jinny ! lui souhaita Alicia Henderson en l'embrassant sur les deux joues.

— Moi aussi, je vous souhaite une très heureuse année, mon petit !

Bob Henderson se tourna vers la femme qui se tenait sur le seuil de la pièce.

— Bonne année à vous aussi, Dorry. Approchez, ma Dorry adorée. Et vous aussi, Cissie et Eddie.

La cuisinière et Eddie, le jardinier, entrèrent dans le salon, suivant Dorry.

Quand ils se furent tous souhaité la bonne année, Bob Henderson lui demanda :

— Votre famille n'est pas venue vous rendre visite cette année ?

— Tout le monde est là, Monsieur. Mais ce n'est pas une raison pour oublier de vous souhaiter la bonne année. Ça fait plus de vingt ans que nous venons et j'espère que nous continuerons encore longtemps.

Après le départ des trois domestiques, les visites reprirent. Beaucoup de visiteurs sonnaient à la porte et, après s'être débarrassés de la neige qui collait à leurs chaussures, ils entraient au salon et s'écriaient : « Bonne année, Alicia ! Bonne année, Bob ! »

A deux heures et demie, après que les derniers invités furent partis, Alicia annonça à son mari :

— Il est l'heure d'aller se coucher. Je crois que nous avons eu assez de visites et assez bu et mangé pour aujourd'hui.

Jinny s'apprêtait à prendre congé de ses hôtes lorsqu'on sonna à nouveau.

— Encore ! s'écria Bob Henderson. Ça ne va tout de même pas durer jusqu'à l'aube ! Reste assise ! ordonna-t-il à sa femme. Je vais voir qui c'est.

Après avoir repoussé Alicia dans son fauteuil, il alla ouvrir la porte. Au début, il eut quelque difficulté à reconnaître l'homme dont la silhouette se découpait sur la neige. Puis il murmura :

— John...

— C'est moi, père. Bonne année !

— Entre, mon garçon! Entre vite! Bonne année, ajouta-
t-il en serrant la main de son fils entre les siennes.

Après avoir refermé la porte, il prit son fils par le bras et
l'entraîna vers le salon.

— Elle va être drôlement heureuse de te voir! dit-il.
Pour une bonne année, c'est une bonne année. Viens vite!

En arrivant dans le salon, il lâcha le bras de son fils et
lança d'une voix de stentor :

— Devine qui est là...

Alicia, qui s'était déjà levée, pensant que son mari rame-
nait un nouvel invité, fut tellement surprise qu'elle resta
debout au milieu de la pièce sans bouger. Et ce fut John qui
traversa le salon pour s'approcher d'elle.

— Bonne année, mère!

— Oh, John! répondit Alicia en le serrant dans ses bras.
Tu as l'air gelé, ajouta-t-elle aussitôt en lui prenant les
mains. Enlève ton manteau et viens t'asseoir près du feu.
D'où sors-tu? Tu es venu à pied jusqu'à la maison?

— Non, pas du tout... Mais, quand une voiture est à
l'arrêt, on ne peut pas faire marcher le chauffage.

— A l'arrêt? Tu veux dire que tu as attendu dans ta voiture avant d'entrer?

— Quand je suis arrivé, il y avait tellement de monde
qu'on se serait cru à la gare de Newcastle à l'heure de
pointe. J'ai préféré attendre que le dernier train soit parti.

— Sacrée tête de mule... bougonna Bob Henderson.

— As-tu mangé au moins? demanda Alicia à son fils.

— J'ai fini de dîner hier soir à dix heures et demie et
j'avoue que j'ai de nouveau diablement faim.

Aux regards qu'échangèrent Bob et Alicia Henderson,
Jinny comprit qu'en acceptant de dîner chez eux, leur fils
leur faisait un véritable cadeau.

— Je vais aller te chercher quelque chose à la cuisine,
proposa Alicia.

— Dorry est déjà allée se coucher?

— Bien sûr !

— Si c'est comme ça, ne te dérange pas pour moi.

— Ne dis donc pas de bêtises !

Au moment où Alicia quittait la pièce, Bob Henderson annonça :

— Je vais avec toi. Je t'aiderai à pousser la table roulante.

Comme ce genre de proposition n'était pas dans ses habitudes, Jinny en déduisit qu'il préférait quitter la pièce pour ne pas se retrouver avec son fils alors que sa femme n'était pas là.

Malgré tout, avant de s'en aller, il dit en montrant Jinny du doigt :

— Ce n'est pas une création de ton imagination, tu sais. Et tu ne lui as pas encore souhaité la bonne année.

John Henderson qui, jusque-là, était resté debout, le dos à la cheminée, s'approcha du fauteuil où était assise Jinny et, après s'être incliné cérémonieusement devant elle, lui dit :

— Bonne et heureuse année.

— Je vous souhaite la même chose, répondit Jinny.

Il reprit sa place et dit, après avoir jeté un coup d'œil autour de lui :

— C'est bien la première fois que je vois cette maison aussi vide le matin du Nouvel An. Même si je ne suis pas venu l'an dernier, je sais que tous mes frères et sœurs étaient là.

Après avoir regardé Jinny pendant quelques secondes sans dire un mot, il reprit :

— C'est très gentil à vous d'être venue passer le Nouvel An avec eux.

— Je pense que c'est surtout très gentil à eux de m'avoir invitée. Nous avons passé une soirée formidable.

— Formidable... répéta John, qui semblait étonné. Ils se font plutôt vieux tous les deux. Pas ma mère, bien sûr, corrigea-t-il aussitôt. Elle a toujours fait moins que son âge. Il n'empêche qu'ils ne sont plus tout jeunes. Vous n'auriez pas préféré passer la soirée dans un de ces trucs complètement fous, organisés exprès pour le Nouvel An?

— Non, pas du tout. Et je suis étonnée que vous trouviez que vos parents se font vieux, pour employer votre expression. Moi, je n'ai pas du tout cette impression.

— C'est gentil pour eux, ce que vous dites, répondit John.

Il changea légèrement de position et s'appuya contre le manteau de la cheminée.

— Je suppose que, comme d'habitude, notre chère Lucy est allée rejoindre un de ses petits amis.

— Elle était invitée à une soirée, d'après ce que j'ai compris.

— Pour ne pas changer...

John semblait mécontent et même un peu triste. Il n'avait pas l'air de tenir sa famille en haute estime et Jinny en était désolée pour lui. Il avait choisi de vivre loin des siens et pourtant, il était là ce soir, comme s'il avait encore besoin de revenir vers eux. En tout cas, il ne ressemblait pas du tout à Glen. Elle avait l'impression qu'il était beaucoup plus réfléchi que son frère et d'un tempérament plus introverti.

Elle fut un peu surprise quand il lui demanda abruptement :

— Quel âge avez-vous?

— Vingt et un ans.

— Vous faites plus jeune que votre âge. Mais quand on parle avec vous, on vous donnerait bien plus que ça.

— On m'a déjà fait toutes sortes de compliments. Mais pour comprendre ce que veut dire celui-là, j'ai l'impression qu'il me faudra du temps.

— J'ai dit ça comme ça...

— Je sais bien. Mais c'est justement dans ces cas-là qu'il faut aller y voir de plus près.

Regardant pour la première fois Jinny en face, John lui dit en souriant :

— Je sais maintenant pourquoi vous vous entendez aussi bien avec mon père. Vous avez la repartie facile et lui, il aime les gens qui sont capables de lui répondre du tac au tac.

— Vous aussi, vous en seriez capable, non ?

— Oui, bien sûr, répondit John. Le problème c'est que quand on échange des piques avec quelqu'un, il faut toujours qu'il y ait un gagnant. Votre succès auprès de mon père réside sûrement dans le fait que vous avez compris dès le début que, quoi qu'il arrive, c'était toujours lui qui aurait le dernier mot. Mais le moment est bien mal choisi pour parler de tout ça, continua-t-il en haussant les épaules. Le jour du Nouvel An, il faut pardonner et oublier. Quand c'est possible. Holà ! s'écria-t-il en apercevant son père qui revenait dans la pièce en poussant une table roulante. Laisse-moi t'aider.

Lorsque John s'approcha de son père, Jinny se dit que, des deux, c'est lui qui semblait le plus âgé. La raison en était certainement que, malgré son âge, Bob Henderson était resté très jeune d'esprit : il était plein d'énergie et ne mâchait pas ses mots, c'était le moins qu'on puisse dire.

Dix minutes plus tard, après avoir souhaité bonne nuit, Jinny les laissa seuls tous les trois. Bien longtemps après, elle devait se rappeler que ce matin-là, juste avant de s'endormir, elle avait soudain souhaité qu'il arrive quelque chose qui rapproche John et son père. Ce rapprochement aurait bien lieu en effet. Mais à quel prix...

DEUXIÈME PARTIE

1

Jamais encore on n'avait vu un hiver aussi rigoureux et aussi long. S'il n'y avait eu que le mauvais temps, mais le pays était en pleine crise, des grèves éclataient un peu partout, et ces deux éléments conjugués avaient une influence très nette sur Bob Henderson : de jour en jour, son langage devenait plus imagé.

En ce vendredi de février, les deux poings posés sur son bureau de chaque côté de la pile de lettres que Jinny venait de lui remettre, il lui demanda, d'un air excédé :

— A quoi ça sert que je les signe ? Si on ne peut même plus faire enterrer les morts, je ne vois pas qui va s'amuser à acheminer le courrier. Jamais je n'aurais cru vivre assez vieux pour assister à une chose pareille ! Alors que les gens de par ici se sont toujours vantés d'être des hommes d'honneur, voilà maintenant qu'ils laissent pourrir leurs morts à la morgue sans lever le petit doigt. On aura tout vu ! Et vous savez ce qui va arriver s'ils obtiennent ce qu'ils demandent ? Ces fichus prix vont augmenter et ils n'auront pas un sou de plus. Ces pauvres andouilles sont incapables de comprendre ça ! Quand on pense que les gamins traînent à longueur de journée dans les rues parce que les écoles sont fermées. Et voilà qu'ils remettent ça dans le secteur automobile. De nouveau en grève ! Et que les fonctionnaires leur emboîtent le pas. Je n'ai jamais pu les sentir ceux-là : assis toute la journée sur leurs fesses, sans rien faire ! Pas étonnant que ça commence à donner des idées aux ouvriers. Ceux-là, je les connais ! J'en ai un bel échantillon là, en bas. Ils ne vont pas tarder à s'y mettre, eux aussi. Dès qu'ils vont sentir le vent, on va les voir partir ventre à terre, comme une meute. Comme nous sommes une boîte privée, rien n'est censé nous arriver... Mon œil, oui ! Il n'y a plus rien de privé à l'heure actuelle : tout le monde dépend de tout le monde. Et ceux qui n'ont pas encore compris ça sont de sacrés idiots.

Quand Bob Henderson eut apposé sa signature au bas des lettres, Jinny s'approcha du bureau pour les récupérer et elle en profita pour lui rappeler :

— N'oubliez pas que vous avez rendez-vous dans le hall à cinq heures un quart. Glen vient vous chercher pour aller voir madame...

— Je sais, Jinny. Je ne suis pas encore complètement gâteux. Et n'allez pas me répondre que vous l'ignoriez car je ne suis pas d'humeur à plaisanter.

Il se tut pendant quelques secondes, puis reprit, plus calmement cette fois :

— Je suis vraiment embêté. Non seulement à cause de ces grèves qui nous empêchent de livrer la marchandise dans les délais convenus, mais aussi à cause de l'usine de Garbrook. Je ne suis pas content du tout. Ils ne font pas du bon travail et ils s'en fichent pas mal. Ma mère disait toujours : « Quand la ceinture lâche, la jupe tombe. » Et elle avait raison. Dans les affaires, c'est pareil : si on veut qu'une boîte marche, il faut drôlement s'accrocher, sinon ça lâche de partout. Et si ça lâche chez Garbrook, c'est nous qui allons payer les pots cassés...

— Vous ne pouvez pas intervenir ?

— Absolument pas ! C'est lui le P.-D.G. de la boîte. Il est comme moi, ici. Qu'est-ce que je raconte ? Il n'est pas du tout comme moi : lui, il prend trois mois de vacances par an.

— C'est peut-être dommage que vous n'en fassiez pas autant.

— Ne commencez pas à me dire des bêtises aussi grosses que vous ! Vous êtes quelqu'un de sensé et vous avez suffisamment travaillé avec moi pour savoir comment ça se passe dans la maison : quand le chat n'est pas là, les souris dansent. C'est fou ce que ces vieux dictons peuvent être vrais.

— Vous avez raison, reconnut Jinny.

Elle commençait aussi à s'échauffer.

— Parmi tous ces dictons, il y en a un que mon père répétait souvent. Personne n'est indispensable, disait-il. Pour celui qui l'ignore, la mort est un véritable choc.

— Votre père disait ça ?

— Oui, souvent.

— Alors, si je comprends bien, vous insinuez qu'on pourrait très bien se passer de moi.

— Si vous mouriez demain, il faudrait bien qu'on se passe de vous.

— C'est très gentil de votre part de me le rappeler.

— En vous disant ça, je suis sûre que je ne fais que répéter ce que Mme Henderson vous a déjà dit au moins mille fois.

— Je vous répondrai que même si Mme Henderson m'a déjà dit ça, ce n'est pas une raison pour que vous, Jinny, me fassiez ce genre de réflexion. Mais je sais bien que vous avez dit ça pour mon bien. Il n'empêche qu'il vous reste encore pas mal de choses à apprendre. Et, en tant que femme, vous ne comprendrez jamais que le fait d'être aimé par une merveilleuse épouse ne suffit pas à combler la vie d'un homme. Ce qui compte au moins autant, c'est le travail qu'il accomplit. C'est pour ça que j'ai affiché ce poème dans mon bureau. En général, la poésie, ce n'est pas mon genre.

Je laisse ça à ceux qui croient en savoir plus que les autres,
de pauvres crétins pour la plupart, qui n'ont jamais rien fait
de leurs dix doigts. Mais ce poème en prose m'a plu, c'est
pour ça que je l'ai fait encadrer. Allez donc le chercher et
apportez-le-moi.

Jinny traversa la pièce et décrocha le sous-verre qui était
pendu au-dessus d'une petite table. Ce texte, intitulé *Les
Travailleurs,* avait été recopié sur une feuille de format in-
quarto, mise sous verre et encadrée. Elle l'avait déjà lu plusieurs fois et s'était toujours demandé pourquoi c'était le
seul élément décoratif de la pièce.

Revenant vers le bureau de Bob Henderson, elle lui
remit le document. Celui-ci relut les quelques lignes pendant quelques secondes, puis il le lui tendit en disant :

— Lisez-le-moi. Jusqu'ici, je me le suis toujours récité
dans ma tête et j'aimerais bien voir ce que ça donne quand
on le lit à haute voix.

Aussitôt, Jinny se mit à lire :

> Quand on ne travaille pas, combien longs semblent les
> jours
> Et interminables les nuits
> Et combien déprimantes les semaines, qui toutes se
> ressemblent
> Mortellement ennuyeux les mois d'inaction
> Et comme on se sent frustré lorsque l'année s'achève
> A supporter de longues journées
> Et d'interminables nuits
> On perd tout amour-propre
> Car le travail est le sel de l'existence
> Le seul remède contre l'interminable agonie
> De l'oisiveté forcée

— Qu'en pensez-vous ? demanda Bob Henderson
lorsque Jinny eut fini de lire.

— Je pense qu'il reproduit fidèlement vos propres pensées.

— On peut en effet dire ça. D'ailleurs, quand je me récite les deux derniers vers : « Le seul remède contre l'interminable agonie de l'oisiveté forcée », il m'arrive de penser que l'enfer c'est ça justement : un endroit où il n'y aurait rien à faire, rien pour s'occuper.

— Vous pourriez avoir raison...

— Je pourrais ! s'écria Bob Henderson en levant la tête pour regarder Jinny. Je sais que j'ai raison.

— Ce serait amusant, n'est-ce pas, si pour vous punir de vos péchés vous étiez obligé de supporter « l'interminable agonie de l'oisiveté forcée » ? Au fond, ce ne serait que justice, conclut Jinny avec un large sourire.

Quelques jours plus tard, elle devait se demander avec effarement pourquoi elle avait été dire une chose pareille. Était-ce possible que ceux qui président à nos destinées utilisent nos pensées comme une sorte de calque pour les reproduire dans la vie réelle ?

— Voulez-vous vous taire, petite garce ! Et allez remettre ce cadre à sa place.

Jinny s'exécuta aussitôt. Bob Henderson qui ne l'avait pas quittée des yeux, tandis qu'elle traversait le bureau, attendit qu'elle soit revenue vers lui pour lui dire :

— Il ne faut jamais se fier aux apparences. Vous, par exemple, vous avez l'air d'une jeune femme très comme il faut et, en réalité, vous êtes une véritable dure à cuire. Je plains d'avance le gars qui va vous épouser. S'il ne fait pas attention, il va se faire mener par le bout du nez.

— Absolument d'accord avec vous !

— Ça suffit pour aujourd'hui ! Prenez ces lettres et descendons.

— Je ne peux pas partir avec vous. J'ai encore une ou deux choses à voir.

— Mais comment allez-vous faire pour rentrer ? Il n'y a pratiquement plus de bus...

— On doit venir me chercher.

— Ah, d'accord. Pourquoi ne l'avez-vous pas dit plus
tôt? Qui est-ce? Toujours le même type? Vous êtes
complètement folle, vous savez. Si un homme a déjà raté
son coup à deux reprises, il va avoir du mal à faire mieux la
troisième fois. Mon Dieu! Si ça ne tenait qu'à moi, il y a
longtemps que je l'aurais envoyé balader.

— Sans aucun doute, reconnut Jinny en se dirigeant
vers le vestiaire pour aller y chercher les vêtements de Bob
Henderson.

Un instant plus tard, alors qu'elle lui tendait ses gants et
son chapeau, après l'avoir aidé à enfiler son manteau, elle
éprouva soudain l'irrésistible envie de l'embrasser sur les
deux joues. Cette idée la fit rougir et Bob Henderson,
croyant qu'elle réagissait ainsi à cause de sa dernière
remarque, lui dit aussitôt :

— Ne prenez surtout pas ce que je viens de vous dire
pour un affront de ma part. Je me fais simplement un peu
de souci pour vous. Et Alicia aussi. Je vais vous dire quelque chose, ajouta-t-il en approchant son visage du sien. Elle
veut vous emmener avec nous à La Barbade l'automne prochain.

— Oh... murmura Jinny. Oh, monsieur Henderson...

Elle sentit sa gorge se nouer et battit des paupières pour
refouler ses larmes.

— Ne commencez pas à pleurnicher! s'écria Bob Henderson. Vous n'y êtes pas encore à La Barbade. Qui sait?
Peut-être que d'ici là vous nous aurez quittés pour épouser
ce type. Est-ce que vous vivez avec lui? demanda-t-il soudain en se reculant d'un pas comme s'il craignait de rester à
la portée de Jinny.

Jinny respira un grand coup avant de répondre :

— Non, je ne vis pas avec lui. Et je n'ai nullement l'intention de le faire.

— Ça me fait vraiment plaisir de savoir ça, dit-il en

hochant plusieurs fois la tête d'un air satisfait. Et inutile de
me foudroyer du regard ! Bonsoir, mon petit.

Il avait déjà passé la porte quand Jinny lui répondit :
— Bonsoir, monsieur Henderson.

Quand elle fut à nouveau assise derrière son bureau, le
menton appuyé au creux de sa main, elle répéta : « Et je
n'ai nullement l'intention de le faire. »

Comment cela allait-il finir entre Hal et elle, alors qu'il
n'avait jamais été question de mariage, ni même de fiançailles ? Il se montrait si peu entreprenant qu'elle en venait
à éprouver une réelle frustration. Bien qu'elle ait dit à son
patron qu'elle n'accepterait jamais de vivre avec lui, elle ne
savait pas comment réagir si Hal lui faisait ce genre de proposition. Que déciderait-elle s'il lui disait : C'est ça ou bien
nous cessons de nous voir ? Après tout, le mariage n'était
qu'une formalité : une courte cérémonie où, après avoir
récité quelques phrases toutes faites, on vous remettait un
bout de papier qui attestait que maintenant vous aviez le
droit de faire l'amour autant de fois que vous vouliez avec
l'homme que vous veniez d'épouser. Grâce à ce bout de
papier, on changeait soudain de statut et on accédait à une
certaine forme de respectabilité.

« Le mariage n'est pas grand-chose d'autre », songea
Jinny. Malgré tout, cette respectabilité, elle y tenait. Mais
elle avait aussi terriblement envie d'être aimée. A elle de
décider : elle était libre de faire ce qu'elle voulait.

Qu'elle soit libre d'agir à sa guise ou pas, il n'empêche
que Hal n'avait jamais discuté de ce genre de problème avec
elle. Faire l'amour, avant le mariage ou après, semblait vraiment être le dernier de ses soucis. D'ailleurs, lorsqu'il la
prenait dans ses bras ou l'embrassait sur la bouche, jamais il
ne lui avait donné l'impression de la désirer.

Compte tenu de ce qu'elle éprouvait pour lui, qu'allait-
elle faire ? Et d'abord : qu'éprouvait-elle pour lui ? Est-ce
qu'elle l'aimait ? Oui, elle l'aimait. Mais comment pouvait-

elle savoir que c'était vraiment ce qu'on appelle de l'amour ?
Avant de rencontrer Hal, elle avait bien cru aimer Ray Collard. Le mot « amour » recouvrait tant de sentiments divers ! Il s'appliquait aussi bien à l'affection qu'elle avait éprouvée pour ses parents qu'à la passion juvénile qu'un de ses camarades de classe lui avait inspirée pendant quelques mois. Était-ce différent de son amour pour Hal ? Oui, de plus en plus fréquemment, elle essayait d'imaginer ce qu'elle éprouverait si elle faisait l'amour avec lui — après s'être mariés, bien entendu.

« Merde ! », s'écria-t-elle en se levant d'un bond.

Ras le bol de tout ça... faillit-elle ajouter. Mais son côté comme il faut, le point fort de son tempérament, reprit aussitôt le dessus. « Arrête ! se dit-elle. A force de travailler avec M. Henderson, tu deviens aussi grossière que lui. Ce n'est pas sa faute, corrigea-t-elle aussitôt. Jamais je ne retrouverai un patron aussi sympathique. Et maintenant, au travail ! »

Une demi-heure plus tard, au moment où elle quittait l'usine, Sam lui dit en lui ouvrant la porte :

— J'ai l'impression que nous sommes revenus à l'ère glaciaire, mademoiselle. En soixante ans, c'est la première fois que je vois ça. Faites attention dans la cour : ça glisse drôlement.

Après avoir traversé le parking pratiquement vide avec précaution, Jinny aperçut une voiture garée juste à côté de la grille. Voyant que ce n'était pas celle de Hal, elle allait rebrousser chemin lorsqu'elle reconnut Michael. Il avait fait le tour du véhicule et était en train d'ouvrir la portière côté passager.

— Ne posez pas de question et dépêchez-vous de monter ! lui dit-il. On gèle...

— Que se passe-t-il ? demanda Jinny dès qu'elle fut assise à côté de lui.

— Rien de grave. Hal a fait la folie de prendre une petite

route et il s'est payé une congère. Il a été obligé de laisser sa voiture sur place et il n'est pas près de la récupérer. Je vous emmène directement à la maison ou voulez-vous passer chez vous avant ?

— Si vous avez le temps, je préférerais d'abord passer à l'appartement.

— J'ai toute ma soirée devant moi, répondit Michael.

Comme Jinny lui lançait un coup d'œil intrigué, il ajouta :

— A partir d'aujourd'hui, je suis à votre entière disposition. Je suis à nouveau célibataire. Ma petite amie a déménagé lundi dernier en me laissant un mot sur la table. Notre mariage à l'essai fut court et agréable. Pas si agréable que ça ! corrigea-t-il aussitôt. Elle m'a quitté pour se mettre en ménage avec un éboueur.

Il hocha plusieurs fois la tête, comme s'il avait besoin de se persuader lui-même de ce qu'il venait de dire, et reprit :

— Je ne plaisante pas ! Non seulement il est éboueur, mais c'est un sacré costaud. Il a des muscles de camionneur. Théoriquement, à partir de maintenant, je devrais détester tous les éboueurs sans distinction. Mais je n'en ferai rien. Je savais très bien qu'entre nous deux, ça ne marcherait pas longtemps.

— Attention ! cria Jinny en posant sa main sur le pare-brise. Vous n'aviez pas vu cette voiture ?

— Si, si, répondit Michael, mais c'est elle qui ne m'a pas vu. Ne vous en faites pas ! Je conduis très prudemment. Je tiens trop à ma peau pour l'abîmer. Ça y est, nous y sommes ! Dites donc, ajouta-t-il après avoir jeté un coup d'œil par la vitre, j'ai l'impression que personne n'a pris la peine de dégager la neige sur le trottoir.

— Les gens n'ont pas le temps, expliqua Jinny. Ils travaillent presque tous.

Elle ouvrit la porte et Michael la suivit dans l'appartement. Il jeta un coup d'œil autour de lui comme l'avait fait

Bob Henderson lors de sa visite et, contrairement à ce dernier, l'appartement sembla plutôt lui plaire.

— Ce n'est pas mal chez vous, dit-il. Bien mieux en tout
cas que là où j'habite. Maintenant que ma petite amie est
partie, je vais me débarrasser de cet appartement. Je devais
être plein d'espoir puisque j'avais signé un bail d'un an.
Mais Hal saura arranger ça.

— Je n'allume pas le chauffage, expliqua Jinny. J'en ai
pour deux minutes. Juste le temps de prendre mon sac de
voyage et deux ou trois choses.

— J'aurais bien aimé que vous le fassiez pourtant.

— Que je fasse quoi ? demanda Jinny qui était déjà près
de la chambre.

— Que vous allumiez le radiateur. Nous en aurions profité pour nous asseoir dans le salon et discuter un peu.

— Vous plaisantez ou quoi ?

— Je suis parfaitement sérieux, répondit Michael qui
avait abandonné son ton railleur. Je voudrais vous parler.

— Nous parlerons dans la voiture.

— Non ! Nous ne pourrons parler sérieusement dans la
voiture. J'ai certaines choses à vous dire. Des choses qu'il
faut que vous sachiez.

— Et si je n'ai pas envie de savoir ?

— Vous n'êtes pas bornée à ce point.

— Peut-être bien que si !

Jinny entra dans la chambre et en referma la porte derrière elle.

Quelques minutes plus tard, lorsqu'elle revint dans le
salon, elle annonça d'une voix glaciale :

— Allons-y !

Le visage fermé, Michael s'approcha d'elle.

— Un de ces jours, vous regretterez de ne pas m'avoir
écouté. Je sais pourquoi vous ne voulez pas que je discute
avec vous. Comme vous n'avez que ça en tête, vous vous
imaginez que je vais vous avouer que je suis amoureux de

vous. Mais vous vous trompez ! Ce dont j'aimerais vous parler n'a rien à voir avec ça.

Pour la seconde fois en l'espace d'une heure, Jinny rougit jusqu'aux oreilles. Michael avait deviné juste : elle avait craint qu'il lui fasse une déclaration d'amour et ne pouvait accepter son manque de loyauté à l'égard de son beau-père. S'il ne s'agissait pas de ça, il était trop tard maintenant pour lui demander : « De quoi vouliez-vous me parler ? »

Malgré tout, pour ne pas perdre la face, elle lui dit :

— Vous avez une très haute opinion de vous-même, n'est-ce pas ? En revanche vous êtes persuadé que je suis idiote.

Michael semblait aussi furieux qu'elle.

— Vous avez parfaitement raison, répliqua-t-il. Non seulement vous êtes complètement stupide, mais vous êtes aussi terriblement bornée et vous n'avez pas deux sous de jugeote.

Passant devant elle, il ouvrit la porte et se dirigea vers sa voiture. Jinny ferma l'appartement à clef et le rejoignit aussitôt.

Michael et elle n'échangèrent pas un seul mot pendant tout le trajet.

Hal devait les attendre car, lorsqu'ils sortirent de la voiture, il avait déjà ouvert la porte de la maison et se tenait sur le seuil. Il prit les deux mains de Jinny dans les siennes, l'embrassa gentiment en signe de bienvenue puis, voyant que Michael se dirigeait sans dire un mot vers l'escalier qui menait à sa chambre, il demanda en baissant la voix :

— Que s'est-il passé ?

— Nous nous sommes légèrement disputés, répondit Jinny.

— Les disputes font partie de la vie de famille, décréta Hal aussitôt. Enlève ton manteau et viens au salon, proposa-t-il. Le thé est servi et j'ai fait réchauffer des petits pains. Quand je suis rentré dans cette congère, je revenais de faire les courses. On ne s'est pas amusés pour trimballer tout ça de la voiture à la maison.

Durant le repas, Hal fit les frais de la conversation. Le silence qu'observait Michael aurait très bien pu être attribué à sa récente rupture, mais Jinny eut l'impression qu'il s'agissait d'autre chose. Et qu'Hal savait parfaitement pourquoi son beau-fils ne disait mot. Ça ne le rendait d'ailleurs que plus loquace. Il en profita pour interroger Arthur sur ses résultats scolaires et n'obtint que des réponses laconiques. Même Rosie ne semblait pas avoir envie de discuter avec lui.

Ils terminaient la vaisselle lorsque Hal, dans la cuisine, aperçut Michael qui gagnait le salon.

— Il faudrait que je ressorte, expliqua-t-il à son beau-fils. Est-ce que je peux t'emprunter ta voiture ? Un des vieux dont je m'occupe ne va pas très fort. Avec un temps pareil, ils tombent tous malades les uns après les autres.

Michael se retourna pour regarder son beau-père et resta quelques secondes sans répondre.

— Bien sûr, Hal, tu peux prendre la voiture, dit-il d'une voix suraiguë. Je comprends très bien que tu aies besoin d'aller voir les gens dont tu t'occupes. C'est d'ailleurs très méritoire de ta part.

Quand Hal revint dans la cuisine, il n'avait plus l'air aussi gai qu'à l'heure du thé. Jinny ne l'avait jamais vu ainsi. Il n'était pas à proprement parler en colère comme le jour où il avait fait sortir Arthur du salon, mais plutôt sur la défensive.

Il ne dit rien pendant quelques secondes, puis lui expliqua :

— Il faut que je sorte. J'espère que tu comprends.

— Bien sûr, Hal. Mais il fait un temps affreux et les routes sont verglacées. Les gens que tu dois aller voir comprendront très bien que tu ne sortes pas par un temps pareil.

— Quoi? demanda-t-il comme s'il pensait à autre chose. Je suis sûr qu'ils m'attendent, ajouta-t-il aussitôt. Ces gens-là se sentent très seuls. Tu sais ce que c'est, toi, n'est-ce pas?

Oui, elle savait ce que c'était que la solitude. Mais elle ne pouvait s'empêcher de penser, en même temps, qu'il y avait dans cette maison des choses qu'elle ignorait. Si elle avait accepté d'écouter Michael, peut-être lui aurait-il expliqué le fin mot de l'affaire. Mais elle avait refusé et ne l'avait pas vraiment cru lorsqu'il lui avait assuré qu'il n'avait pas l'intention de lui déclarer son amour. S'il se comportait avec les autres femmes de la même manière qu'avec elle, il y en avait beaucoup qui devaient se faire des idées. Jinny elle-même s'était parfois demandé : « Mon attitude vis-à-vis de Michael aurait-elle été différente si je n'avais pas été amoureuse d'Hal? » Elle n'avait pu y répondre. La vie était déjà assez compliquée comme ça : inutile de se poser ce genre de questions.

Au moment de partir, Hal l'embrassa de manière purement machinale, exactement comme s'il disait au revoir à Rosie. Il releva le col de son manteau et ouvrit la porte d'entrée.

— Inutile de m'attendre! lui conseilla-t-il. Je risque de rentrer tard. Il se peut aussi que j'emboutisse à nouveau la voiture. On ne sait jamais.

Jinny, après avoir refermé la porte derrière lui, allait s'engager dans l'escalier pour rejoindre sa chambre quand Michael apparut à la porte du salon.

Il ne prononça pas un mot mais haussa les sourcils et fit une moue incrédule si bien que Jinny eut l'impression que son visage ressemblait soudain à un énorme point d'interrogation. « Alors? », semblait-il dire.

Un court instant, elle eut envie de s'approcher de lui et de lui demander une explication pour les insinuations malveillantes qu'il n'avait cessé de faire devant elle. Mais

qu'allait-il lui apprendre ? Qu'Hal était homosexuel ? Jamais
on ne lui ferait croire une chose pareille. Allait-il lui dire
qu'il y avait une autre femme dans sa vie ? Là encore, elle
ne le croirait pas. Hal lui-même lui avait avoué à quel point
un troisième mariage l'effrayait. Au moment même où elle
pensait ça, elle crut entendre la voix de Bob Henderson lui
crier : « Ne faites pas l'idiote ! » Et en effet il fallait être une
belle idiote pour s'imaginer qu'un homme n'avait plus
aucun rapport avec les femmes sous prétexte qu'il n'avait
pas envie de se remarier.

Renonçant à l'idée de parler avec Michael, Jinny s'engagea dans l'escalier. Tout en montant les marches, elle se dit
que, si Hal avait vraiment eu envie de faire l'amour avec
une femme, il n'aurait certainement pas fait preuve d'une
telle froideur à son égard. S'il l'avait vraiment désirée, il y a
longtemps que Jinny s'en serait aperçue. Alors, qu'est-ce
que c'était ?

En arrivant dans sa chambre, Jinny s'assit au pied du lit.
Cette pièce, comme le reste de la maison, était chaude et
confortable. Bien sûr, ce n'était pas aussi luxueux que chez
les Henderson, mais il y avait vraiment le nécessaire. Jinny
s'était dit à plusieurs reprises que la mère d'Hal avait dû
être une parfaite maîtresse de maison. Depuis qu'il était
venu la voir chez elle pour la première fois, il ne lui avait
jamais reparlé de sa mère. Mais, dans sa chambre, il y avait
quatre photos d'elle. Sur la première, elle tenait Hal dans
ses bras alors qu'il n'était encore qu'un bébé, la seconde
était un portrait en pied et sur les deux dernières, on ne lui
voyait que la tête et le buste. C'était une grande femme,
plutôt belle, mais un peu osseuse. Elle avait de grands yeux,
comme Hal, avec des paupières un peu plus tombantes que
les siennes.

Jinny croisa les bras sur sa poitrine et se balança d'avant
en arrière comme un enfant se berce dans son lit quand il a
besoin de réconfort. Elle aurait bien eu besoin, en effet, que

quelqu'un la réconforte, quelqu'un avec qui elle aurait pu parler et à qui elle aurait expliqué ce qu'elle éprouvait. Aussitôt, elle pensa à Alicia Henderson. Elle était certaine que Mme Henderson comprendrait ce qu'elle ressentait. Son mari aussi d'ailleurs. S'ils avaient été là ce soir, elle aurait pu leur dire : « J'ai bien envie de tout laisser tomber mais j'ai peur. Peur de me retrouver toute seule à nouveau, peur de ne pas savoir quoi faire pendant le week-end. Il faudrait que j'aie une explication avec Hal. Malheureusement, je ne saurais quoi lui dire. » Et elle imaginait déjà ce que les Henderson lui répondraient : « Si vous vous sentez seule, vous pouvez toujours venir passer le week-end chez nous. »

Oserait-elle aller plus loin encore et leur dire : « L'amitié d'Hal ne me suffit pas. J'ai besoin d'amour, d'un amour comme celui que vous éprouvez l'un pour l'autre, qu'on voit chez les gens mariés. »

Pourrait-elle se permettre de leur dire une chose pareille ? Pourquoi pas ? Ces gens-là étaient tellement exceptionnels.

Quittant le lit où elle était assise, Jinny ouvrit son sac et en sortit un cardigan en laine qu'elle mit sur ses épaules. Elle sentit alors que sa décision était prise : il n'était pas question qu'on la trompe une nouvelle fois et, à la première occasion, elle demanderait carrément à Hal s'il y avait quelqu'un d'autre dans sa vie.

2

Jinny n'eut pas l'occasion d'éclaircir quoi que ce soit avec Hal car il avait attrapé froid et resta couché tout le weekend. Lorsqu'elle alla le voir dans sa chambre pour prendre de ses nouvelles, elle découvrit un autre aspect de sa personnalité : pour la première fois, il était d'une humeur massacrante. Elle supposa que, comme la majorité des hommes, il lui suffisait d'un rhume pour se croire à l'agonie. Sa mère le lui avait dit et elle n'en fut pas étonnée.

Le lundi matin, avec Michael, ils furent obligés de quitter la maison à pied, car les petites routes étaient si enneigées qu'il n'était pas question de partir en voiture. Et ils mirent près d'une demi-heure pour rejoindre la route nationale sur laquelle circulaient de nombreux autobus.

Cette balade les amusa beaucoup, surtout lorsque Michael, après être tombé jusqu'aux genoux dans la neige, exécuta une véritable danse de Saint-Guy pour s'en débarrasser car il en avait jusque dans ses bottes en caoutchouc.

En arrivant sur la route, ils eurent la chance de trouver tout de suite un bus et, un peu plus tard, juste avant de descendre à l'arrêt, Michael dit à Jinny :

— Cela fait bien longtemps que je ne m'étais pas autant amusé.

Jinny lui répondit en souriant :

— Espérons que ce soir le retour sera aussi amusant.

— Si je n'ai pas le courage de rentrer, je pourrai toujours passer chez vous et vous demander l'hospitalité.

— Vous risquez de trouver porte close...

— Sûrement pas !

Quand il fut descendu, il lui fit au revoir de la main et Jinny lui rendit son salut en souriant.

Il était neuf heures cinq lorsqu'elle s'engagea dans l'allée qui avait été déblayée sur le parking. Près des deux tiers des voitures, garées là d'habitude, manquaient à l'appel et même la voiture de M. Henderson ne se trouvait pas à sa place habituelle sous l'auvent.

Quand Sam lui ouvrit la porte vitrée, Jinny lui dit :

— J'ai l'impression que le temps ne s'arrange pas. Il va y avoir pas mal de bureaux vides aujourd'hui.

Sam lui lança un regard étonné. Puis, voyant qu'elle se dirigeait vers l'ascenseur, il lui cria :

— Mademoiselle !

— Oui, Sam.

— Où allez-vous ?

— Où je vais ? répéta Jinny en se retournant pour le regarder. Je vais travailler, tiens ! répondit-elle avec un petit rire.

Se rendant compte soudain qu'il était trop ému pour parler, elle lui demanda :

— Qu'y a-t-il, Sam ?

— Vous n'êtes pas au courant, mademoiselle, murmura-t-il.

— Au courant de quoi ?

Comme Sam ne répondait pas, elle répéta sa question.

— Au courant de l'accident qui est arrivé vendredi soir, finit-il par répondre.

— Un accident ! s'écria Jinny. Vous ne voulez pas dire que M. Henderson a eu un accident ? Mon Dieu ! C'est impossible ! Qu'est-il arrivé ?

— Vous ne deviez pas être là pendant le week-end, mademoiselle, sinon vous auriez entendu la nouvelle en écoutant les informations...

— Je n'étais pas là, en effet. Et je n'ai pas ouvert la radio. Mais, pour l'amour du ciel, dites-moi ce qui est arrivé, Sam !

— Ça va vous faire un choc, mon petit. Pour nous tous, ça en a été un. Un camion est rentré en plein dans leur voiture. Les deux femmes, à l'arrière, sont mortes sur le coup. Quant à M. Henderson et à Glen, il sont sérieusement amochés, d'après ce que j'ai compris. Ils ont bien peu de chances de s'en sortir.

— Oh, mon Dieu ! s'écria Jinny qui était devenue blême.

— Venez vous asseoir, dit Sam en la prenant par le bras puis en la conduisant vers un fauteuil qui se trouvait à côté d'une plante verte. Ne bougez pas, lui conseilla-t-il. Je vais aller vous chercher un verre d'eau.

Dans un premier temps, Jinny resta assise, le regard fixe, incapable d'assimiler la nouvelle. Puis elle se sentit terrassée par ce qu'elle venait d'apprendre. « Pas ces deux femmes ! songea-t-elle. Non, pas elles ! Pas Mme Henderson et sa charmante belle-fille ! Jamais Dieu ne laisserait faire une chose pareille ! »

Tous les jours, dans le journal, il était question d'accidents de la route. Mais c'était toujours des gens qu'on ne connaissait pas, des gens qui n'avaient pas été d'une adorable gentillesse avec vous, des gens pour lesquels on pouvait se contenter de dire : « C'est horrible, n'est-ce pas ? », sans, pour autant, éprouver un sentiment de perte irrémédiable. Quand son père était mort, elle avait éprouvé une immense douleur et jamais, certainement, elle ne s'était sentie aussi seule que le jour où elle avait enterré sa mère. Ce deuil la plongeait à nouveau dans l'affliction comme s'il s'agissait de sa propre famille.

— Buvez ça, lui conseilla Sam en lui tendant un verre d'eau.

Elle but à petites gorgées, puis demanda :

— Où se trouve M. Henderson ?

— Pour autant que je sache, il a été hospitalisé avec son fils au Royal Victoria à Newcastle.

Après avoir réfléchi un long moment, Jinny l'interrogea à nouveau :

— Est-ce que je pourrais trouver un taxi, Sam ?

— Je peux toujours essayer, mademoiselle.

— Merci, Sam.

Pendant qu'il allait téléphoner, Jinny resta assise dans l'entrée, insensible aux allées et venues entre la porte et les ascenseurs. Quelques personnes lui jetèrent un coup d'œil au passage, mais aucune ne s'approcha d'elle.

— Un taxi va venir vous prendre dans cinq minutes, lui expliqua Sam au moment où il la rejoignait.

Il lui prit le bras pour l'aider à se lever et l'accompagna jusqu'à la porte en lui disant :

— Sûr que si quelque chose arrive à M. Henderson, ça va se sentir dans la maison...

« Si quelque chose arrive à M. Henderson, se dit Jinny, non seulement ça va se sentir dans la maison, mais ma propre vie va complètement changer. » Cet homme avait pris une telle place dans son existence ! Elle ne s'était encore jamais rendu compte à quel point, chaque matin, elle était impatiente de se rendre au travail. Les réflexions de Bob Henderson, aussi grossières soient-elles quelquefois, la stimulaient. Jamais elle n'était choquée par ce qu'il disait, alors qu'elle l'aurait été, si n'importe quel autre homme s'était permis de dire la même chose. Elle avait l'impression qu'elle le comprenait, peut-être mieux encore que Mme Henderson. Elle ne voulait pas dire par là, comme l'aurait fait une maîtresse, qu'elle le connaissait mieux que sa femme mais, qu'ayant affaire à lui sur le plan professionnel, elle était certainement la seule à savoir pourquoi il se montrait aussi brutal avec les gens et ce qui le poussait à agir ainsi. Au fond, il était tout, sauf mesquin.

Et dire qu'il était peut-être mourant. De toute façon, même s'il s'en sortait, aurait-il encore envie de vivre maintenant que la femme qu'il adorait avait disparu? Car si un homme avait un jour adoré sa femme, c'était bien lui! Et il avait largement été payé en retour : non seulement Alicia aimait son mari, mais elle l'estimait. Pour qu'une femme comme elle, née dans une excellente famille, estime un homme tel que lui, il fallait probablement qu'il ait des qualités que seule une épouse était en mesure d'apprécier.

Quelques minutes plus tard, Sam vint chercher Jinny. Puis il l'accompagna jusqu'au taxi qui attendait devant la porte.

— Vous repasserez directement ici, n'est-ce pas? dit-il. Je serais content d'avoir des nouvelles.

A cause des embouteillages, le taxi dut s'arrêter à trois reprises et il y avait une telle circulation qu'il lui fallut près d'une demi-heure pour atteindre l'hôpital.

Après s'être renseignée au bureau qui se trouvait à l'entrée, Jinny se dirigea vers le pavillon qu'on lui avait indiqué et là, elle fut accueillie par l'infirmière-chef. Celle-ci lui dit aussitôt :

— Je crains que vous ne puissiez pas les voir.

— Ils sont si gravement atteints que ça?

Au lieu de lui répondre, l'infirmière lui demanda :

— Vous êtes de la famille?

— Non... Je suis la secrétaire de M. Henderson.

— Alors je ne pense pas pouvoir vous laisser entrer. Les visites sont réservées à la famille. De toute façon, le jeune M. Henderson est toujours dans le coma et son père n'a pas encore vraiment repris conscience.

Comme quelqu'un venait d'entrer dans le couloir, elle se tut et Jinny, tournant la tête, reconnut John Henderson.

— A quelle heure le médecin passe-t-il? demanda-t-il en s'approchant de l'infirmière.

— A dix heures. Peut-être même un peu plus tôt.

— Merci, répondit John.

Comme il tournait la tête d'un air absent vers Jinny, celle-ci lui dit aussitôt :

— Je n'étais pas là ce week-end... Je viens juste d'apprendre la nouvelle. Je n'arrive pas à y croire.

John, toujours sans rien dire, se dirigea vers la salle d'attente.

— Je ne sais pas quoi dire... bredouilla Jinny en lui emboîtant le pas. C'est tellement horrible... Je n'arrive pas à croire... que votre mère...

Elle se tut et entra, à la suite de John, dans la salle d'attente. Comme celui-ci se laissait tomber sur une chaise, elle s'assit en face de lui. Il se pencha alors en avant, posa ses coudes sur ses genoux et laissa retomber sa tête dans ses mains.

— Ma mère est morte, dit-il. Et Yvonne aussi. Qu'on le veuille ou non, c'est ainsi... Si mon père s'en sort, ajouta-t-il en jetant un coup d'œil à Jinny, je ne sais pas comment il va prendre la chose. Il vaudrait peut-être mieux qu'il ne s'en sorte pas...

— Ne dites pas une chose pareille ! s'écria Jinny.

Relevant soudain la tête, John s'appuya contre le dossier de sa chaise et, le regard dur, il demanda :

— Pourquoi pas ? Qu'est-ce qui va lui rester maintenant que ma mère n'est plus là ? Il était profondément attaché à elle. Bien plus que les hommes ne sont en général attachés à leur épouse. Il l'aimait tellement que, parfois, c'en était gênant pour ceux qui en étaient témoins. Moi-même, j'en ai souffert lorsque j'étais plus jeune. Je ne veux pas dire par là que mes parents n'aimaient pas leurs enfants mais le sentiment qu'ils éprouvaient l'un pour l'autre était d'un autre ordre. Ils s'adoraient tellement que c'en était presque pénible...

Dans d'autres circonstances, Jinny se serait certainement écriée : « Comment osez-vous être aussi égoïste ! Vous devriez être heureux au contraire que vos parents se soient aussi profondément aimés... »

Mais elle comprit soudain que ce garçon, le seul de la famille à avoir mal tourné, comme disait son père, devait terriblement souffrir. Maintenant que sa mère était morte, il devait probablement éprouver un fort sentiment de culpabilité à l'idée d'avoir quitté la maison familiale. D'ailleurs, le jeune homme hagard que Jinny avait sous les yeux n'avait plus rien à voir avec celui qu'elle avait rencontré chez les Henderson le matin du Nouvel An. A cette époque, il semblait en vouloir au monde entier — un sentiment que Jinny connaissait bien — tandis qu'aujourd'hui, sa tristesse faisait peine à voir et il semblait avoir vieilli de dix ans, en l'espace de quelques semaines.

— Est-ce que je peux faire quelque chose... proposat-elle d'une voix douce. Je veux dire : au bureau.

— Je n'en sais rien. Pour ça, il vaut mieux que vous voyiez M. Waitland. Pour l'instant, c'est lui qui remplace mon père.

— Je suppose que toute votre famille est là.

— Oui. Celle d'Yvonne aussi. Ça a été terrible pour ses parents : elle était leur seul enfant. Quant à Glen... je me dis parfois qu'il aurait mieux valu qu'il meure avec elle au moment de l'accident. Yvonne et lui donnaient l'impression de former le même genre de couple que mes parents. Même s'il refusait de l'admettre, Glen calquait toutes ses attitudes sur celles de mon père et il souhaitait que son mariage soit aussi réussi que le sien. Il m'a même dit un jour, qu'à ses yeux, nos parents représentaient vraiment le couple idéal.

— Je le pense aussi.

— Dans la vie, tout se paie, dit John en regardant Jinny. On ne devrait jamais aimer comme ça. Quand on atteint de tels sommets, il n'y a pas moyen de monter plus haut : on ne peut que redescendre. Personne ne peut espérer vivre éternellement ainsi.

A un autre moment, Jinny n'aurait pas manqué de se révolter contre un tel cynisme. Mais pour l'instant, le jeune homme assis en face d'elle lui faisait plutôt pitié. Elle se disait qu'il n'avait pas dû être heureux toutes ces dernières années, et sa petite amie non plus. Si sa vie sentimentale ressemblait à ses idées, ce devait être un véritable champ de bataille.

— Est-ce qu'ils sont tous les deux gravement atteints ? demanda-t-elle.

— Glen a été grièvement blessé à la tête. Il doit être opéré en fin d'après-midi. Père a une fracture de la colonne vertébrale et il n'a pas encore vraiment repris conscience. Il risque...

Il s'interrompit soudain et jeta un coup d'œil en direction de la porte de la salle d'attente. Jinny, qui s'était retournée pour suivre son regard, aperçut la fille aînée de Bob Henderson. Ils se levèrent alors, tous les deux, pour l'accueillir.

Après les avoir salués d'un signe de tête machinal, Florence dit à son frère :

— Si je veux attraper le train qui part à dix heures trente, il faut que je m'en aille. Je reviendrai mercredi avec Ronnie. Sa mère s'occupera des enfants pendant notre absence. J'aurais bien aimé rester, mais je ne crois pas que ça serve à grand-chose. Si jamais il y a une légère amélioration, tu me téléphoneras...

— Oui, oui, c'est ce que je ferai.

Comme John prenait le bras de sa sœur pour l'escorter jusqu'à la sortie, celle-ci lança, l'air hautain :

— Au revoir, mademoiselle Brownlow.

— Au revoir, madame Brook, répondit Jinny en inclinant la tête.

De toutes les filles de Bob Henderson, c'est Florence qu'elle aimait le moins. Elle avait hérité du teint rougeaud de son père, mais pas de son caractère. Et il n'y avait nulle trace chez elle du charme de sa mère. S'il y avait une snob dans la famille Henderson, c'était bien elle.

Après le départ de John Henderson, Jinny se sentit si triste qu'elle faillit se mettre à pleurer. Elle se dit qu'il valait mieux quitter l'hôpital sinon elle risquait de s'effondrer.

Au moment où elle sortait de la salle d'attente, elle aperçut John Henderson, qui revenait avec M. Garbrook. En arrivant à sa hauteur, il la salua d'un signe de tête et poursuivit sa route.

Jinny se retrouva dans la rue et regarda autour d'elle d'un air étonné, comme si, sortant d'un profond sommeil, elle ne savait plus très bien où elle se trouvait. Très vite, elle comprit qu'elle n'avait aucune chance de trouver un taxi et décida de rentrer en bus. Elle en prit un qui l'emmena à Gateshead et de là, elle n'eut aucune difficulté à en trouver un autre qui allait jusqu'à Fellburn.

Lorsque Sam lui ouvrit la porte, elle était tellement exténuée qu'elle avait du mal à respirer.

— Comment vont-ils ? demanda-t-il aussitôt.

Quand Jinny lui eut répondu, il s'écria :

— Dieu les protège ! Maintenant que tout le monde est au courant, la maison est en pleine ébullition.

Quand l'ascenseur l'eut déposée au dernier étage, Jinny s'aperçut tout de suite que Sam n'avait nullement exagéré. Toutes les portes étaient grandes ouvertes et il y avait d'incessants va-et-vient d'un bureau à l'autre.

Jinny se dirigea aussitôt vers ce qu'elle avait coutume d'appeler « son » bureau. Mais elle s'arrêta sur le seuil, l'air complètement médusé. La table sur laquelle elle travaillait d'habitude avait disparu ainsi que sa machine à écrire. Elles se trouvaient maintenant dans un coin de la petite pièce contiguë. Debout derrière le bureau de Bob Henderson, se tenait Chris Waitland et Mlle Phillips, sa secrétaire, lui faisait face. Elle posait devant lui une imposante pile de dossiers.

Soudain conscients de la présence de quelqu'un, ils se retournèrent et la regardèrent. Jinny ne baissa pas les yeux et pénétra dans la pièce.

— Et alors ? demanda Chris Waitland, comme s'il exigeait que Jinny lui explique les raisons de sa présence dans le bureau.

— Que se passe-t-il ? demanda-t-elle à son tour d'une voix glaciale.

— Vous me demandez ce qui se passe, mademoiselle ? s'étonna Chris Waitland. Vous savez, je pense, que M. Henderson est à l'hôpital. Comme vous avez deux heures de retard, ajouta-t-il en regardant sa montre, vous ignorez peut-être que c'est moi qui le remplace jusqu'à ce qu'il... jusqu'au jour où il pourra revenir.

— Comme je suis au courant des affaires de M. Henderson, je pourrais peut-être...

— Moi aussi, mademoiselle, je suis au courant de ses affaires, répliqua Chris Waitland en appuyant sur le mademoiselle. Je crois même pouvoir dire que je suis au courant depuis plus longtemps que vous, depuis dix ans très exactement. Et ma secrétaire est dans le même cas que moi, ajouta-t-il, en montrant de la tête la grande femme qui toisait Jinny d'un air triomphant, comme si elle venait de remporter une rude bataille.

L'animosité de cet homme et de cette femme était telle que Jinny eut l'impression de recevoir une véritable gifle. Malgré tout, elle savait bien que ce n'était pas à elle, personnellement, qu'ils en voulaient, mais à Bob Henderson, qui n'avait jamais fait confiance à cet homme et, bien évidemment, ne s'en était jamais caché.

— On vous attend au bureau des dactylos, annonça Mlle Phillips.

« Le bureau des dactylos ! faillit crier Jinny. Oh, mon Dieu ! Surtout pas ça... »

Elle réussit à peine à se maîtriser et dit le plus calmement qu'elle put :

— Je vais prendre mes affaires.

— Elles sont sur la table, dit Mlle Phillips en lui montrant la petite table au-dessus de laquelle était suspendu trois jours plus tôt *Les Travailleurs*.

Voyant que le sous-verre avait disparu, Jinny demanda en montrant l'emplacement vide :

— Où se trouve le poème de M. Henderson ?

M. Waitland regarda sa secrétaire qui le regarda à son tour. Finalement, c'est elle qui répondit :

— Il a dû être enlevé...

— Quel que soit l'endroit où vous l'avez mis, vous auriez intérêt à aller le chercher, fit remarquer Jinny. Je viens d'aller voir M. Henderson à l'hôpital et je crois qu'il serait content de pouvoir le récupérer.

A nouveau, Chris Waitland et sa secrétaire se regardèrent. Le ton adopté par Jinny avait dû les impressionner, car Chris Waitland finit par incliner la tête et sa secrétaire se dirigea aussitôt vers la pièce d'à côté.

Un instant plus tard, elle revint tenant le sous-verre à bout de bras comme s'il s'agissait d'un vieux dossier poussiéreux, tout juste bon à jeter à la poubelle.

Quand elle le tendit à Jinny, celle-ci en profita pour lui lancer un regard qui exprimait le fond de sa pensée. Puis elle alla récupérer ses blocs-notes et ses crayons qui se trouvaient sur la table. Après avoir vainement cherché dans le fouillis qui était entassé là, elle dit :

— J'aimerais bien récupérer les deux livres de français qui se trouvaient sur mon bureau.

— J'ignorais qu'ils étaient à vous, murmura Mlle Phillips en se mordillant la lèvre. J'ai dû les ranger par mégarde dans le placard.

Lorsqu'elle revint avec les deux livres, au lieu de les tendre à Jinny, elle les jeta carrément sur la table.

Jinny récupéra ses livres, puis elle s'approcha de Mlle Phillips et lui murmura :

— Si vous avez besoin d'apprendre le français, il y a de très bons cours du soir au collège technique. Bien entendu, c'est plus facile quand on a déjà un bon niveau en anglais.

Au moment où elle quittait le bureau, elle eut la satisfaction de voir qu'elle avait réussi à la faire rougir.

Mais, arrivée dans l'ascenseur, toute sa belle assurance la quitta et elle se dit : « Je sens que je vais vomir. »

Le bureau des dactylos n'avait pas changé. C'étaient toujours les mêmes têtes : Noreen Power, Betty Morris, Nancy Wells, Flo Blake... et bien sûr Mlle Cadwell. Celle-ci était assise derrière la cloison vitrée à l'extrémité de la pièce lorsque Jinny entra. Elle se leva aussitôt, se dirigeant à pas lents vers la porte de séparation puis, après avoir marqué un léger temps d'arrêt, pénétra dans le bureau proprement dit.

La table qui se trouvait derrière Nancy Wells étant inoccupée, Jinny y déposa ses blocs et ses livres, ainsi que son sac et elle était en train d'enlever son chapeau quand Mlle Cadwell arriva à sa hauteur.

Elle souriait. C'était la première fois que Jinny la voyait sourire et, si elle avait pu se douter qu'elle l'accueillerait ainsi, elle aurait éprouvé avant d'entrer dans le bureau une certaine appréhension, pour ne pas dire plus. Mais Mlle Cadwell ne lui faisait plus peur. Elle était bien trop en colère pour avoir peur de qui que ce soit. Le plaisir évident, pour ne pas dire la joie, dont elle avait été témoin dans le bureau de M. Henderson l'avait mise en rage. On pouvait toujours parler des gens qui attendaient que quelqu'un meure pour prendre sa place. Chris Waitland, lui, n'attendait même pas.

— Ainsi donc, Mlle Brownlow, vous nous faites le plaisir de revenir parmi nous.

— Si vous prenez la chose comme ça, mademoiselle Cadwell, tout me porte à croire que nous aurons d'excellentes relations de travail à l'avenir.

Jinny avait répondu sur un tel ton et avec une telle audace que les dactylos en restèrent stupéfaites. Mlle Cadwell aussi. Mais, le premier moment de surprise passé, elle redressa la tête et lui cria :

— Comment osez-vous me traiter ainsi, mademoiselle ? Pour qui vous prenez-vous ?

— Je suis la secrétaire de M. Henderson, répondit Jinny. Pour l'instant, il n'est pas là. Mais il ne va pas tarder à revenir, et, à ce moment-là, je réintégrerai mon bureau à l'étage de la direction.

— Quel culot vous avez d'oser dire une chose pareille! s'écria Jane Cadwell en se tournant vers les dactylos pour les prendre à témoin. Quel culot! répéta-t-elle. A votre place, moi, je n'aurais jamais osé revenir au bureau. Mais maintenant que sa femme est morte, je suppose que vous espérez légaliser votre situation, ajouta-t-elle d'une voix venimeuse. Pour se procurer de l'argent et une situation, les filles comme vous sont prêtes à tout. Même à épouser un homme qui pourrait être votre grand-père et qui est grossier comme pas un, par-dessus le marché. Personne n'en voudrait. Mais vous, ça ne vous gêne pas. A cause des bijoux, n'est-ce pas? Achetés soi-disant pour sa femme. On n'a parlé que de ça dans la maison et vous, vous osez...

— Taisez-vous! Taisez-vous immédiatement!

Non seulement Mlle Cadwell se tut mais elle recula de deux pas dans l'allée centrale. Aussitôt Jinny s'avança vers elle, le corps penché en avant, le visage rouge de colère.

— Vous n'êtes qu'une vieille salope à l'esprit mal tourné! hurla-t-elle. Malgré ce que vous avez l'air de sous-entendre, il n'y a jamais rien eu entre M. Henderson et moi. C'est un gentleman. Alors que vous n'êtes qu'un vieux chameau frustré! conclut Jinny en la giflant avec une telle violence que Mlle Cadwell poussa un cri et vacilla en arrière.

Une seconde gifle, appliquée cette fois sur l'autre joue, la fit carrément tomber sur le bureau qui se trouvait à côté d'elle.

Dans le tohu-bohu qui suivit, Jinny eut à peine conscience que Betty Morris la tirait en arrière alors que les autres dactylos se précipitaient vers Mlle Cadwell pour l'aider à se relever. Elle pleurait à chaudes larmes et se tenait le visage à deux mains. Mais cela ne l'empêcha pas de lancer à Jinny :

— Vous ne vous en tirerez pas comme ça ! Je vais porter plainte contre vous.

Repoussant Betty Morris, qui la tenait toujours, Jinny alla récupérer ses affaires, remit son chapeau, puis s'avança dans l'allée presque jusqu'à toucher Mlle Cadwell. Elle lui dit alors, sans élever la voix et en pesant ses mots :

— Allez-y ! Portez plainte ! Ne vous gênez pas. Mais je tiens à vous prévenir tout de suite que tout l'argent que vous avez économisé depuis que vous travaillez va y passer. Parce que, si vous portez plainte, moi, je vais vous attaquer en diffamation. Et M. Henderson aussi. Il y a cinq personnes dans cette pièce qui pourront témoigner que je vous ai frappée après ce que vous m'avez dit et non avant... Pensez-y, mademoiselle Cadwell ! Et allez donc porter plainte, sale faux jeton... Et toutes celles qui ont cru à ce qu'elle racontait peuvent faire la même chose, conclut Jinny en se dirigeant vers la porte.

Lorsque Sam la vit arriver dans le hall, il lui dit :

— Vous avez l'air complètement effondré, mon petit. Qu'est-ce qui vous arrive ?

— Ils s'étaient déjà installés dans son bureau, commença Jinny, en larmes. Je veux dire : M. Waitland et sa secrétaire... Et je suis retournée dans le bureau des dactylos, Sam, et... (elle s'essuya les yeux) elles m'ont dit... Mlle Cadwell m'a dit que j'étais la maîtresse de M. Henderson et qu'il m'avait offert un bijou. Mais il n'y a pas un mot de vrai là-dedans, Sam !

— Je sais bien, mon petit. Quand on m'a raconté cette histoire, je n'ai pas voulu y croire.

— Alors tout le monde dit ça ! s'écria Jinny en écarquillant les yeux.

— Oui, mon petit. Il y a dans la maison un employé de bureau qui a un cousin qui travaille chez le bijoutier. Son cousin lui a raconté que M. Henderson était venu chez le bijoutier pour vous acheter un collier en prétendant que c'était un cadeau pour sa femme. Il a ajouté que, là-dessus, sa femme était arrivée et que ça avait drôlement bardé.

— Mais les choses ne se sont pas du tout passées comme ça ! Ce jour-là, Mme Henderson n'était pas chez le bijoutier... Mon Dieu, Sam ! J'espère que vous me croyez... Nous nous entendions tellement bien, M. Henderson et moi. Il a été pour moi à la fois un père et un ami. C'est affreux, Sam ! Les gens sont tellement atroces.

— C'est vrai, mon petit, que les gens sont atroces. Et plus vous vieillirez, plus vous vous en rendrez compte. Mais on rencontre aussi de temps en temps des gens très bien. Et M. Henderson est de ceux-là. J'espère de tout mon cœur qu'il ne va pas aussi mal qu'on le dit et qu'un jour il pourra revenir. Parce que, entre nous soit dit, Garbrook ne lui arrive pas à la cheville. Quant à Waitland, les ouvriers ne peuvent pas le sentir... Voulez-vous que je vous appelle à nouveau un taxi ?

— Oui, Sam, s'il vous plaît.

Sam sortit pour téléphoner, et Jinny se demanda, avec angoisse, quelle adresse elle donnerait au chauffeur de taxi. La sienne ? Grand Dieu, non ! Jamais elle ne supporterait de se retrouver toute seule dans son appartement. En plus, il devait y faire un froid de canard. Alors qu'elle avait absolument besoin de se réchauffer : elle se sentait gelée jusqu'à l'os. Elle avait aussi besoin de chaleur humaine, que quelqu'un la console et la prenne tendrement dans ses bras. Le mieux c'était de se faire emmener au bureau d'Hal. Elle lui demanderait si elle pouvait aller habiter chez lui pendant quelques jours. Il n'était pas question qu'elle reste toute seule. Sinon elle risquait de perdre les pédales.

— Vous avez de la chance, mon petit, lui annonça Sam. Il y a un taxi qui doit déposer un client au bout de la rue. Il viendra vous chercher juste après. Il devrait être là dans quelques minutes. Vous allez me manquer, ajouta-t-il en se penchant gentiment vers elle. Je ne pense pas en effet que vous reveniez.

— Je ne reviendrai pas tant que M. Henderson ne sera pas de retour, répondit Jinny. Vous ne devinerez jamais ce que j'ai fait... ajouta-t-elle en s'efforçant de sourire.

— Qu'avez-vous fait, mademoiselle ?

— J'ai frappé Mlle Cadwell, Sam. Je lui ai donné deux gifles. Une sur chaque joue...

— Vous avez fait ça ! Non ! Je ne vous crois pas.

— C'est pourtant la vérité, Sam. Quand elle m'a dit que j'avais une liaison avec M. Henderson, je me suis jetée sur elle.

Après avoir haussé les sourcils, tripoté songeusement sa moustache et s'être frotté les yeux d'un air incrédule, Sam avoua :

— Je n'arrive pas à croire ça. Vous avez l'air d'une jeune femme comme il faut, si douce et si timide...

— Je ne suis pas une jeune femme comme il faut, Sam. Et même si j'ai l'air timide, ça ne m'empêche pas de dire ce que je pense. J'étais tellement choquée, et même scandalisée, que je crois que je l'aurais rouée de coups si on ne m'avait pas retenue.

— Vous voulez que je vous dise, mademoiselle...

— Quoi, Sam ?

— Il y a un bon bout de temps qu'on ne m'avait pas annoncé une aussi agréable nouvelle. Ça doit bien faire dix ans, et peut-être même plus, que j'ouvre la porte à cette femme, matin et soir. Jamais bonjour ni bonsoir ! C'est tout juste si elle me regarde. Mais, allons-y. Votre taxi ne va pas tarder à arriver.

Sam attendit d'avoir ouvert la porte pour ajouter :

— Vous savez, mon petit, même si vous n'avez pas travaillé longtemps ici, vous avez drôlement fait parler de vous. Et j'ai l'impression que ce n'est pas fini. Attendez que les ouvriers soient au courant. Quand ils sauront que vous avez giflé un col blanc, il y en a pas mal qui prendront votre défense. Et eux, ils se ficheront pas mal de la raison pour laquelle vous avez fait ça. Ça y est : votre taxi est là. Je souhaite de tout cœur que vous puissiez un jour revenir avec M. Henderson...

— Merci, Sam. Merci beaucoup.

Jinny lui serra la main. Puis elle monta dans le taxi et quitta l'usine.

Si Hal fut surpris de voir Jinny, de son côté, elle fut étonnée, en arrivant à l'agence, par le luxe des lieux. L'endroit était parfaitement meublé, recouvert d'une épaisse moquette, décoré d'affiches sportives, et semblait aussi bien tenu que sa propre maison. Dans le hall, se trouvaient deux jeunes réceptionnistes qui devaient faire office de secrétaires.

Quand Jinny eut expliqué à l'une d'elles qu'elle désirait voir M. Campbell, la réceptionniste lui demanda aussitôt :

— C'est à quel sujet ?

— Dites simplement à M. Campbell que Mlle Brownlow aimerait le voir, répondit Jinny.

Une minute plus tard, Hal sortait de son bureau et il entraîna aussitôt Jinny.

Il n'était qu'à moitié surpris qu'elle soit passée le voir car, en écoutant la radio, il avait entendu l'annonce de l'accident survenu aux Henderson. Bien sûr qu'il était d'accord pour qu'elle vienne passer quelques jours chez lui. Elle pouvait rester autant de temps qu'elle voulait. Elle le savait, n'est-ce pas ? Elle n'avait même pas besoin de lui demander la permission. Qu'elle lui donne seulement cinq minutes et il allait l'accompagner là-bas.

Les cinq minutes en question durèrent un bon quart d'heure pendant lequel Jinny l'écouta téléphoner à ses clients afin de décaler ses rendez-vous. Pour finir, il appela une certaine Mme Taylor pour lui dire qu'elle ne pourrait pas venir jusque chez lui aujourd'hui car les routes étaient impraticables, mais qu'il lui donnait rendez-vous le lendemain à dix heures.

Après avoir raccroché, il expliqua à Jinny :

— J'ai fait passer une annonce pour trouver une gouvernante. Nous ne pouvons plus continuer comme ça. Pendant le week-end, tout va bien car nous sommes là tous les deux. Mais, en semaine, Rosie rentre de l'école bien avant moi et je suis inquiet à la pensée qu'elle se retrouve toute seule dans cette maison qui est finalement assez isolée. Et puis quand j'arrive le soir, il faut encore que je prépare à dîner. C'est pour ça que j'ai pensé qu'il valait mieux que j'engage quelqu'un.

En descendant du bus, Hal et Jinny durent se frayer un chemin dans la neige comme elle l'avait fait avec Michael le matin même.

Une fois arrivés à la maison, Jinny, qui était exténuée, se laissa tomber sur le canapé. Avec sa sollicitude habituelle, Hal lui enleva ses bottes, puis il alla chercher un radiateur électrique qu'il plaça près d'elle pour qu'elle se réchauffe les pieds et lui frictionna les mains. Pour finir, il l'obligea à boire un plein verre de sherry.

Dès que Jinny se sentit mieux, elle lui raconta en détail ce qui s'était passé au bureau. Quand elle lui parla de son algarade avec Mlle Cadwell, il la regarda bouche bée, exactement comme Sam un peu plus tôt. Mais contrairement à ce dernier, cela ne sembla pas du tout l'amuser. Sur le coup, il fut trop surpris pour dire quoi que ce soit.

— Tu l'as vraiment frappée, Jinny ? finit-il par demander, comme s'il n'arrivait pas à croire qu'elle ait pu faire une chose pareille.

— Oui, je l'ai frappée, Hal. A cause de ce qu'elle avait dit.

— Tu aurais pu te douter que les gens allaient jaser...

— Pourquoi ? M. Henderson a cinquante ans passés et il est grand-père.

— Tu es vraiment trop naïve, Jinny ! Les hommes de son âge aiment les filles jeunes, de même que certains hommes jeunes recherchent des femmes beaucoup plus âgées qu'eux. Dans un cas comme dans l'autre, il n'y a pas de quoi avoir honte...

— Mais M. Henderson n'était pas comme ça, lui ! Tu ne le connaissais pas, Hal. Et si tu l'avais rencontré, tu comprendrais ce que je veux dire : il n'était pas du tout du genre à avoir une petite amie car il adorait sa femme. Il l'aimait tellement que, comme me l'a dit son fils ce matin, c'était parfois pénible pour son entourage.

— Pénible pour son entourage ?

— C'est ce qu'il m'a dit. Il essayait de m'expliquer à quel point son père et sa mère s'aimaient. Je pense qu'il était un peu jaloux de son père. Et il avait de quoi : sa mère était une femme ravissante, une véritable beauté. Moi, à côté d'elle, j'avais toujours l'impression d'être mal fagotée. Non seulement elle était élégante, mais elle avait de la classe. Et... et son mari, c'était tout l'opposé. Ce qui veut bien dire que, dans la vie, les contraires s'attirent.

— Oui, je le pense aussi. Mais, à partir du moment où il n'y avait pas un mot de vrai dans tous ces racontars, pourquoi avoir frappé cette femme ? Tu risques d'avoir des ennuis.

— Je pense en effet que j'aurai des ennuis. Mais, si elle porte plainte, moi, je lui fais un procès en diffamation.

Après lui avoir jeté un coup d'œil intrigué, Hal lui dit :

— Ça ne te ressemble pas du tout de dire des choses pareilles, Jinny ! J'avoue que je n'en reviens pas...

— Peut-être que tu ne me connais pas vraiment, Hal. Malheureusement pour moi, comme me l'a dit un jour Arthur, je ressemble assez, physiquement, à Wendy Craig. Et les gens en déduisent que je suis une fille indécise et peut-être même un peu écervelée. Mais, intérieurement, je ne suis pas du tout comme ça. Quand je faisais partie des Fellburn Players et que je jouais les bonnes à tout faire, j'ai pu donner l'impression d'être un peu trop accommodante. Je tenais absolument à faire plaisir à tout le monde et j'étais prête à passer sur pas mal de choses pour ne pas me retrouver seule. Et c'est vrai que je suis encore un peu comme ça... Mais ce n'est qu'un des aspects de ma personnalité. Et il y en a un autre, beaucoup plus important je crois, et que j'ai découvert grâce à M. Henderson. C'est un peu comme s'il m'avait permis d'être enfin moi-même. C'est bien difficile à expliquer et je suis certainement trop exténuée pour parler de moi. Je suis encore sous le coup de cette tragédie. Ça m'a complètement anéantie ! Ces gens-là ont été tellement gentils avec moi ! J'avais l'impression de faire partie de la famille. Un peu comme chez toi, Hal.

— Tu fais toujours partie de la famille, lui rappela Hal, et aussi longtemps que tu en auras envie. Tu le sais, n'est-ce pas, ma chérie ? J'aime quand tu es ici, ajouta-t-il en lui prenant les mains. Et les enfants aussi. Mais il va falloir que je te quitte pour retourner au bureau. Tu penses pouvoir rester seule ?

— Bien sûr, Hal.

— Je vais téléphoner à Michael. S'il peut se libérer, il viendra te rejoindre.

— Ne l'appelle pas, Hal. J'ai besoin d'être seule un moment et de réfléchir. En particulier à ce que je vais faire. Il va falloir que je retrouve du travail. Après ce qui s'est passé au bureau, tu penses bien que je ne peux pas demander à M. Waitland ou à M. Garbrook de me fournir des références. Je vais être drôlement embêtée...

— Ne te fais pas de soucis. Avec ton expérience professionnelle, tu n'auras aucun mal à retrouver un emploi. En plus, tu n'es pas obligée de reprendre un poste de secrétaire. Tu pourrais très bien travailler dans une agence de voyages, par exemple. Mais, pour l'instant, le mieux que tu aies à faire, c'est de te reposer.

— Merci, Hal, tu es vraiment gentil.

— Comment pourrait-on ne pas être gentil avec toi? demanda-t-il en se penchant vers elle pour l'embrasser. Si seulement... continua-t-il.

Puis s'interrompant soudain, il hocha la tête avant d'ajouter :

— Il faut que j'y aille. Nous reparlerons de tout ça ce soir. Au revoir, Jinny.

Après son départ, Jinny resta assise sur le canapé pendant plus d'une heure. Elle aurait aimé pleurer à nouveau, mais elle en était incapable. Elle avait l'impression que tout un pan de sa vie venait d'être sectionné net, un peu comme si elle venait de perdre un bras ou une jambe. Elle sentait que plus jamais elle ne serait la même et qu'il lui était maintenant impossible de jeter le même regard sur le monde. Le sentiment de perte qu'elle éprouvait était encore plus fort que celui provoqué par la mort de ses parents. Un peu comme si, à cette occasion, elle n'avait fait que l'apprentissage de la douleur, tandis qu'aujourd'hui elle souffrait vraiment. Si elle souffrait autant, n'était-ce pas aussi parce qu'elle venait de perdre son travail? Non! Son travail n'avait rien à voir là-dedans. C'était bien la mort d'Alicia Henderson et d'Yvonne qui l'affectait. Elle n'avait pas eu très souvent l'occasion de rencontrer Yvonne mais, comme le disait si bien la jeune femme, à chaque fois ça avait été *très sympathique*[1]. Le fait que Jinny parle français avait certainement dû les rapprocher. Mais elles avaient aussi sympathisé comme l'auraient fait n'importe quelles jeunes femmes du même âge.

Et Glen, alors? Le joyeux Glen qui, comme son père, avait la repartie facile et la langue acérée. Son langage était

---

1. En français dans le texte. *(N.d.T.)*

pourtant moins vivant que celui de Bob Henderson, car il ne jurait pas. Au fond, Jinny s'était habituée très facilement à la grossièreté de son patron. Pourtant, ses parents ne juraient jamais et, jusque-là, elle n'avait guère apprécié les gens grossiers. Mais M. Robert Henderson était un homme vraiment exceptionnel. Il l'avait été en tout cas. Mais qu'allait-il devenir maintenant qu'il avait la colonne vertébrale fracturée? Si au moins Jinny avait pu le voir, lui prendre la main et lui dire : « Que votre colonne soit fracturée ou pas — vous entendez? — vous allez vous en sortir. » Car c'est exactement ce qu'il aurait dit si elle s'était retrouvée dans sa situation. « Merde! aurait-il dit. Qu'est-ce que c'est qu'une fracture de la colonne vertébrale? Vous n'avez perdu ni votre langue, ni vos yeux, ni vos oreilles. » Et pour lui remonter le moral, il lui aurait énuméré ce qui lui restait.

Oh, M. Henderson... Oh, Bob Henderson... Tâchez de vous rétablir!

Jinny s'était mise à pleurer à gros sanglots. Elle se leva et arpenta la pièce en murmurant, comme une religieuse qui réciterait son chapelet : « Vous m'entendez, Bob Henderson? Tâchez de vous rétablir! » Jusqu'au moment où, s'interrompant soudain, elle se dit : « Arrête! Tu es en train de devenir complètement hystérique. »

Si elle continuait à penser à cette tragédie, elle allait en effet devenir hystérique. Et pour cesser d'y penser, il n'y avait qu'une solution : il fallait absolument qu'elle s'occupe les mains. Elle n'avait qu'à aller dans la cuisine et préparer le repas pour le soir. « Non, ne te rassieds pas! s'ordonnat-elle à haute voix. File dans la cuisine. »

Arrivée dans la cuisine, elle s'essuya les yeux et, après avoir jeté un coup d'œil dans le réfrigérateur pour voir ce qu'il contenait, prépara à dîner.

Son hachis parmentier et sa tarte aux pommes furent très appréciés et tout le monde paraissait heureux qu'elle soit là.

Un peu plus tard dans la soirée, alors qu'ils étaient installés au salon, Michael fit remarquer à Hal :

— Si j'ai bien compris, tu as rendez-vous demain matin avec quelqu'un pour ce poste de gouvernante...

— Oui, c'est ça.

— Pourquoi n'attendrais-tu pas un peu avant d'engager quelqu'un ? D'après ce que nous a dit Jinny, elle va avoir du mal à retrouver tout de suite un emploi. Il faut qu'elle attende un peu, ne serait-ce que pour voir comment M. Henderson s'en sort. Bien sûr, elle pourra toujours s'adresser à son fils John mais pour l'instant, ce n'est pas le moment. En attendant, il faut qu'elle s'occupe, si j'ai bien compris.

Comme Michael s'était tourné vers elle, Jinny répondit :

— C'est exact, Michael.

— Dans ces conditions, je crois que nous avons trouvé notre gouvernante, conclut Michael.

— Tu serais d'accord, Jinny ? demanda Hal.

— Je pense que je peux accepter cette proposition. Au moins dans un premier temps. Ça me rendrait bien service.

— Et comme ça, vous ne seriez pas obligée de partir le matin pour aller travailler, remarqua Rosie avec un grand sourire.

— En effet, reconnut Jinny en souriant à son tour. Ce sera un sacré avantage par rapport à vous tous.

— Vous n'aurez qu'à me confier vos clefs, proposa Michael. En passant devant chez vous, j'irai jeter régulièrement un coup d'œil à votre appartement.

Jinny était persuadée que la proposition de Michael partait d'un bon sentiment et pourtant elle n'était pas très enthousiaste à la pensée de lui confier ses clefs. Malgré tout, elle répondit :

— D'accord. Et merci d'avance, Michael.

Tout le monde semblait enchanté — même Arthur.

Et c'est ainsi que Jinny devint gouvernante.

Les obsèques eurent lieu le jeudi et ce fut Michael qui l'emmena au *crematorium*. Dans la chapelle, les chaises des premiers rangs, vides encore, étaient réservées à la famille et celles qui se trouvaient derrière étaient déjà toutes occupées. Jinny rejoignit donc la foule qui attendait dehors. Quelques minutes plus tard, les deux corbillards arrivaient, suivis d'une impressionnante file de voitures. La famille pénétra dans la chapelle et l'on entendit les sons assourdis de l'orgue. Autour de Jinny, la plupart des femmes avaient les larmes aux yeux et les hommes gardaient la tête baissée. Parmi tous ces gens affligés, elle se demandait pourquoi elle était la seule à n'éprouver aucune émotion. Elle n'arrivait pas à croire qu'elle assistait à des funérailles, elle ne voulait pas croire que les deux corps qui se trouvaient dans les cercueils allaient bientôt être réduits en cendres. Elle avait presque envie de s'adresser à ses voisins pour leur dire : « Elles ne peuvent pas être mortes. Ce ne sont pas elles qu'on va incinérer tout à l'heure... » Elle n'arrivait pas à se faire à l'idée qu'une femme aussi adorable, aussi pleine de vitalité et d'amour qu'Alicia ait pu se faire tuer comme ça. Il fallait qu'elle soit quelque part.

Au ciel ? Non, cette idée lui semblait ridicule. Elle ne pouvait s'empêcher de penser à ces spirites qui affirment qu'on peut entrer en contact avec les gens qui se trouvent dans l'au-delà. Certains d'entre eux entraient en contact avec des médecins qui étaient morts et choisissaient des gens sur lesquels ils pouvaient exercer leur pouvoir de guérisseur. Et ils guérissaient effectivement ces gens-là. Jinny avait eu une voisine qui avait été guérie de cette manière...

Que lui arrivait-il ? Est-ce que par hasard elle allait tomber malade ? Depuis quelques jours, elle n'arrêtait pas d'avoir des idées bizarres et les choses les plus curieuses lui passaient par la tête, comme cette histoire de guérisseurs.

Elle ne put s'empêcher de sursauter quand Michael, qui venait de s'approcher d'elle, lui demanda :

— Devez-vous attendre jusqu'au bout ?

En arrivant, il lui avait dit qu'il ne voulait pas entrer dans le *crematorium*, car il ne supportait pas ce genre de cérémonie. Il avait même fait une plaisanterie à ce sujet en disant qu'il ne supportait pas de rester debout alors que les principaux acteurs du drame étaient couchés. Et pourtant, il était là.

— Restez avec moi, Michael, demanda Jinny en le prenant par le bras. Ne me laissez pas seule.

— Je reste avec vous, ne vous inquiétez pas...

Il lui prit la main, la passa sous son bras et la garda serrée dans les siennes.

— Vous n'auriez pas dû venir, reprit-il à voix basse. Déjà, lorsqu'on a le moral, il n'y a rien de plus triste que des funérailles et comme on n'a jamais le moral ces jours-là... A mon avis, ce genre de cérémonie devrait être strictement réservé à la famille. Mais vous tremblez ! s'émut-il. Venez, je vous ramène à la maison.

— Non ! Attendons qu'ils soient sortis.

— Pourquoi ?

— J'aimerais les revoir. Je veux dire : tous ensemble.

A la fin de la cérémonie, Jinny revit en effet les enfants Henderson. Ils n'étaient pas tous ensemble comme elle l'avait espéré, mais perdus parmi d'autres gens pour recevoir les condoléances. Les filles passèrent à côté d'elle sans la voir. Seul John Henderson parut la reconnaître mais il ne s'arrêta pas pour lui parler.

Elle était retournée deux fois à l'hôpital et, à chaque fois, on lui avait répondu la même chose : Non, il n'y avait pas d'amélioration et les visites étaient toujours réservées uniquement à la famille.

— Allons-nous-en, murmura-t-elle.

Au moment où elle faisait demi-tour, elle se dit : « C'est fini. » Elle eut l'impression de faire du même coup ses adieux à Bob Henderson et à Glen. C'était comme si soudain une période de sa vie prenait fin. Et avec elle, une image profondément ancrée dans son subconscient, celle de l'employée modèle, comme l'avait surnommée Ray Collard. Car elle savait qu'elle ne retrouverait jamais un patron comme Bob Henderson et que la vie qui l'attendait allait être peuplée de gens comme M. Waitland et Mlle Cadwell.

Elle ne se demanda pas dans quelle catégorie elle plaçait Hal et sa famille parce qu'au fond d'elle-même, elle savait bien qu'il lui faudrait tôt ou tard rétablir la situation. Elle n'avait nullement l'intention d'être la bonne ou même la gouvernante de qui que ce soit. Comme c'était ce qui l'attendait avec Hal, plus tôt elle en parlerait avec lui, mieux cela vaudrait.

3

Lors de sa quatrième visite à l'hôpital, Jinny eut l'impression que quelqu'un de la famille avait donné des consignes pour qu'elle ne soit pas admise dans la chambre de Bob Henderson.

— Les visites sont interdites, lui dit à nouveau l'infirmière. Sauf en ce qui concerne la famille. Ce sont les ordres du médecin. Le jeune M. Henderson est toujours dans le coma et on va à nouveau l'opérer.

Jinny eut envie de lui demander : « Mme Brook vous a-t-elle ordonné de m'interdire l'accès de la chambre ? » Sachant que cela ne servirait à rien et que, de toute façon, on ne la laisserait pas entrer, elle préféra ne rien dire.

Après cette visite, elle ne retourna pas à l'hôpital et se contenta de téléphoner chez les Henderson pour avoir des nouvelles. En général, c'était Dorry qui décrochait et elle répondait invariablement :

— Il n'y a pas de grands changements.

Une fois pourtant, elle eut Florence au bout du fil.

— Père et Glen ont été transférés dans un autre hôpital, lui dit-elle. Glen va suivre là-bas un nouveau traitement. C'est tout ce que je peux vous dire pour l'instant, mademoiselle Brownlow.

Jinny en déduisit qu'on l'écartait délibérément. Comme il

n'y avait aucune raison à cela, elle se demanda si les ragots colportés au bureau n'étaient pas arrivés jusqu'aux oreilles de la famille. Même si c'était le cas, comment les enfants Henderson avaient-ils pu croire une chose pareille connaissant leurs parents? Malheureusement, les gens étant ce qu'ils sont, c'était bien possible.

Après avoir travaillé pendant trois semaines comme gouvernante, Jinny qui était seule dans la maison presque toute la journée commença à s'ennuyer ferme. Comme le temps continuait à être épouvantable, elle se consolait en se disant qu'elle avait bien de la chance de ne pas avoir à sortir pour aller travailler.

En acceptant ce poste, elle avait cru que cela leur permettrait, à Hal et à elle, de se voir plus souvent et de mieux se connaître. Mais il n'en était rien. Hal n'avait pas modifié ses habitudes et, trois soirs par semaine, il continuait à aller visiter les personnes du troisième âge dont il s'occupait. Le week-end précédent, il était même allé les voir le dimanche après-midi.

Le dimanche suivant, lorsqu'il annonça qu'il allait faire à nouveau des visites, Jinny, qui venait de lui proposer de l'accompagner, s'entendit répondre :

— Je crois qu'il est déjà suffisant que l'un de nous soit obligé de sortir par un temps pareil.

— Je n'ai pratiquement pas quitté la maison de la semaine, répliqua Jinny. Je me sens confinée ici. D'ailleurs, quand je travaillais, il m'est arrivé de sortir par un bien plus mauvais temps.

Au lieu de répondre, Hal se détourna. Il allait s'éloigner quand Jinny l'attrapa par le bras.

— Dis donc, Hal, qu'est-ce que je suis censée être? lui demanda-t-elle.

— Que veux-tu dire?

— Tu sais très bien ce que je veux dire. Et je pense qu'il faudra que nous ayons une petite discussion tous les deux, au sujet de ce que je suis censée être, justement...

Comme chaque fois que quelque chose lui déplaisait, le visage d'Hal se transforma en un masque impénétrable.

— Ne sois pas violente, Jinny, dit-il. Cela ne te va pas du tout. Et n'oublie pas que chacun de nous est libre de faire ce qu'il veut.

Quand elle vit qu'Hal quittait la maison comme si de rien n'était, elle se sentit envahie par une telle colère qu'elle faillit faire une scène. Elle se rappela ses derniers mots : « Chacun de nous est libre de faire ce qu'il veut », et réussit à se maîtriser.

Est-ce que, par hasard, elle se comportait avec lui comme une épouse curieuse de connaître ses faits et gestes ? Mais non. Elle voulait simplement mettre les choses au clair avant qu'il ne soit trop tard.

En fin de journée, elle décida d'aller faire un tour dans la campagne pour se détendre et prendre l'air.

Après avoir traversé la cuisine, elle pénétra dans la resserre et allait ouvrir la porte du garage pour y prendre ses bottes en caoutchouc quand, soudain, elle entendit la voix d'Arthur derrière la porte.

— Je pensais qu'à partir du moment où il lui avait proposé de venir habiter ici, il allait lui demander de l'épouser, disait-il. C'est un escroc et je vais lui dire la vérité.

— Ne fais pas une chose pareille, lui conseillait Michael. Laisse-la donc découvrir toute seule le pot aux roses.

— Elle ne découvrira rien du tout. Et lui, il va continuer à la faire marcher. Au début, je ne l'aimais pas. Mais c'est une fille bien. C'est drôlement honteux de lui faire un coup pareil.

— Si tu veux mon avis, Arthur, tu vas la boucler. Au moins pendant un certain temps. Pour l'instant, elle a surtout besoin de compagnie. Tôt ou tard, elle finira par comprendre qu'il n'a pas l'intention de l'épouser. Pourquoi l'épouserait-il alors qu'il a tous les avantages de la situation sans en avoir les inconvénients ? Et il espère bien que ça va durer. Il n'est pas fou, tu comprends. Il est même sacrément malin.

— Pourquoi ne lui dis-tu pas, toi, puisque tu es amoureux d'elle ?

— Si ça vient de moi, jamais elle ne le croira. Il faut que ce soit elle qui le découvre.

— Mais comment veux-tu qu'elle fasse ? Moi-même, je suis tombé dessus par hasard. Qui aurait pu penser que c'est là qu'il allait ? « Le salon de Daisy »... Un salon de coiffure ! Tu te rends compte ?

— Tu as recommencé à le suivre ?

— Ouais. Les gens du troisième âge ne sont qu'une couverture. Ça a d'ailleurs toujours été le cas.

— Pas tout à fait. Il s'est toujours occupé de personnes âgées. Apparemment sa mère et lui...

— Ah ! Sa mère...

— Ah ! Sa mère... Comme tu dis ! Mais promets-moi de ne rien raconter à Jinny.

— Mais elle va continuer à croire...

— Ça ne va pas durer longtemps. Fais-moi confiance ! Je sais reconnaître les signes annonciateurs de l'orage. Elle n'arrête pas de se poser des questions. Et elle lui en a posé à lui aussi. Naturellement, il s'est débrouillé pour ne pas y répondre. Mais ça ne peut pas durer. En attendant, ne t'en mêle pas. N'oublie pas que tu dois encore vivre ici pendant un an ou deux. Tu m'as même dit un jour que tu voulais aller à l'Université, n'est-ce pas ? Si tu te mêles de ses affaires, tu vas le sentir passer. Et tu risques de te retrouver en train de travailler à la chaîne dans une usine.

— Je n'en ai nullement l'intention.

— C'est pourtant bien ce qui te pend au nez si tu es obligé de t'en aller maintenant et de te débrouiller tout seul.

— Tu n'as pas encore rendu ton appartement en ville. Je pourrai toujours aller habiter là-bas.

— Non, tu ne pourras pas. J'ai d'autres projets au sujet

de mon appartement. Alors enlève-toi cette idée de la tête. Tu ferais mieux de réfléchir à deux fois avant de parler. Pour l'instant, fais son jeu. Et comporte-toi comme si tout était normal.

— Normal ? Tu as bien dit normal ?

Jinny, qui écoutait toujours derrière la porte, se recula soudain. Elle sortit sans bruit de la resserre, retraversa la cuisine et monta l'escalier pour rejoindre sa chambre. Arrivée là, elle resta un long moment debout au milieu de la pièce en se mordant l'ongle du pouce. « Le salon de Daisy »... Un salon de coiffure... Qu'est-ce que ça voulait dire ?

Elle n'avait jamais entendu parler de ce salon de coiffure. Il y avait quatre coiffeurs en ville mais aucun d'eux ne s'appelait comme ça. Restait le quartier de Bog's End. Il devait certainement y avoir un salon de coiffure là-bas.

Une chose était sûre en tout cas : lorsque Hal s'absentait, c'était pour aller rejoindre une femme.

Pourquoi, une femme ?

Tout simplement parce que Jinny ne pouvait imaginer qu'il soit homosexuel. S'il l'était, jamais il ne se serait marié deux fois. Une fois peut-être. Mais pas deux. Il s'agissait donc d'une femme. Mais quel genre de femme ?

Et elle, n'était-elle pas aussi une femme ?

Oui, bien sûr. Mais Hal ne l'avait jamais traitée comme une femme. S'était-il montré passionné ? Ses mains s'étaient-elles égarées quand il la serrait dans ses bras ? Et quand il l'embrassait, Jinny avait-elle lu dans son regard qu'il désirait plus qu'un simple baiser ? Non, la réponse à toutes ces questions était : non.

Son séjour dans cette maison allait donc se terminer plus rapidement que prévu. Ça, elle en était sûre. Mais avant de partir, elle allait essayer de découvrir pourquoi elle ne lui plaisait pas. Car, non seulement Hal ne lui avait pas proposé le mariage, mais il n'avait même pas essayé de la séduire. Quand Ray Collard la poursuivait de ses assiduités, au moins elle avait l'impression d'être une femme, et désirable par-dessus le marché. Lui au moins ne l'avait jamais traitée comme si elle était un être asexué...

Le lundi, le temps était vraiment atroce. La radio avait annoncé que le nord de l'Angleterre était maintenant coupé du reste du pays et que, par endroits, les congères atteignaient six mètres de haut. En début de matinée, Hal avait téléphoné pour apprendre que les écoles d'Arthur et de Rosie étaient fermées pour la journée. Michael et lui avaient dû quitter la maison à pied pour rejoindre la route principale dans l'espoir que les chasse-neige aient réussi à arriver jusque-là.

Jinny avait vérifié dans l'annuaire qu'il y avait bien un salon de coiffure qui s'appelait « Le salon de Daisy » et découvert que celui-ci se trouvait en effet à Bog's End. Ce quartier de Fellburn longeait le front de mer. A une époque, il y avait là un chantier florissant de construction navale mais le chantier avait été fermé cinq ans auparavant. Aucun des personnages influents de Fellburn n'avait jamais vécu à Bog's End. Une petite communauté pakistanaise et une communauté indienne avaient investi le quartier et on disait que ces deux communautés posaient moins de problèmes que les Blancs de niveau inférieur qui habitaient Bog's End.

Pendant toute la matinée, Jinny eut bien du mal à refréner son impatience. Après avoir déjeuné rapidement avec Arthur et Rosie, elle s'habilla chaudement et, en passant devant le salon, annonça aux deux jeunes gens :

— Je ne sais pas à quelle heure je rentrerai. Soyez sages.

Cela les surprit tous les deux et Rosie, qui était en train de lire, assise sur le tapis, lui demanda :

— Où vas-tu ?

— En ville, répondit Jinny.

Arthur était en train de faire ses devoirs, il repoussa son cahier et se leva aussitôt pour lui demander :

— Que vas-tu faire en ville ?

Au lieu de répondre, Jinny le regarda dans les yeux, puis elle fit demi-tour et se dirigea vers la porte d'entrée. Arthur, qui l'avait suivie, lui demanda à nouveau, avec inquiétude cette fois :

— Que vas-tu faire en ville ? Jamais tu n'arriveras jusqu'à la route.

— Mais si, Arthur, ne t'inquiète pas ! J'ai juste envie d'aller chez le coiffeur.

En voyant son expression ahurie, Jinny ne put s'empêcher de lui caresser tendrement la joue et elle lui dit :

— Accroche-toi, Arthur ! Continue à préparer ton baccalauréat. Je suis persuadée que tu vas l'avoir.

Elle se trouvait à mi-chemin de l'allée qui menait à la grille quand elle entendit Arthur qui criait :

— Jinny ! Jinny ! N'y va pas ! Je t'en prie...

Elle se retourna pour le regarder et lui répondit :

— Il faut que j'y aille, Arthur. Tu le sais aussi bien que moi. Comme l'a dit Michael, c'est à moi de découvrir la vérité. Mais ne t'inquiète pas. Et tiens-toi tranquille !

Jinny se dit que ce dernier conseil ressemblait tout à fait à ceux de Bob Henderson. S'il n'y avait pas eu cet horrible accident, nul doute qu'en quittant la maison d'Hal, elle se serait rendue directement chez les Henderson. Et elle n'aurait certainement pas cherché à découvrir quoi que ce soit. Mais les choses ne seraient jamais plus ce qu'elles avaient été. Depuis trois semaines, son univers avait complètement basculé. Cela lui rappelait ces espèces de manèges sur lesquels on montait le jour de la fête foraine. Ils commençaient par tourner dans tous les sens comme s'ils allaient se renverser, avant de descendre à toute vitesse une longue rampe en pente et de plonger dans l'eau. Ces dernières semaines, Jinny avait eu l'impression d'être passablement secouée. Et maintenant, elle se trouvait en haut de la rampe et n'allait pas tarder à tomber dans l'eau.

En montant dans le bus, elle demanda au conducteur :

— Est-ce que vous allez jusqu'à Bog's End ?

— Jusqu'au bout de Bog's End, mademoiselle, répondit-il.

— Vous arrêtez-vous près de Chamber's Row ?

— Oui, juste au début de la rue. Vous avez de la chance.

Vingt minutes plus tard, au moment où Jinny allait descendre, le conducteur lui dit en lui montrant la rue :

— Voilà Chamber's Row. C'est bien là que vous voulez descendre ? Parce que c'est une sorte de cul-de-sac. Il n'y a que quelques magasins et des entrepôts. C'est un des quartiers les plus vieux de la ville.

— Oui, merci, répondit Jinny.

Après avoir traversé la rue, elle s'engagea dans Chamber's Row. Au début de la rue se trouvait une boutique de vêtements d'occasion, puis il y avait deux maisons d'habitation et, séparé d'elles par une ruelle, le salon de coiffure qu'elle cherchait.

Jinny commença par examiner la devanture qui ne lui sembla pas très engageante. Collées derrière la vitre, il y avait deux affiches en carton montrant des modèles de coiffure. Côté boutique, à mi-hauteur de la vitrine, se trouvait une tringle à laquelle était suspendu un rideau de dentelle. Assez curieusement, la boutique ne possédait pas d'appartement à l'étage et, juste après, il y avait deux garages. La rue s'arrêtait là. Faisant suite aux garages, construits à angle droit, il y avait deux entrepôts ; l'autre trottoir était, lui aussi, bordé d'entrepôts.

Un peu étonnée parce qu'il n'y avait aucun logement à côté ou au-dessus du salon de coiffure, Jinny s'engagea dans la ruelle. Après être passée à côté d'une large fenêtre qui ouvrait dans le salon de coiffure, elle découvrit enfin une maison. Construite en retrait de la rue, elle donnait, par-derrière, directement dans le salon de coiffure. C'était une sorte de bungalow dont la façade semblait avoir été refaite récemment et qui possédait un jardin sur la ruelle. Des deux côtés du portail et sur le muret qui longeait la ruelle se trouvaient des bacs à fleurs. Jinny eut soudain l'impression de les avoir déjà vus quelque part. Ils étaient peints en vert et, bien qu'ils soient en partie recouverts de neige, les plantes qu'ils contenaient étaient encore un peu visibles. C'étaient exactement les mêmes bacs que ceux qu'Hal avait disposés chez lui autour du patio. Jinny dut se retenir à deux fois pour ne pas frapper aussitôt à la porte. Mais qu'allait-elle dire si on lui ouvrait? Qu'elle était représentante de commerce? Comme elle n'avait emporté que son sac à main, elle aurait du mal à le faire croire.

Faisant demi-tour, elle regagna Chamber's Row, s'arrêta pendant quelques secondes pour examiner la liste des prix affichée sur la devanture, poussa la porte et pénétra dans le salon de coiffure. A l'entrée, se trouvait un petit comptoir, juste assez large pour la caisse enregistreuse. Un des côtés du salon était occupé par quatre lavabos et de l'autre côté étaient alignés des fauteuils entre lesquels étaient intercalés quatre séchoirs. A l'extrémité de la pièce, un couloir.

Quand Jinny entra, il y avait deux clientes. L'une d'elles était en train de se faire laver les cheveux et l'autre, la tête à moitié couverte de rouleaux, se faisait faire une permanente. La coiffeuse qui s'occupait de la permanente jeta un coup d'œil à Jinny puis, abandonnant un instant sa cliente, elle s'approcha du petit comptoir en demandant :

— Oui?

— Il y a longtemps que je n'ai pas... commença Jinny. Je voulais vous demander si vous ne pourriez pas rafraîchir ma coupe.

Après lui avoir lancé un rapide coup d'œil, la jeune

femme se tourna vers l'autre coiffeuse et, comme celle-ci inclinait la tête, elle répondit :

— Je suppose que c'est possible. Mais vous auriez dû prendre rendez-vous, vous savez.

Elle avait un accent nasillard très prononcé, typique du nord de l'Angleterre.

— Je... Excusez-moi, dit aussitôt Jinny, mais je suis de passage. Mes cheveux sont trop longs, ils auraient besoin d'être un peu raccourcis.

— Asseyez-vous là, proposa la coiffeuse en montrant à Jinny un fauteuil qui se trouvait juste à côté de la fenêtre qui donnait dans la ruelle.

Après avoir enlevé son chapeau et son écharpe, Jinny s'installa dans ce fauteuil, juste en face d'un large miroir.

— Il faudra que je vous abandonne en plein milieu de la coupe pour m'occuper de ma permanente, expliqua la coiffeuse en regardant le miroir où se reflétait le visage de Jinny.

— Pas de problème.

— Qu'est-ce que je vous fais ?

Avant de répondre, Jinny réfléchit pendant quelques secondes. Si elle demandait simplement qu'on rafraîchisse sa coupe, la coiffeuse allait avoir fini très vite et elle n'aurait donc pas le temps de lui poser de questions.

— Si vous aviez le temps, dit-elle finalement, je vous demanderais bien de me faire une coupe en dégradé.

— Si ça ne vous gêne pas que je vous la fasse en plusieurs fois...

— Pas du tout. J'ai tout mon temps.

La coiffeuse se mit au travail et au bout de quelques minutes, elle lui dit :

— Vous avez de très beaux cheveux. Vous n'habitez pas par ici, n'est-ce pas ?

— Non, je suis juste de passage. Quel temps affreux, non ?

— Oui, c'est vraiment terrible.

— Même si je ne suis que de passage, j'ai longtemps

habité Fellburn, reprit Jinny. Je ne savais pas qu'il y avait un salon de coiffure ici. L'établissement est à vous ?

— A moi ? Non, pas du tout. Ce salon appartient à Mme Smith.

Comme Jinny se retournait pour regarder la seconde coiffeuse, cela n'échappa pas à la jeune femme qui lui dit aussitôt en riant :

— Non, non, ce n'est pas Mme Smith !

Une minute plus tard, alors que la seconde coiffeuse se dirigeait vers le placard pour y prendre un flacon, la jeune femme qui coiffait Jinny fit semblant d'avoir besoin de quelque chose et, s'approchant de sa collègue, elle lui murmura en pouffant :

— Elle m'a demandé si c'était toi, Mme Smith...

Jinny, qui avait tout entendu, écouta la réponse de l'autre coiffeuse.

— Ah oui ? répondit celle-ci en riant. Les voilà justement qui arrivent, ajouta-t-elle aussitôt. Je viens de les voir traverser la rue. J'ai l'impression qu'il a changé d'horaire. Il devait être drôlement pressé aujourd'hui.

Là-dessus, elles se séparèrent et la jeune coiffeuse revint vers Jinny.

Elle venait tout juste de recommencer à lui couper les cheveux quand la fenêtre s'obscurcit soudain. Jinny leva la tête et aperçut Hal aussi nettement que si elle avait été assise près de lui dans le salon de sa maison. Une femme l'accompagnait. Elle n'eut pas le temps de la détailler mais vit malgré tout qu'elle était grosse et semblait plutôt âgée.

— Je vous ai fait mal ? demanda la coiffeuse en lui jetant un coup d'œil dans la glace.

— Non, non... bredouilla Jinny. Je dois avoir le cuir chevelu un peu sensible.

Quelques minutes plus tard, la coiffeuse lui annonça :

— Je reviens tout de suite.

Jinny profita du fait qu'elle s'occupait de la permanente

de sa cliente pour jeter un coup d'œil au fond du salon de
coiffure, là où elle avait vu un couloir. Elle remarqua une
petite pancarte placée à l'angle du mur et sur laquelle était
inscrit : *Toilettes.*

Elle se demanda alors ce que tout cela signifiait. Si c'était
bien là la femme qu'Hal venait voir, elle était étonnée
qu'elle soit aussi vieille. Quel âge pouvait-elle avoir ? Jinny
ne lui avait jeté qu'un coup d'œil rapide et elle avait eu l'impression qu'elle était grande et grosse. Peut-être était-ce son
manteau de fourrure qui la grossissait ? Non, car son visage
lui-même était gras. Et c'était incontestablement celui d'une
femme âgée. Qu'entendait-elle par « âgée » ? Quand on a
vingt ans, tous les gens qui ont dépassé la trentaine vous
semblent âgés. Mais Mme Henderson avait quarante-sept
ans et Jinny n'avait jamais eu l'impression qu'elle soit âgée.
Cette femme-là était beaucoup plus vieille. Elle ne devait
pas avoir loin de soixante ans. Était-il possible qu'elle fasse
partie de ces gens du troisième âge auxquels Hal rendait
visite ? Non, car il s'agissait toujours de retraités. Tandis
que cette femme était encore en activité. D'ailleurs sa
démarche et son rire n'étaient pas ceux d'une vieille femme.
Elle avait ri au moment où elle passait devant la fenêtre et
Hal aussi.

Quand Jinny aurait fini de se faire coiffer, allait-elle frapper à la porte de cette maison ? Que dirait-elle alors ? Je t'ai
espionné. A quoi cela l'avancerait-il ? Et pourtant, elle était
sûre qu'il y avait quelque chose, sinon jamais Michael et
Arthur ne se seraient disputés comme ils l'avaient fait la
veille.

D'abord, elle allait se rendre aux toilettes car elle avait
tellement mal au cœur qu'elle craignait de vomir.

Après avoir payé pour la coupe et donné un bon pour-
boire, elle demanda à la coiffeuse :

— Y a-t-il des toilettes ?

— Oui, là, répondit celle-ci en lui montrant la pancarte.

Jinny s'engagea dans le petit couloir. Avant de pousser la porte des toilettes, elle eut le temps d'apercevoir une seconde porte sur laquelle était marqué : *Privé.*

Quand elle se retrouva à l'intérieur des lavabos, elle se mit à trembler de la tête aux pieds. Elle se dit que si elle frappait à la porte, Hal trouverait toujours une excuse pour expliquer sa présence chez cette femme. Par contre, si elle faisait irruption dans l'appartement... Oserait-elle faire une chose pareille ? Elle n'allait pas se gêner ! Hal n'était-il pas censé être à Durham aujourd'hui ? C'est en tout cas ce qu'il lui avait dit avant de quitter la maison. Et la veille, il lui avait rappelé qu'ils étaient libres de faire ce qu'ils voulaient.

Il pouvait bien aller au diable avec son histoire de liberté ! Cela faisait des mois qu'il se servait d'elle. Il prétendait l'aimer. Il n'arrêtait pas de lui dire qu'il avait absolument besoin d'elle. Il prétendait éprouver un immense plaisir à rentrer chez lui maintenant qu'il savait qu'elle était là. Et il se montrait toujours si prévenant ! C'est d'ailleurs à cause de ça justement qu'elle était tombée amoureuse de lui.

Sans faire de bruit, Jinny retourna dans le couloir. Elle jeta un coup d'œil dans le salon de coiffure et vit que les deux coiffeuses étaient occupées avec leurs clientes. Elle avança alors de quelques pas et poussa la porte marquée *Privé.* Et elle se retrouva debout au milieu d'une cuisine.

C'était une cuisine moderne, équipée de tous les derniers gadgets. Elle s'appuya des deux mains sur la table en formica, reprit sa respiration et se dirigea, sans faire de bruit, vers la porte qui se trouvait au fond de la cuisine. Elle se retrouva alors dans une petite entrée dans laquelle donnaient deux portes en plus de celle de la cuisine. La porte à sa droite était entrouverte. Aucun bruit ne venait de cette pièce qui semblait être un salon. En revanche, elle entendit un murmure de voix derrière la porte qui se trouvait à sa gauche. Puis quelqu'un gloussa. Quelqu'un d'autre se mit à rire. Et aussitôt elle reconnut le rire d'Hal. Il lui arrivait parfois de rire ainsi, sans raison, lorsqu'il était chez lui, en train de faire cuire quelque chose dans la cuisine ou lorsqu'il était assis sur le canapé du salon, un bras posé sur l'épaule de Jinny et l'autre sur celle de Rosie. Cela lui était même arrivé un soir où ils regardaient la télévision : il s'était mis à rire alors qu'il n'y avait rien de drôle dans le film qu'ils regardaient. Jinny, amusée, lui avait souri et il l'avait serrée plus étroitement contre lui.

Jinny s'avança doucement vers cette troisième porte. Avant de l'ouvrir, elle savait déjà que c'était une chambre et elle imaginait, sans peine, la scène dont elle allait être témoin. Pourtant, elle poussa brusquement la porte et resta figée sur le seuil, les yeux écarquillés et la bouche ouverte, tandis que les deux silhouettes allongées sur le lit la regardaient avec, au fond des yeux, exactement la même expression.

La femme avait l'air d'une montagne de chair tremblotante, ses cheveux teints étaient d'un roux criard, sa poitrine et son estomac énormes, et ses cuisses rappelèrent à Jinny celles qu'elle avait vues un jour, remplissant à craquer un short bouffant, sur une carte postale pornographique vendue au bord de la mer. Elle était tellement grosse qu'elle semblait occuper tout le lit. Et le gentil, le charmant, le sérieux Hal était couché à côté d'elle, aussi nu qu'au jour de sa naissance.

Jinny vit que ses lèvres formaient son nom. Puis elle le vit se pencher au pied du lit pour attraper le couvre-pied. Et elle vit la montagne de chair s'asseoir à son tour. Enfin elle l'entendit crier d'une voix aussi vulgaire que son physique :

— Que diable venez-vous fiche ici ?

C'est alors qu'elle se mit vraiment en colère. Saisissant une boîte de talc ouverte qui se trouvait sur une table de toilette juste à côté d'elle, elle la lança sur eux. Aspergés de talc, étouffant à moitié, ils sautèrent hors du lit. Se tournant à nouveau vers la table, Jinny saisit alors un vaporisateur de parfum et le jeta sur Hal. Quand le vaporisateur l'atteignit au front, elle faillit crier. Hal porta une main à son front qui saignait et, de l'autre, il essaya de retenir la femme qui s'avançait vers Jinny.

— Qui est cette bon Dieu de cinglée ? cria celle-ci tandis que son énorme poitrine se soulevait, telle la mer agitée par les vagues.

— Va-t'en, Jinny ! Va-t'en ! Arrête, je t'en prie...

Jinny n'avait nullement l'intention de s'en tenir là, mais il n'y avait plus rien sur la table de toilette.

Soudain, elle sentit qu'on l'attrapait par le bras et qu'on l'obligeait à faire demi-tour. Elle fut entraînée hors de la pièce par une des coiffeuses, tandis que sa collègue la poussait dans le dos. Les deux femmes lui firent traverser la cuisine et le salon de coiffure au pas de course et ne s'arrêtèrent que lorsqu'elles se retrouvèrent sur le trottoir.

— Vous êtes sa femme ou quoi ? demanda alors une des coiffeuses.

Jinny la regarda, mais fut incapable de lui répondre.

C'est à ce moment-là que, tel un ange tombé du ciel, Michael apparut en haut de la rue et se précipita vers elle en courant.

— Venez, Jinny, allons-nous-en, dit-il aussitôt.

La coiffeuse qui tenait Jinny par le bras la lâcha en demandant à Michael :

— Qui est-ce ? Elle est devenue folle furieuse !

— Ce n'est pas trop tôt, répondit Michael.

Puis il entraîna Jinny vers le taxi qui l'attendait en haut de la rue. Elle ne disait toujours rien et ne lui demanda pas comment il avait fait pour se trouver là. Elle s'installa au fond du taxi et regarda droit devant elle pendant tout le trajet.

Lorsque le taxi s'arrêta en face de l'appartement, Michael paya le chauffeur. Puis il prit le sac à main de Jinny, que par bonheur elle n'avait pas lâché pendant la bagarre, et y chercha ses clefs.

Arrivée dans l'appartement, elle alla s'asseoir. Elle n'enleva pas son manteau et regarda Michael qui allumait le radiateur. Elle l'entendit s'activer dans la cuisine où il devait être en train de préparer quelque chose de chaud. Quand finalement il lui tendit une tasse de thé, elle ne fit pas un geste pour la prendre.

— Allons, Jinny! lui dit-il. Secouez-vous un peu. Ce n'est pas la fin du monde. Rappelez-vous qu'il y a une éternité que j'ai essayé de vous en parler et que vous n'avez pas voulu m'écouter. Ce n'est pas de sa faute : il n'aime que les vieilles peaux. C'est pourquoi ses deux mariages ont capoté. Pour bien faire, il aurait fallu qu'il puisse épouser sa mère. C'est elle la responsable. Quand un homme est incapable de quitter le sein maternel, c'est sa mère qu'il faut blâmer. Pas lui. C'est malheureux qu'il soit obligé de choisir ce genre de bonnes femmes. Il est tout le temps en conflit avec lui-même. Il adore les jeunes, il veut une famille, mais il ne peut pas s'en empêcher... Allons! Buvez cette tasse de thé!

Pour prendre la tasse que lui tendait Michael, elle dut faire un effort terrible comme si elle se mouvait au fond de l'eau. Ses pires craintes s'étaient réalisées : cette fois-ci, elle avait sombré pour de bon. Et maintenant, comme dans un cauchemar, elle était en train de nager pour sauver sa vie. Sauf qu'elle était tombée au fond d'un puits. L'eau était censée vous nettoyer, tandis qu'elle, elle avait l'impression qu'elle ne serait plus jamais propre de sa vie. Et le pire de tout c'est qu'elle se retrouvait exactement à son point de départ : seule et privée de toute affection.

Michael, comme s'il avait pu lire dans ses pensées, lui dit alors :

— Vous avez l'impression d'être déshonorée à jamais, comme si ce qui vient d'arriver était de votre faute. Vous vous dites aussi que vous n'auriez jamais dû le laisser vous toucher ou vous embrasser. S'il avait voulu aller plus loin, vous auriez au moins une excuse. Mais il ne l'a pas fait. Il s'est contenté de vous utiliser, comme il avait utilisé ma mère ou celle d'Arthur et de Rosie. C'est ma mère qui m'a mis au courant de ses goûts très particuliers. Comme elle n'était plus tellement jeune quand il l'a rencontrée, il a dû essayer de jouer à ce genre de petit jeu avec elle. Malheureusement, elle n'était tout de même pas assez âgée pour le câliner comme une mère.

— Fermez-la !

Jinny n'avait pas eu l'intention de dire quoi que ce soit. Elle aurait aimé rester au fond du puits, enfermée dans le silence.

— Vous vous apitoyez sur vous-même, reprit Michael. Mais moi, que croyez-vous que j'ai ressenti quand ma mère l'a quitté ? J'avais dix-huit ans à l'époque, et je ne voyais pas très bien quelle importance cela pouvait avoir qu'il la trompe. Je me disais : elle n'a qu'à le laisser avoir des aventures. Mais bien sûr, je ne suis pas une femme. Pour la mère de Rosie et d'Arthur, ça a été bien pire. Si elle a demandé le divorce, c'est parce que son mari ne s'acquittait pas de ses devoirs d'époux.

— Michael.

— Oui, Jinny.

— Arrêtez de parler de tout ça, je vous en prie.

— Si c'est vous qui me le demandez. Je pensais que ça vous ferait du bien de dire ce que vous avez sur le cœur. Voulez-vous le revoir ?

— Non ! Plus jamais ! s'écria Jinny en se levant soudain. Et lui non plus ne voudra plus me revoir. Je lui ai ouvert la tête... J'espère que je l'ai fait en tout cas.

— Qu'est-ce que vous avez fait ? demanda Michael qui semblait stupéfait.

— Je lui ai jeté à la tête un vaporisateur à parfum et j'espère bien l'avoir blessé.

— Alors comme ça vous leur avez lancé des trucs dessus...

— Tout ce qui m'est tombé sous la main. Il y avait sur la table de toilette une boîte de talc et je les ai aspergés de talc...

Jinny se mit alors à marcher de long en large dans la pièce.

— Vous êtes vraiment une énigme, Jinny, avoua Michael après l'avoir regardée en hochant la tête. C'est la seconde fois que vous vous attaquez à quelqu'un en l'espace de quelques semaines. Qui aurait cru ça de vous ?

« Michael appelle ça " s'attaquer à quelqu'un ", songea Jinny. Alors que je ne fais que me défendre... » Que ce soit pour se défendre ou pas, elle avait giflé Mlle Cadwell et certainement blessé Hal... « J'ai eu raison de le faire ! se dit-elle. Dans les deux cas, c'était absolument justifié. »

Se sentant soudain épuisée, elle se rassit sur le divan et demanda à Michael :

— Est-ce que vous seriez assez gentil pour aller chercher mes affaires ? J'avais préparé ma valise avant de partir.

— Vous aviez donc l'intention de quitter la maison avant de vous rendre dans ce salon de coiffure ?

— Oui, j'en avais l'intention. Hier, j'ai surpris la conversation que vous aviez avec Arthur.

— Je m'en suis douté lorsque Arthur m'a appelé. Il m'a téléphoné juste après votre départ. C'est comme ça que j'ai pu arriver à temps. C'est un chic type cet Arthur... Il s'est beaucoup attaché à vous. Vous allez drôlement lui manquer. Et à Rosie, aussi. Quant à moi, n'en parlons pas ! Voulez-vous que j'aille récupérer vos affaires dès ce soir ?

— Si ce n'est pas trop demander, j'aimerais bien que vous y alliez maintenant...

— Je peux très bien y aller tout de suite. Comme je suis responsable de mon petit service, on ne me demande jamais de comptes au bureau lorsque je m'absente. Je vais essayer d'attraper un bus qui m'emmène directement là-bas et si tout va bien, je serai de retour vers six heures. Et vous, vous sentez-vous assez remise pour rester seule ?

— Ne vous faites pas de souci pour moi. Et merci pour tout, Michael. Vous avez été vraiment très gentil.

— J'ai toujours voulu l'être... Malheureusement, je ne suis pas arrivé à grand-chose. Plus d'une fois, j'ai eu l'impression que vous ne pouviez pas me voir en peinture.

Cette dernière remarque n'arracha même pas un sourire à Jinny car elle savait que Michael avait raison.

Il n'était pas loin de huit heures quand Michael revint enfin. En entrant dans l'appartement, au moment où il lâchait la valise de Jinny, il faillit tomber, tellement il était épuisé, et celle-ci dut avancer le bras pour le retenir.

— Vous n'auriez pas dû venir ce soir. Il est tellement tard. J'aurais très bien pu attendre demain.

— Le plus dur, ça a été le retour, expliqua Michael qui avait du mal à retrouver son souffle. J'ai d'abord pris un taxi pour déposer mes affaires chez moi. Ensuite, j'ai pris le bus, espérant qu'il m'emmènerait jusque chez vous. Mais, à cette heure-ci, il n'allait pas plus loin que la place du marché. J'ai donc fait le reste du trajet à pied.

Après avoir jeté un coup d'œil à sa propre valise, qui était déjà de belle taille, Jinny lui demanda :

— Comment avez-vous réussi à gagner la route principale en emportant vos affaires en plus des miennes ?

— Arthur m'a donné un coup de main. Vous n'auriez pas quelque chose à boire ? Un petit remontant, si vous voyez ce que je veux dire...

— Non, je suis désolée.

— Un café noir serait le bienvenu, dit Michael en se laissant tomber sur le divan en face du radiateur à gaz.

Jinny se rendit aussitôt à la cuisine pour lui préparer un café.

— Quelle soirée ! dit-il en tournant la tête en direction de la porte ouverte. Il n'y avait pas que dehors que le vent soufflait en tempête. A l'intérieur, ça bardait aussi. Nous avons failli en venir aux mains. Il m'a dit que c'était de ma faute. Vous ne l'avez pas raté, nom d'un chien ! Il a été obligé de se faire recoudre l'arcade sourcilière. Il paraît que son amie, ou l'amie de sa mère comme il l'appelle, voulait aller à la police pour porter plainte contre vous... Je lui ai dit qu'il aurait dû la laisser faire. Ça aurait fait une excellente histoire pour la feuille à scandales de Fellburn. C'est vrai que cet après-midi j'ai pris sa défense, mais c'était avant de le revoir. Ses explications pleurnichardes m'ont rendu malade. Je n'aurais jamais pensé qu'il se trouve autant d'excuses. Il a même essayé de me démontrer que ses visites au salon de coiffure n'avaient aucune espèce d'importance et que sa vie de famille était la seule qui comptait.

Michael se tut pendant quelques secondes, puis soudain il appela :

— Jinny !

Quand celle-ci apparut sur le seuil de la porte de la cuisine, il tourna la tête vers elle en lui disant :

— Il m'a juré ses grands dieux qu'il avait mis la situation au clair avec vous depuis le début.

— Quoi ! s'écria Jinny en s'avançant aussitôt dans la pièce. Que vous a-t-il dit ?

— Il m'a dit que la première fois qu'il était venu chez vous c'était pour vous remonter le moral parce que vous veniez de rompre avec un des acteurs de la troupe. Et il a ajouté que ce soir-là, il vous avait tout expliqué...

— Quel menteur ! s'écria Jinny. Croyez-vous que, si ça avait été le cas, je serais allée chez lui et je l'aurais laissé...

Elle s'interrompit soudain, puis hocha la tête d'un air scandalisé.

— La seule chose qu'il m'ait dite ce soir-là, c'est que sa mère lui manquait et qu'il avait absolument besoin de vivre en famille. Vous ne l'avez pas cru, j'espère ?

— Non, répondit Michael. Et je ne me suis pas gêné pour lui dire ce que je pensais de son attitude. Quoi qu'il en soit, cette histoire est finie. Et une autre commence, ajouta-t-il en regardant Jinny. Du moins, je l'espère...

Jinny fit aussitôt demi-tour et retourna dans la cuisine. Quand, quelques minutes plus tard, elle tendit une tasse de café à Michael, celui-ci lui proposa en tapotant le divan :

— Venez donc vous asseoir à côté de moi.

Jinny s'installa sur le divan, mais à bonne distance. Pendant une longue minute, ils restèrent tous les deux silencieux, puis Michael lui dit dans un murmure :

— Vous savez que je suis amoureux de vous, Jinny. Ça ne date pas d'aujourd'hui, mais de notre première rencontre. Je n'ai jamais pu vous en parler car chaque fois que nous avons discuté tous les deux, ça s'est terminé par une bagarre en règle. Au début, j'étais furieux contre vous car je croyais que vous faisiez exprès de fermer les yeux. Et puis un jour j'ai compris que vous étiez en réalité trop gentille pour penser du mal de lui. Quoi qu'il en soit, nous sommes maintenant tous les deux orphelins et...

— Je vous en prie, Michael...

— D'accord, je n'irai pas plus loin ce soir. La seule chose que je veux dire c'est que nous pourrions tenter l'aventure tous les deux. Je suis sûr que vous trouveriez ça satisfaisant. Car je vous aime, Jinny.

« Vous trouveriez ça satisfaisant... » Grand Dieu ! Pendant qu'il y était, pourquoi ne lui proposait-il pas carrément de coucher avec lui ?

— Excusez-moi, Jinny. Je n'aurais pas dû parler de ça. Je m'en vais maintenant.

Michael posa sa tasse de café, se leva du divan et enfila son manteau. Revenant alors vers Jinny, il lui prit les mains et, quand elle fut debout en face de lui, il ajouta en la regardant dans les yeux :

— Je peux vous rendre heureuse. Je suis sûr que j'en suis capable.

— Est-ce que vous me demandez d'être votre petite amie, Michael ?

Michael se mordit la lèvre, puis haussa les épaules d'un air fataliste.

— Si on décide de parler carrément, oui, c'est ce que je vous propose. Mais je vous ai dit aussi que je vous aimais et que je pouvais vous rendre heureuse. Je pense même que vous finirez par m'aimer... Je ne vous déplais pas vraiment, n'est-ce pas ?

— Non, Michael, vous ne me déplaisez pas.

— Ça n'est déjà pas mal. Quand quelqu'un vous plaît, c'est un bon début.

Jinny faillit lui demander : « Avez-vous déjà eu l'occasion d'en faire l'expérience ? » Mais elle n'avait qu'une envie : se débarrasser de lui le plus vite possible. Et ne plus jamais le revoir. Pour être tout à fait précise : ne plus revoir qui que ce soit qui lui rappelle Hal Campbell.

— Bonne nuit, Jinny. Je reviendrai demain soir à l'heure du dîner. D'accord ?

— D'accord.

Quand Michael se pencha pour l'embrasser, elle se recula aussitôt.

— Voilà encore une chose que je n'aurais pas dû faire ! s'écria Michael avec un sourire forcé. La prochaine fois, ça ira mieux. Hâtons-nous lentement, comme dit le proverbe. Bonne nuit, chère.

— Bonne nuit, Michael.

Après avoir refermé derrière lui, Jinny s'adossa à la porte et murmura pour elle-même : « Adieu, Michael. »

Puis elle revint dans le salon et se mit à réfléchir à toute allure. Il allait falloir qu'elle quitte cet appartement. Mais le bail qu'elle avait signé courait encore pendant un an. Le lendemain matin, elle allait donc demander à l'agence de sous-louer son appartement au mois. Et en attendant, elle chercherait un meublé. Ça risquait de lui coûter une petite fortune. Elle avait deux cent cinquante livres en banque. Pas de quoi tenir bien longtemps. Il fallait donc qu'elle retrouve du travail. Mais où habiterait-elle en attendant ?

Et soudain elle songea à sa cousine Nell. Elle avait toujours dit que ce serait la dernière personne au monde à qui elle demanderait quoi que ce soit. Mais il fallait bien qu'elle s'adresse à quelqu'un et elle ne connaissait personne d'autre. De toute façon, elle ne resterait chez elle que quelques jours, juste le temps d'y voir un peu clair dans sa situation actuelle. Grâce à l'appui de Peter, peut-être trouverait-elle du travail à Shields. A ce moment-là, elle n'aurait pas besoin de fournir un certificat de travail. Elle ne risquait rien en tout cas à leur passer un coup de fil.

Dans l'entrée commune se trouvait un téléphone public. Jinny appela sa cousine.

Lorsqu'elle entendit la voix de Nell à l'autre bout du fil, elle lui dit :

— C'est Jinny, Nell.

— Oui ?

— Jinny. Jinny Brownlow.

— Jinny ? Ah, Jinny... Ça me fait tout drôle de t'entendre. Où es-tu ?

— Toujours à Fellburn.

— Tout va bien ?

— Oui et... non. Je voulais savoir si je pouvais vous demander l'hospitalité pendant quelques jours.

Au lieu de répondre, Nell, dont le ton avait soudain changé, lui demanda :

— Est-ce que tu as des ennuis, Jinny ?

— Non, Nell. Pas le genre d'ennuis auxquels tu penses.

— Tant mieux ! répondit Nell qui semblait soulagée.

— Si je peux venir chez vous quelques jours, je t'expliquerai tout ça.

— Même si nous ne nous sommes pas vus depuis une éternité, ça nous fera très plaisir que tu viennes. Quand comptes-tu arriver ?

— Demain. Demain matin.

— D'accord, mon petit. Tu penses pouvoir arriver jusqu'ici malgré la neige ?

— Je me débrouillerai. Et merci mille fois, Nell !... Comment va Peter ?

— Toujours pareil. Il continue à aller au tribunal tous les jours pour y brutaliser de pauvres voleurs. Tu connais Peter, n'est-ce pas ?

— Oui, je le connais, répondit Jinny en souriant.

Son pauvre père avait l'habitude de l'appeler le Grand Chancelier d'Angleterre. C'était un homme calme et de petite taille. Mais dès qu'il se retrouvait au tribunal, il paraît qu'il devenait une véritable terreur. Le père de Jinny disait en riant qu'un de ces jours, il allait se tromper et réussir à prouver la culpabilité du juge.

Après avoir à nouveau remercié Nell, Jinny raccrocha et rentra dans son appartement. Elle commença par ranger ses vêtements dans une seconde valise, puis entassa, dans des cartons et une troisième valise, l'argenterie et les quelques objets de valeur que contenait l'appartement. Elle ferma valises et cartons et colla des étiquettes sur ces derniers afin de les mettre en dépôt le lendemain.

Il était près de minuit quand elle eut fini et elle alla se coucher. Elle eut quelques difficultés à s'endormir et avant de sombrer dans le sommeil, elle se demanda : « N'aurait-il pas été plus simple d'accepter tout de suite la proposition de Michael puisqu'il est plutôt sympathique et que tôt ou tard je ne pourrai plus résister ? Le mariage est complètement passé de mode, on vit en concubinage... »

Lorsque le réveil sonna, elle eut du mal à croire qu'elle avait dormi. Il était six heures et demie, il faisait chaud dans son lit et elle n'avait aucune envie de se lever. Elle avait le cœur gros et se sentait profondément malheureuse. La veille, elle était trop en colère pour verser une larme, mais maintenant elle avait terriblement envie de pleurer.

Au moment où elle sortait de son lit, elle se demanda : « Pourquoi ne pas rester ici et mettre Michael à la porte lorsqu'il viendra ce soir ? » Puis elle se souvint des pensées qu'elle avait eues juste avant de s'endormir et cela lui donna un coup de fouet.

Elle enfila sa robe de chambre, se précipita dans le salon pour allumer le radiateur puis, après avoir mis de l'eau à chauffer dans la cuisine, débarrassa un des placards de la vaisselle qu'il contenait, puis rangea le service de table de sa mère ainsi que son service à thé et une douzaine de beaux verres dans un autre placard qui, lui, fermait à clef.

A huit heures et demie, elle était prête à partir. Elle appela une station de taxis et demanda qu'on vienne la chercher chez elle à neuf heures. Le chauffeur qu'elle eut au bout du fil lui répondit qu'il ferait tout son possible et il arriva finalement chez elle à dix heures moins le quart. Il lui donna un coup de main pour transporter les cartons dans son taxi, puis l'emmena aux entrepôts Pickford où elle les laissa en dépôt. Ensuite, il la ramena à l'appartement pour y prendre ses valises. En voyant à quel point le chauffeur avait du mal à transporter la plus lourde de ses trois valises simplement de l'appartement au taxi, Jinny se dit que jamais elle n'arriverait à transporter toute seule ses bagages jusqu'au train. Au moment où il allait prendre la seconde valise, elle l'arrêta et lui dit :

— Je sais que je vous ai dit que je voulais aller à la gare. Mais est-ce que vous pourriez m'emmener jusqu'à Shields ?

— Pourquoi pas, mademoiselle ? A quel endroit désirez-vous aller exactement ?

— Tout en haut de Sunderland Road, à un endroit qui s'appelle La Lande.

— Je vois où c'est. Je connais très bien Shields. Quand j'étais môme, j'ai distribué des journaux là-bas. La seule chose qui pourrait nous arrêter, c'est l'état des routes. Mais je pense que les chasse-neige ont fait leur travail et que la route qui mène à Shields est entièrement dégagée.

Avant de fermer la porte, Jinny fit un dernier tour dans l'appartement en se disant que de toute façon, elle n'avait jamais été heureuse ici et qu'elle ne reviendrait pas y vivre. Dès que son bail serait terminé, elle déménagerait ses meubles. Peut-être même avant la fin du bail, si jamais elle trouvait un appartement à Shields... Cela lui rappela qu'il fallait qu'elle demande au chauffeur de taxi de s'arrêter à l'agence afin qu'elle s'arrange avec eux pour qu'ils sous-louent l'appartement.

Au moment où elle rejoignait le taxi, le soleil réussit à percer les nuages et son chauffeur lui dit en lui montrant le ciel :

— Regardez ! Ça y est, les beaux jours sont revenus.

Il se glissa derrière le volant et, tournant la tête vers Jinny, ajouta :

— Quand le soleil brille, il me semble qu'on supporte beaucoup plus de choses. La vie nous apparaît aussitôt sous un autre jour. Vous n'êtes pas de mon avis, mademoiselle ?

— Oui, on peut en effet voir les choses comme ça, répondit Jinny en pensant qu'il faudrait un peu plus qu'un rayon de soleil pour que sa vie lui apparaisse sous un jour différent.

Tandis que le taxi s'engageait dans la circulation de Fellburn, elle se dit que non seulement elle ne reviendrait pas dans cet appartement, mais qu'elle ne remettrait pas les pieds dans cette ville. « Rien de bon ne m'y est jamais arrivé », songea-t-elle.

Son père était mort à Fellburn, puis sa mère. Son premier amour était mort, il y avait quelques mois de ça. Puis Alicia Henderson et Yvonne étaient mortes dans cet accident de voiture. Quant à Bob Henderson, il était peut-être mort lui aussi à l'heure actuelle, pour autant qu'elle le savait. Et si elle conservait encore quelques illusions romantiques au sujet des hommes et de l'amour, elles étaient certainement mortes hier... Non, jamais plus elle ne remettrait les pieds dans cette ville ! Et pendant qu'elle y était, elle allait quitter le nord de l'Angleterre. Elle n'aurait aucun

mal à trouver un endroit plus agréable à vivre que Fellburn. Il n'y avait pas pire que cette ville ! Personne n'osait
plus sortir seul dans la rue le soir, les gens âgés se faisaient
assassiner par les jeunes et les hooligans saccageaient régulièrement la ville. Sans parler des grèves, des travailleurs au
noir et de ceux qui ne voulaient pas travailler du tout. Et il
y avait aussi des tas de garces du genre de Mlle Cadwell ou
de la secrétaire de Chris Waitland, sans compter ces
femmes entre deux âges qui, dans la troupe des Fellburn
Players, se battaient toutes griffes dehors pour ne pas vieillir.

Pourquoi n'avait-elle jamais fait attention à tout ça
avant ? Une chose était certaine : en cet instant, elle était
incapable de se montrer aimable avec qui que ce soit. Et
surtout pas avec le chauffeur de taxi qui se tournait à nouveau vers elle en lui expliquant :

— J'espère qu'il fera beau samedi prochain. Ce jour-là,
ma fille se marie. J'ai six enfants et c'est elle l'aînée. Elle doit
se marier à l'église. Ce matin d'ailleurs je lui ai dit : « Prie le
Bon Dieu pour que le pasteur ne se mette pas en grève,
parce que, alors, ce serait le bouquet... »

« Encore une qui se marie à l'église ! songea Jinny. Elle
ne doit pas y avoir mis les pieds depuis qu'elle a été baptisée
et il y a de grandes chances qu'elle soit enceinte jusqu'aux
yeux... »

Mon Dieu ! Comme elle aurait aimé cesser de penser des
choses pareilles ! Non, elle n'allait pas se mettre à pleurer,
pas devant cet homme.

— Ça va, mademoiselle ? lui demanda le chauffeur après
lui avoir jeté un coup d'œil dans le rétroviseur.

Incapable de répondre, Jinny porta la main à sa gorge.

— Vous avez l'air bouleversé, reprit le chauffeur. J'espère que ce n'est pas à cause de ce que je viens de vous dire.
Je ne peux pas m'empêcher de parler. Ma femme m'a toujours dit que j'étais bavard comme une pie. Et plus j'ai de

soucis, plus je parle. Vous comprenez, mademoiselle, ma
fille va se marier cette semaine mais... sa mère est à l'hôpital
et j'ai l'impression qu'elle n'en sortira pas. Quand je parle
avec les clients et que je plaisante, ça me permet d'oublier
un peu tout ça.

— Je suis affreusement désolée, répondit Jinny en battant des paupières pour refouler ses larmes. Ce n'est pas ce
que vous venez de dire qui m'a bouleversée, ça n'a rien à
voir. Vous pouvez continuer à parler, je vous en prie...

Mais le chauffeur n'avait plus grand-chose à dire et
durant le reste du trajet sa conversation fut plutôt décou-
sue.

Lorsqu'il eut déposé les bagages de Jinny dans l'entrée
de l'immense maison des Dudley, celle-ci le remercia cha-
leureusement et lui dit qu'elle espérait que la santé de sa
femme allait s'améliorer.

Dès qu'il eut refermé la porte derrière lui, elle s'effondra
en larmes dans les bras de Nell.

— Viens t'asseoir, mon petit, lui proposa sa cousine. Et
dis-moi ce qui t'arrive.

Incapable de répondre à sa question, Jinny ne put que
dire :

— C'est vraiment un type bien, ce chauffeur de taxi. Sa
fille va se marier samedi et sa femme est en train de mourir
d'un cancer à l'hôpital. Et pourtant, ça ne l'empêche pas de
garder le moral.

4

Cela faisait maintenant six semaines que Jinny habitait chez Nell et Peter Dudley. Elle savait qu'ils étaient ravis de la recevoir et elle s'entendait parfaitement avec ses cousins. Il n'y avait qu'un point sur lequel ils n'arrivaient pas à tomber d'accord tous les trois : les Dudley avaient décrété que Jinny devait se marier et lui avaient déjà présenté son futur époux. Il s'agissait de George Mayborough, un des associés de Peter. Il possédait une magnifique maison, deux fois plus grande que la leur. Ce qui n'était pas peu dire puisque la maison des Dudley comptait déjà dix pièces et possédait sur l'arrière un merveilleux jardin, où trônait une fontaine. Mais la maison de George Mayborough était située tout près de Sunderland, au milieu d'un demi-hectare de terre et avait vue sur la mer. La femme de George était décédée deux ans plus tôt et il était prêt à la remplacer, à condition que sa nouvelle épouse accepte de vivre parmi les meubles que la défunte avait choisis et qu'elle s'accommode de la décoration existante.

L'attitude de George Mayborough amusait beaucoup Jinny. Elle avait été invitée deux fois à dîner chez lui et, la seconde fois, elle avait eu droit à une visite organisée de la maison, assortie d'un long commentaire au cours duquel George lui avait expliqué pourquoi telle armoire se trouvait dans telle pièce et à quel moment exactement il avait décidé d'agrandir la seconde chambre d'ami. En outre, il avait profité de cette visite pour lui indiquer le prix de la plupart des meubles de la maison, au moment de leur achat, et pour le comparer au prix que ces mêmes meubles lui coûteraient aujourd'hui.

A quarante-trois ans, George Mayborough était grand et lourd, et de tempérament flegmatique. Peter avait dit de lui un jour : « Ce bon vieux George est vraiment quelqu'un de sérieux. Des types, comme lui, sur qui on puisse compter en cas de coup dur, on n'en trouve plus de nos jours. Je suis sûr que la plupart des femmes seraient prêtes à donner n'importe quoi pour avoir ce genre d'homme comme mari. »

Jinny était maintenant si à l'aise avec Nell et Peter Dudley qu'elle pouvait se permettre de plaisanter au sujet de leur ami George. Aussi avait-elle répondu à Peter :

— Contrairement à la plupart des femmes, moi, je ne suis pas prête à donner quoi que ce soit pour l'avoir comme mari.

Nell, toujours aussi démonstrative, avait alors dit, en lui donnant une grande claque dans le dos :

— Pour un type comme George, tu serais parfaite, voilà ce que je disais hier soir à Peter. Tu as réponse à tout et, flegmatique comme il est, il a besoin d'une femme qui lui secoue les puces.

— Alors comme ça, tu veux te débarrasser de moi ! s'était écriée Jinny en riant.

— Nous aimerions simplement que tu sois heureuse, mon petit, lui avait répondu Nell, en cessant soudain de plaisanter. D'après ce que tu nous as raconté, tu en as vu de toutes les couleurs et ça nous ferait plaisir si tu trouvais un bon parti.

Jinny ne leur avait en effet rien caché. Elle leur avait raconté en détail ce qui lui était arrivé depuis la mort de sa

mère et leur avait expliqué les raisons de sa venue chez eux.
A cette occasion, elle avait découvert que Nell voyait exactement les choses comme elle.

— La vie étant ce qu'elle est, lui avait-elle dit, un jour ou
l'autre tu n'auras plus la force de résister aux violeurs
patentés. Que penses-tu de ce terme? avait-elle ajouté en
éclatant de rire. Les violeurs patentés? Il faudra que je
dépose le copyright...

Jinny trouvait Nell de plus en plus sympathique et elle
appréciait que sa cousine ait réussi à lui remonter le moral.
Elle en venait à se demander pourquoi elle n'avait pas eu de
relations suivies avec ses cousins avant de venir habiter chez
eux. C'était certainement à cause de ce que lui disait sa
mère : aux yeux de Mme Brownlow, Nell était un petit peu
vulgaire et elle avait bien de la chance d'avoir décroché un
mari avocat. Nell, de son côté, n'avait fait aucun effort pour
se rapprocher de la famille Brownlow. Elle avait avoué à
Jinny que sa cousine l'intimidait et qu'elle était un peu
jalouse d'elle, car elle n'avait jamais pu avoir d'enfant.

Bien que merveilleusement logée, parfaitement nourrie
et divertie à longueur de journée par l'intarissable Nell,
Jinny finissait par s'ennuyer un peu. Elle attendait donc
avec impatience le jour où elle allait recommencer à travailler. La secrétaire du troisième associé de Peter devait
partir en Australie avec sa famille dans dix jours et c'est elle
qui allait la remplacer. Comme avait dit Peter, ce départ
tombait vraiment à pic. L'avenir de Jinny était assuré.

Mais en ce premier vendredi d'avril, l'idylle, dont Nell et
Peter Dudley avaient lancé les bases dans le seul but d'assurer
le bonheur de Jinny, tomba soudain à l'eau. Et cet incident fut
aussitôt suivi par l'arrivée d'une lettre qui allait modifier le
cours de la vie de Jinny — pour le meilleur et pour le pire.

Chaque vendredi soir, Peter se rendait à son club de
bridge et Nell, de son côté, invitait trois amis et organisait
un bridge chez elle. Jinny aimait la canasta et les échecs,

mais n'aimait pas le bridge. Le vendredi soir, elle se contentait donc de regarder, servait le café et, quand la partie se terminait tôt, jouait quelques morceaux au piano pour les invités.

Mais ce vendredi-là, Nell fut très étonnée d'entendre Peter rentrer bien avant que ses invités soient partis. Habituellement, il ne rentrait jamais avant onze heures alors que ce soir, il était à peine dix heures. Il avait dû se passer quelque chose au club. D'ailleurs, dès qu'elle eut refermé la porte derrière ses invités, Peter lui annonça, l'air catastrophé :

— George.

— Qu'est-ce qui ne va pas avec George ? demanda Nell aussitôt.

— A partir de maintenant et à mes yeux : tout ! répondit Peter. Tu as bien eu raison de ne pas fonder d'espoirs sur lui, ajouta-t-il en regardant Jinny. J'ai encore du mal à le croire.

— A croire quoi ? intervint Nell. Allez, mets-toi à table ! Présente ton affaire ! lui intima-t-elle en riant. Appelle tes témoins ! Et je peux t'assurer, mon cher Maître, que quoi qu'ait pu faire ce vieux George, tu n'arriveras pas à le faire coffrer.

— Je n'en suis pas aussi sûr que toi.

Le sourire de Nell s'effaça aussitôt.

— C'est si grave que ça ?

— Oui.

— Qu'a-t-il fait ?

— Il s'est bien foutu de nous, voilà ce qu'il a fait ! s'écria Peter. Et elle, ajouta-t-il en montrant Jinny, il l'a menée en bateau.

— Non, Peter ! intervint Jinny en hochant la tête. Quoi que George ait pu faire, il ne m'a certainement pas menée en bateau. Comme dirait Nell, lui et moi, nous n'avons jamais quitté le port.

— Vide ton sac ! lui ordonna Nell. Qu'est-il arrivé ? Je ne t'ai jamais vu comme ça. Pas en ce qui concerne George, en tout cas...

— Ça montre bien que, lorsqu'on croit connaître les gens, on se trompe lourdement. En tant qu'avocat, on est censé connaître la nature humaine comme le fond de sa poche. On a appris à lire sur les visages toute la gamme des émotions humaines. Rien ne nous échappe : une contraction des muscles de la mâchoire, un clignement de paupière, la légère moue d'une bouche, la manière dont une femme remue les mains quand elle parle. Pour nous, c'est aussi clair que si c'était écrit dans un livre. C'est pourquoi je croyais connaître George de A jusqu'à Z. Mais, j'avais oublié quelque chose. Oui ! J'avais oublié quelque chose : que n'importe quel livre a toujours une couverture. Et, dans le cas de George, comme la couverture me plaisait, je me suis fait avoir : je n'ai pas pris la peine d'aller plus loin et d'ouvrir le livre. Ah, le salaud, il m'a bien eu ! Tu ne sais pas ce qu'il a raconté ce soir ?

— Non, toujours pas ! J'attends patiemment que tu me le dises. Et éteins cette cigarette. C'est la quatrième que tu fumes depuis que tu es rentré. A ce rythme-là, ton salaire n'y suffira pas.

Peter éteignit sa cigarette, puis il dit en regardant Jinny :

— Il m'a pris à part pour me parler de Lola, son ancienne femme. Il a commencé par me dire qu'elle lui manquait terriblement. Je lui ai répondu que c'était normal. Alors il s'est mis à m'expliquer que c'était vraiment une femme merveilleuse...

— Une femme merveilleuse, tu parles ! le coupa Nell. C'était une sacrée garce, oui !

— Je sais bien ! Et lui aussi, il le sait. C'est pour ça que j'espérais qu'il allait se remarier avec quelqu'un de différent, continua Peter en jetant un coup d'œil à Jinny. Mais lui, il a préféré renverser les rôles. Il m'a dit que jamais il ne pourrait remplacer Lola par une autre femme et qu'il s'était juré de ne pas se remarier. Mais tu vas voir la suite, ajouta-t-il en agitant le doigt en direction de sa femme. Comme il ne va pas se remarier, il a décidé d'avoir une petite amie. Oui! Notre cher George, si calme et si tranquille, et qui va à l'église tous les dimanches, a décidé d'avoir une petite amie. Il lui a déjà trouvé une maison dans Sunderland, pas trop loin de chez lui, mais pas trop près non plus. Il m'a même dit son âge. Elle a une vingtaine d'années. Comme toi, Jinny...

— Quel sale faux jeton!

Pour Jinny, c'en était trop. Cette épithète lui rappelait tellement Bob Henderson et Nell avait l'air si outrée qu'elle éclata de rire. Elle continua d'ailleurs à rire jusqu'à ce que les larmes lui viennent aux yeux. Depuis quelque temps, elle avait retrouvé sa bonne humeur et elle attribuait ça à la présence revigorante de sa cousine.

Celle-ci éclata de rire à son tour. Seul Peter ne semblait pas apprécier la plaisanterie. Il se dirigea vers le bar, se servit un whisky bien tassé et l'avala d'un trait.

— Moi, ça ne me fait pas rire, dit-il en se tournant vers elles. George est un ami de toujours et en plus, il va falloir que je continue à travailler avec lui. Il nous a pris pour des imbéciles. Il aurait pu se douter que nous allions plutôt mal réagir. Il s'en doutait, d'ailleurs! C'est pour ça qu'il a craché le morceau ce soir. Mais pourquoi ne l'a-t-il pas fait avant? En tout cas, entre lui et moi, c'est fini, et bien fini.

— Ce n'est pas de sa faute, Peter! intervint Jinny en s'essuyant les yeux. De toute façon, je ne l'aurais jamais épousé. Je ne pouvais pas m'imaginer en train de vivre jour après jour avec un homme comme George. Je serais devenue un vrai fossile ou alors complètement folle à force de vivre dans les meubles de Lola. Je savais qu'il n'avait pas l'intention de changer quoi que ce soit à l'ameublement à cause du prix que cela lui avait coûté. Tu te souviens du montant exact, Nell?

Jinny regarda sa cousine d'un air malicieux. Mais celle-ci ne s'en aperçut pas car elle était plongée dans ses pensées. Et soudain elle s'écria :

— Sunderland ! Je vais me débrouiller pour savoir qui c'est. Et quand je saurai, je vous prie de croire que je vais l'enquiquiner notre cher George ! Je vais lui fiche une peur bleue à ce vieux cochon !

« Ah, les femmes ! », se dit Jinny. L'adorable Nell n'allait pas hésiter à faire chanter George, en quelque sorte, pour la simple raison qu'il avait contrecarré ses plans.

Une demi-heure plus tard, au moment de s'endormir, elle repensa à ce qu'avait dit Peter : « Elle a une vingtaine d'années. Comme toi, Jinny... » Elle se demanda si cette fille avait succombé à la tentation tout d'un coup ou si elle avait commencé à sortir avec des hommes alors qu'elle était encore au lycée. Longtemps cette question l'empêcha de dormir et elle finit par se dire qu'elle était peut-être une parfaite idiote.

La lettre arriva au courrier de huit heures le lendemain matin. Elle venait de l'agent immobilier de Fellburn à qui Jinny avait confié son appartement. Quand elle eut ouvert l'enveloppe, elle s'aperçut qu'elle contenait une lettre de l'agence et une seconde enveloppe, qui était arrivée à son appartement et qu'on lui faisait suivre.

Elle commença par lire le courrier de l'agence et, arrivée à la moitié de la lettre, s'écria soudain :

— Non, ce n'est pas possible !

Nell, qui était attablée devant le petit déjeuner qu'avait préparé Mme Bayley, la femme de charge, lui demanda aussitôt :

— Qu'y a-t-il ?

— Je n'arrive pas y croire, répondit Jinny en tendant la lettre à Peter.

Puis, se tournant vers sa cousine, elle lui expliqua :

— Ils ont emporté tout ce qu'il y avait dans l'appartement.

L'agent immobilier me dit que ce couple a dû faire ça peu après avoir emménagé chez moi. Au début du mois d'avril, comme ils n'avaient pas payé le second mois de loyer, il est venu voir sur place. La première fois, il n'y avait personne et la seconde fois, en voyant que les rideaux étaient toujours tirés, il a forcé la porte de derrière et est entré dans l'appartement. Il paraît qu'à part les rideaux, ils n'ont rien laissé. Ils ont même forcé le placard mural dans lequel j'avais enfermé la vaisselle. Ils ont tout pris. Tout.

— Grand Dieu ! s'écria Nell. Et ta mère qui avait de si belles choses.

— Ce genre de choses arrive très souvent, expliqua Peter qui venait de lire la lettre. Je m'occupe d'une affaire comme ça actuellement. Quand mes clients sont revenus de vacances, les gens avaient même emporté les lustres et les appliques. Est-ce que tu es assurée au moins ?

— J'ai une assurance qui couvre le mobilier. Pas très élevée malgré tout. La même que celle que ma mère payait. Elle s'était surtout assurée à cause du secrétaire. C'était une pièce assez rare, car il était décoré par Verni Martin. Et il y avait une vitrine assortie. C'étaient les deux seuls meubles anciens. Mais j'y tenais tellement... j'ai encore du mal à y croire !

— Quelle plaie que tous ces gens malhonnêtes ! s'écria Nell. Ils voleraient n'importe quoi. L'autre jour, j'ai eu le malheur de laisser un balai dehors. Deux minutes plus tard, quand je suis revenue, il n'y était plus. Évidemment, il n'y avait âme qui vive dans la rue.

— Laisse-moi cette lettre, proposa Peter. Je vais prendre contact avec l'agence et avec la compagnie d'assurances. Est-ce qu'il y avait eu un inventaire de tes meubles ?

— Pas à ma connaissance, répondit Jinny. Mais je serais capable de décrire dans le détail tout ce que contenait l'appartement.

Elle ouvrit alors la lettre que lui avait réexpédiée l'agence et commença à la lire. Elle se mit à respirer plus vite, comme si soudain elle étouffait. Mais, cette fois-ci, c'était la joie qui l'étouffait. Et, pour finir, elle brandit la lettre sous les yeux de ses cousins en disant :

— C'est John, le fils de M. Henderson, qui m'a écrit. Il me dit que son père est maintenant rentré chez lui et qu'il veut me voir. S'il a demandé à me voir, c'est qu'il ne doit pas être trop mal en point. Oh, mon Dieu ! s'écria-t-elle soudain en jetant un nouveau coup d'œil à la lettre. Ce courrier a dû arriver à l'appartement il y a plus de quinze jours, car la lettre a été écrite le mois dernier. Il faut absolument que j'y aille ! Je serais tellement heureuse de le revoir en vie. Franchement, je pensais qu'il ne s'en sortirait pas.

— Quel âge a-t-il ?

— Qui ?

— M. Henderson, ton ancien patron.

— La cinquantaine, répondit Jinny.

— Et son fils ?

Jinny baissa les yeux, l'air soudain gênée.

— Une vingtaine d'années, dit-elle, plus pour elle-même que pour sa cousine.

Puis elle ajouta, cette fois en regardant Nell :

— Il ne vit plus chez ses parents. Il a pris un appartement avec sa petite amie. Je vais téléphoner à la gare pour connaître les horaires du train.

— Ne t'inquiète pas pour les horaires, conseilla Nell. Nous allons t'accompagner là-bas.

— Je ne veux pas vous embêter avec ça.

— Ne sois pas idiote ! intervint Nell en la menaçant du doigt. Une balade ne nous fera pas de mal. Nous sommes au mois d'avril, le printemps est là, profitons-en ! En plus, j'aimerais bien voir comment vivent ces gens chic et cette magnifique maison dont tu nous as tellement parlé.

— Tu risques d'être déçue, lui dit Jinny. Ta maison n'a rien à envier à la leur. Quant à Peter, il risque d'être un peu choqué par le langage de mon patron.

Peter ne jurait presque jamais et les rares fois où il disait merde, il s'excusait aussitôt. Le fait que le langage de sa femme soit nettement plus coloré que le sien ne semblait pourtant pas le gêner.

— J'ai l'impression que ton patron va me plaire, dit Nell. Allons nous préparer. La journée risque d'être intéressante.

— Il y a longtemps que je n'ai pas été aussi heureuse ! lança Jinny en se précipitant dans l'escalier. S'il me demande de venir, c'est qu'il doit aller mieux.

TROISIÈME PARTIE

1

— Si vous remettez encore une fois cet édredon à sa place, je vous donne ma parole que je me lève et que je vous flanque dehors à coups de pied dans les fesses !

— Allons, allons, monsieur Henderson !

— Arrêtez de me dire : Allons, allons... ! Je ne suis pas un bébé au sein !

— Vraiment, de toute ma...

— Je sais ! De toute votre longue carrière, vous n'avez encore jamais eu affaire à quelqu'un comme moi. Eh bien justement, vous devriez considérer ça comme un véritable privilège. Je dirais même que vous êtes une sacrée veinarde.

L'infirmière prit une longue inspiration, ce qui eut pour résultat d'accroître encore le volume de son opulente poitrine. Puis elle jeta à son malade, prostré au fond de son lit, un regard dénué de toute sympathie. Elle en avait par-dessus la tête de cet homme grossier, terriblement ingrat et si imbu de lui-même qu'il ne pouvait pas comprendre qu'il n'était pas le seul au monde à avoir eu un accident de voiture qui l'avait rendu pratiquement impotent. Depuis quinze jours qu'elle s'occupait de lui, combien de fois avait-elle souhaité qu'il soit aussi paralysé de la langue ! D'accord, elle était bien payée, mais ce n'était pas une raison pour se faire insulter à longueur de journée. Elle allait d'ailleurs en parler au Dr Turner à sa prochaine visite.

Elle allait quitter la chambre quand Florence poussa la porte. En voyant la tête que faisait l'infirmière, elle comprit tout de suite que son père avait, selon son expression, remis ça.

— Comment allons-nous ce matin ? demanda-t-elle en s'avançant vers le lit.

— Ce matin, nous n'allons pas très bien, Florence. Nous sommes de mauvaise humeur, car nous ne supportons pas qu'on nous retourne dans notre lit, qu'on nous talque les fesses et qu'on nous donne une fessée. Et, pendant que nous y sommes, comme je ne suis pas encore une altesse royale, tu peux peut-être abandonner le « nous » et recommencer à m'appeler « père ».

Comme l'infirmière un peu plus tôt, Florence prit une longue inspiration, puis elle fit remarquer à son père :

— Elle est là pour s'occuper de toi et elle s'acquitte de sa tâche le mieux possible.

— Même si c'est le cas, à mes yeux, elle reste une étrangère. Alors que j'ai trois filles mariées qui auraient peut-être pu venir s'occuper de moi, chacune à tour de rôle. Je ne parle pas de Lucy, car c'est encore une gamine...

— Père, nous en avons déjà parlé plusieurs fois. Je ne peux tout de même pas abandonner mes trois enfants. Si tu voulais bien te montrer raisonnable et te mettre à ma place pour une fois, peut-être trouverions-nous une solution pour que je puisse m'occuper de toi.

— Et en contrepartie, il faudrait que je fasse rentrer Ronnie à l'usine, n'est-ce pas ?

— Il est très bon en affaires...

— Veux-tu te taire ! Ton Ronnie n'est bon à rien. Si son vieux n'était pas là, il ne serait même pas capable de garder le malheureux job qu'il a actuellement. En dehors de l'épicerie, il ne connaît rien à rien. Alors, au nom du ciel, comment veux-tu qu'il travaille dans une entreprise comme la nôtre ! Imagine-le assis, toute la journée, derrière un bureau et en train de dicter des lettres à une sténo ! Non, Florence, il en est absolument incapable ! Tu peux d'ailleurs le lui dire de ma part. Si tu voulais épouser un homme d'affaires, ce n'est pas avec lui qu'il fallait te marier, tu savais très bien qu'il appartenait à une famille où on fait le commerce des fruits, un point c'est tout. Mais je sais ce que tu as derrière la tête. Bien sûr, que je le sais !

S'interrompant soudain, il remua la tête sur l'oreiller, puis sortit sa main gauche de dessous l'édredon et tenta vainement de la rapprocher de sa nuque douloureuse. Cet effort lui coupa le souffle et il attendit de respirer à nouveau normalement, avant de reprendre :

— Quand son vieux va claquer, il ne va pas lui laisser grand-chose. C'est pour ça qu'il a envie de faire son trou à l'usine. Surtout maintenant. Il doit se dire que je n'en ai plus pour longtemps avant d'abandonner la direction de l'affaire et qu'alors...

— Comment oses-tu me dire des choses pareilles !

— Si je dis ça, c'est parce que je sais que c'est vrai, mon petit, et aussi parce que les choses ont bien changé. On me traite comme si j'étais soudain devenu débile. Même si je ne peux plus bouger, mon esprit fonctionne parfaitement. Et il y a aussi autre chose que je ne supporte pas : depuis l'accident, vous n'avez plus jamais parlé de votre mère devant moi. Elle aurait pu tout aussi bien n'avoir jamais vécu.

— Si nous ne parlons pas d'elle, c'est que nous avons peur de te faire de la peine. Et je vais te dire une bonne chose : à ce train-là, plus personne ne voudra rester avec toi. Lucy a une peur bleue de toi et, à voir la tête qu'elle faisait quand je suis entrée, l'infirmière Lasting n'a plus qu'une hâte, c'est de plier bagage. Autre chose, pendant que j'y suis, puisque tu es capable de donner des leçons aux autres, tu dois pouvoir en recevoir, alors ne te fais pas

d'illusions : tu ne garderas pas John longtemps. Tu t'ima-
gines qu'il est revenu à la maison pour de bon, n'est-ce
pas ? Mais moi, je le connais : à la première occasion il s'en
ira de nouveau. Je suis même étonnée qu'il ait pu supporter
ça aussi longtemps. Vous ne vous êtes jamais entendus et ne
vous entendrez jamais. Je tiens à te dire une dernière chose
avant de partir : le jour n'est pas loin où tu ne seras que
trop content d'accepter les services de Ronnie. Car il n'y a
aucune chance que Nellie et Bill quittent Jersey pour venir
s'installer ici. Quant à Monica, comme elle est déjà incapable de s'occuper de sa maison et de ses enfants et qu'il lui
faut une nurse et deux femmes de ménage, ça m'étonnerait
fort qu'elle s'occupe de toi... Oui, vraiment ! Et maintenant,
je m'en vais. Si tu as besoin de moi, il y a toujours le téléphone.

Dès que Florence fut sortie en claquant la porte, Bob
Henderson ferma les yeux et murmura à haute voix :
« Mon Dieu ! » Puis, rouvrant aussitôt les yeux, il regarda le
plafond et demanda : « Pourquoi m'est-il arrivé une chose
pareille ? Oui, pourquoi ? »

Qu'avait-il fait pour mériter une telle punition ? D'accord, il n'avait jamais mâché ses mots ! Mais c'était bien tout
ce qu'on pouvait lui reprocher. Il avait toujours aidé sans
compter ceux qui en avaient le plus besoin et le plus
souvent d'une manière anonyme. Et pour le reste, il avait
travaillé seize heures par jour, à longueur d'année, pour
faire marcher son affaire. A l'origine, c'était Garbrook qui
avait fourni les capitaux et lui, il apportait sa force de travail. Mais quand le père d'Alicia était mort, ils avaient
hérité une somme rondelette qu'ils avaient investie en tota-
lité dans l'affaire. Et à partir de ce moment-là, leur situation
s'était stabilisée. Depuis l'accident, il avait l'impression
d'être complètement coupé du monde extérieur. Personne
ne voulait plus rien lui dire. Les seules informations qui lui
parvenaient encore étaient celles qu'il suivait à la télévision.

Et d'après les actualités, ça avait l'air d'aller plutôt mal dans les aciéries. Et si ça allait mal dans les aciéries, ça ne devait pas aller très fort chez eux. Pour la bonne raison qu'avant de fabriquer quoi que ce soit, il faut de la matière première. Et même lorsqu'on a la matière première, il faut des débouchés. Et il n'y avait personne à l'usine qui soit aussi capable que Glen de décrocher des marchés. Ce pauvre Glen! Si Bob Henderson avait pu, il aurait bien échangé sa place contre la sienne. Si Glen n'avait été que paralysé, il aurait pu continuer à travailler. Malheureusement, dans son cas, c'est le cerveau qui avait été touché. John était allé le voir à l'hôpital et il lui tardait d'avoir des nouvelles.

Bob Henderson redressa la tête et laissa son regard errer dans la chambre. Cette pièce qu'il avait trouvée si belle, pour la simple raison que c'était Alicia qui l'avait décorée, lui semblait aujourd'hui une horrible cage.

Sa respiration s'accéléra soudain. Si seulement quelqu'un pouvait pousser la porte et entrer dans la chambre, juste pour lui dire un mot. Peut-être cette sensation d'étouffement prendrait-elle fin? Pourquoi l'intérieur de son corps était-il toujours aussi vivant alors que ses membres ne lui obéissaient plus? Pourquoi? Oui. Pourquoi? Grand Dieu! Il n'allait pas tarder à devenir complètement fou. Si jamais il arrivait à mettre la main sur ces fichues pastilles qu'on lui donnait pour dormir, il allait en finir une fois pour toutes. Oui, c'est ce qu'il allait faire.

Quand l'infirmière revint dans la chambre, il faillit lui dire : « Je suis désolé de vous avoir vexée. » Mais il y renonça, car il n'était nullement désolé. Il n'aimait pas cette femme. Malgré tout, lorsqu'elle était là, ça faisait au moins un peu de mouvement et il l'observa tandis qu'elle allait et venait entre la chambre et la salle de bains.

Lorsqu'elle eut terminé, elle s'approcha de son lit et lui demanda sèchement :

— Vous voulez du café ou du thé?

— Un café noir, s'il vous plaît.

A peine venait-elle de sortir que la porte s'ouvrit à nouveau. Cette fois-ci, c'était Dorry. Elle courait presque en s'approchant du lit.

— Il y a quelqu'un qui demande à vous voir, annonça-t-elle aussitôt.

— Ah bon... Qui est-ce ?

— La personne à qui vous avez demandé de venir, répondit Dorry avec un grand sourire. Votre secrétaire, Mlle Brownlow.

— Non ! Où est-elle ? Dépêchez-vous de la faire monter, Dorry. Vite !

Quand Jinny pénétra dans la chambre, Bob Henderson souleva la tête de l'oreiller. Elle s'approcha aussitôt du lit et serra dans la sienne sa main qu'il avait retirée de dessous l'édredon. Elle avait la gorge si serrée qu'elle aurait été incapable d'articuler un mot et se contenta de le regarder.

C'est lui qui, le premier, rompit le silence.

— Ah, mon petit, je suis tellement content de vous voir ! Où étiez-vous ? Pourquoi n'êtes-vous pas venue me voir avant ? J'ai d'abord envoyé quelqu'un chez vous, puis j'ai demandé à John de vous écrire. Où donc étiez-vous ?

— C'est une longue histoire. Je vous expliquerai tout ça plus tard... Je n'ai reçu votre lettre que ce matin.

— Ce matin seulement, dit-il en se passant la langue sur les lèvres. Mais asseyez-vous, mon petit.

Jinny lui lâcha la main pour aller chercher une chaise qu'elle approcha du lit. Puis, quand elle fut assise à côté de lui, elle lui reprit la main.

— Ça me fait tellement plaisir de vous voir !

— Et moi, alors ! renchérit Bob Henderson en battant des paupières, ce qui n'empêcha pas deux grosses larmes de couler le long de ses joues. Avez-vous déjà vu une chose pareille ? demanda-t-il d'une voix enrouée par l'émotion. Deux vies fauchées comme ça, d'un coup ! La seconde d'avant, elles plaisantaient, et celle d'après, elles étaient mortes toutes les deux. Nous ignorons toujours le malheur qui va nous frapper. Ah, mon petit, pardonnez-moi !

Bob Henderson détourna la tête. Jinny sortit un mouchoir de sa poche et se pencha vers lui pour essuyer ses joues humides. Quand il la regarda à nouveau, elle eut presque du mal à le reconnaître, tellement ses propres larmes lui brouillaient la vue.

— Comment va Glen ? demanda-t-elle après s'être essuyé les yeux.

— Ça va mal, mon petit. Lui, c'est l'arrière du crâne qui a tout pris. Il est dans un service médical à Newcastle. On l'a réopéré jeudi. John est allé là-bas aujourd'hui pour savoir comment s'était passée l'opération. Il ne devrait pas tarder à rentrer. Et vous, que devenez-vous ? Vous avez quitté Fellburn, si j'ai bien compris. Alors que faites-vous maintenant ?

— Rien pour l'instant. Théoriquement, je dois recommencer à travailler lundi de la semaine prochaine. J'habite chez ma cousine depuis plusieurs semaines. C'est d'ailleurs pour ça que je n'ai pas reçu votre lettre et que je ne savais pas que vous vouliez me voir. J'ai essayé plusieurs fois de vous rendre visite à l'hôpital mais... vous étiez trop malade à l'époque.

— Vous me dites, Jinny, que vous n'avez pas encore recommencé à travailler... commença-t-il — et Jinny sentit que sa main, qu'elle tenait toujours, appuyait légèrement sur la sienne. Voulez-vous revenir ? Je veux dire : il y a beaucoup de choses que vous pourriez faire. Je veux savoir ce qui se passe et j'ai tellement besoin de quelqu'un avec qui parler. Personne ne parle plus d'Alicia et cette infirmière me tape sur le système. Quant à Florrie, je me suis encore engueulé avec elle ce matin... Rien ne va plus ! Et quand je dis ça, je suis encore loin du compte. J'ai l'impression que mon univers s'est complètement désintégré ! La seule chose positive dans tout ça, c'est que John soit revenu à la maison. Mais son retour nous a coûté drôlement cher : deux morts, un brillant garçon privé de ses facultés mentales, et un homme qui ne vaut plus rien.

— Qui ne vaut plus rien ? Que voulez-vous dire ? Une chose est sûre : vous n'avez pas perdu votre langue. Et si j'en crois ce que j'ai entendu en bas en arrivant, vous êtes même encore pis qu'avant. N'oubliez pas que certains hommes illustres étaient paralysés et que ça ne les a pas empêchés de faire ce qu'ils avaient à faire. Je pense en particulier au président Roosevelt : le fait de se retrouver dans un fauteuil roulant ne l'a pas empêché de faire la guerre... et même l'amour.

— Oui, mais comme vous dites, mon petit, il était dans un fauteuil roulant. Tandis que moi, je suis paralysé depuis la nuque jusqu'aux pieds...

Jinny le regarda quelques secondes sans parler. Puis elle lui dit :

— Vous pouvez malgré tout bouger cette main.

— Exact.

— Avez-vous essayé de bouger l'autre ?

— Si vous saviez ce qu'ils m'ont fait à l'hôpital ! Ils ont tout essayé : j'ai été examiné sous toutes les coutures, tâté, sondé. Mais il n'y a rien à faire. Oublions ça... Et dites-moi plutôt si vous accepteriez de revenir ?

— Moi, revenir ! s'écria Jinny en approchant son visage du sien. Pour que vous recommenciez à me persécuter à longueur de journée, pour vous entendre jurer, maudire le ciel, et ne jamais avoir un mot de remerciement... Vous plaisantez ou quoi ?

Puis se reculant soudain, elle lui annonça avec un grand sourire :

— Considérez que mon salaire démarre à partir d'aujourd'hui et n'oubliez pas que les heures que je ferai pendant le week-end me seront payées double.

— Ah, Jinny! s'exclama Bob Henderson. Ah, mon petit!
Si vous saviez comme ça me fait du bien de vous revoir.

— Moi aussi, ça me fait du bien, avoua Jinny, la gorge
nouée par l'émotion. Maintenant il va falloir que j'aille
rejoindre ma cousine et mon cousin, qui m'attendent en
bas, expliqua-t-elle. C'est chez eux que j'habitais à Shields.
Ils ont été très bons pour moi. Et j'aime autant vous dire
qu'ils ne vont pas apprécier que je les laisse tomber. Peter,
le mari de ma cousine, est avocat et c'est lui qui m'avait
trouvé un travail dans son cabinet. J'aurais été bien payée et
j'aurais travaillé quarante heures par semaine maximum. Il
faut vraiment que je sois dingue pour accepter votre proposition, ajouta-t-elle avec un gentil sourire. Voulez-vous que
je leur dise de monter?

— Dites-leur de venir me voir, mon petit. Je vais leur
expliquer que j'ai plus besoin de vous qu'eux. Amenez-les-
moi.

Une demi-heure plus tard, alors que Jinny, qui avait rac-
compagné ses cousins jusqu'à leur voiture, leur disait au
revoir, Nell, après avoir hoché plusieurs fois la tête, finit par
lui dire :

— Je ne sais pas si tu n'es pas en train de faire une
erreur, Jinny. Cet homme est impotent. Il risque de t'enquiquiner à longueur de journée et tu n'auras plus aucune
vie personnelle. A moi aussi, il me fait de la peine, mais
dans la situation où il est, j'ai peur qu'il te mette le grappin
dessus et qu'il ne te lâche plus. Et pour s'occuper de lui, il
faudra un peu plus que de la pitié et de la sympathie, il faudra aussi avoir une santé de fer.

— Calme-toi, Nell! conseilla Peter en lui prenant le
bras. Jinny ne sera pas toute seule. Cet homme a une infirmière qui s'occupe de lui. Il y a aussi son fils et sa fille qui
habitent ici. C'est bien ça, Jinny?

— C'est ça, Peter, répondit Jinny. Ne t'inquiète pas

pour moi, poursuivit-elle en se tournant vers sa cousine. Je suis sûre que tout va bien se passer. En réalité, ça me fait vraiment plaisir de m'occuper de lui. Nous nous entendons tellement bien tous les deux. En plus, Nell... pour être tout à fait franche, je crois qu'il a vraiment besoin de moi.

— Nous aussi, nous avons besoin de toi. Tu vas nous manquer, tu sais. N'est-ce pas, Peter, qu'elle va nous manquer ?

— Vous êtes vraiment adorables tous les deux. Et jamais je ne vous remercierai assez pour ce que vous avez fait pour moi. Et ce que vous allez encore faire. Je veux parler de ce problème d'assurance dont Peter a la gentillesse de s'occuper et du fait que vous allez retourner à Shields pour y chercher mes affaires. Un samedi, en plus ! Ce qui va le priver de sa partie de golf.

— Ça, ce n'est pas une mauvaise chose, intervint Nell. Pour une fois, je ne vais pas me morfondre chez moi un samedi après-midi. As-tu vu comment ton patron a réagi quand tu as dit qu'il fallait que tu ailles chercher tes affaires ? fit-elle remarquer à Jinny. Il en a fait une tête ! Je suis sûre qu'il s'est dit que si tu partais, tu ne reviendrais jamais. Si tu veux mon avis, Jinny, tu as intérêt à mettre les choses au clair dès le départ et à demander des horaires fixes. Essaie aussi de te mettre bien avec les domestiques. Sinon ils vont te mener la...

— Nell ! l'interrompit Peter, sur le ton qui devait être le sien au tribunal. Aurais-tu l'obligeance de te taire, puis de monter gentiment dans la voiture ?

— Je sais de quoi je parle, Peter Dudley ! Je n'ai pas besoin d'avoir fait des études de droit pour connaître la nature humaine et je répète qu'elle n'a pas de temps à perdre si elle veut...

— Va t'asseoir dans la voiture !

Quand Nell se fut exécutée, il se tourna vers Jinny et lui dit :

— Ne fais pas attention à ce qu'elle dit. Fais ce que tu as

à faire aussi longtemps que ça t'arrange. Et souviens-toi que tu peux revenir chez nous quand tu veux...

— Merci, Peter. Je m'en souviendrai.

Finalement, au moment où la voiture allait partir, ce fut Nell qui eut le dernier mot. Baissant la vitre, elle lança à Jinny :

— Et dire qu'hier à la même heure, je te voyais déjà mariée !

Après les avoir salués de la main, Jinny regagna la maison, en repensant aux dernières paroles de Nell. Il y avait maintenant de grandes chances qu'elle ne se marie pas de si tôt. Elle avait déjà décidé qu'elle resterait auprès de Bob Henderson tant qu'il aurait besoin d'elle. Pour le meilleur et pour le pire...

Au moment où elle refermait la porte d'entrée, elle aperçut Dorry qui disparaissait au coin d'un couloir en poussant devant elle une table roulante. Cela lui rappela le conseil de Nell concernant les domestiques. Nul doute que dans une maison comme celle-ci, il devait y avoir des tensions semblables à celles que Jinny avait expérimentées en travaillant dans un bureau. Mieux valait prendre les devants. Elle s'engagea donc dans le couloir et se retrouva dans une partie de la maison qu'elle ne connaissait pas encore. Au bout du couloir, il y avait deux portes. La première était ouverte et donnait dans la salle à manger. En espérant que la seconde porte était celle de la cuisine, Jinny frappa contre le battant. Ce fut Dorry qui lui ouvrit et elle demanda aussitôt :

— Vous voulez quelque chose, mademoiselle ?

— Juste vous dire un mot. Est-ce que Mme Gallon est là ?

— Oui, la cuisinière est là. Mais entrez donc.

Jinny pénétra dans la pièce, une cuisine ultramoderne, avec deux fours encastrés. La cuisinière était assise devant la table et elle tourna la tête à son arrivée.

— J'ai pensé qu'il valait mieux que je vienne vous le
dire... commença-t-elle d'une voix hésitante. Je recommence à travailler pour M. Henderson. Je ne sais pas
encore très bien en quoi va consister mon travail. Mais il
m'a proposé d'habiter sur place. Et comme Mlle Lucy n'est
pas là, j'ai pensé que vous pourriez peut-être me dire où je
dois m'installer...

Elle leur fit un grand sourire et les deux femmes sourirent en retour. Ce fut la cuisinière qui lui répondit :

— Dorry va vous montrer votre chambre. Et si je peux
me permettre, mademoiselle, je pense que c'est une très
bonne chose qu'il s'intéresse à nouveau à son travail, parce
qu'entre nous, s'il ne réussit pas à se changer les idées, il
va finir par perdre la tête. Il terrorise Mlle Lucy et il ne
laisse pas un moment de répit à M. John. Quant à l'infirmière... ajouta Mme Gallon en jetant un regard entendu à
Dorry.

— Tout à fait entre nous, mademoiselle, intervint alors
Dorry, je ne pense pas qu'elle reste longtemps. Et pour être
tout à fait honnête, ce n'est pas moi qui irai le lui reprocher,
parce qu'il est plutôt grossier quand il s'y met. Nous, nous
le connaissons, et vous aussi, vous devez en avoir l'habitude
puisque vous avez travaillé avec lui, mais je comprends très
bien que pour les étrangers, c'est un peu dur à avaler, quelqu'un qui dit tout ce qu'il pense !

Les deux femmes éclatèrent de rire.

— Ne pensez-vous pas que ça irait mieux si c'était un
infirmier qui s'occupait de lui ? demanda Jinny.

— Ça alors, c'est drôle ! s'écria Dorry en attrapant le
bras de la cuisinière. Je t'ai dit exactement la même chose
hier soir. Ce dont le patron a besoin, j'ai dit, c'est d'un
homme qui s'occupe de lui là-haut. Et, si possible, un costaud. Ce pauvre M. John fait tout son possible, mais il n'en
peut plus... Si l'infirmière Lasting s'en va, ajouta-t-elle en se
tournant vers Jinny, vous pourriez peut-être en parler au
patron.

— C'est une bonne idée, répondit Jinny.

— Excellente, renchérit la cuisinière.

Elles se regardèrent toutes les trois en souriant, comme trois conspiratrices.

« C'est un bon début », se dit Jinny. Nell avait raison. Sur ce point-là, en tout cas.

— Venez vous installer, proposa Dorry. Vous avez vos bagages ?

— Non, pas encore. Ma cousine et son mari sont partis les chercher.

— En attendant, je peux toujours vous montrer votre chambre, dit Dorry. Je lui donne celle qui est juste en face ? demanda-t-elle en se tournant vers la cuisinière.

— Je ne sais pas quoi te dire, répondit celle-ci. Ça dépend de vous, ajouta-t-elle à l'intention de Jinny. La chambre dont parle Dorry a un téléphone intérieur. Et vous n'avez peut-être pas tellement envie qu'il vous réveille en plein milieu de la nuit. Parce qu'il est plutôt exigeant, vous savez... Et je me doute bien que, lorsqu'on a déjà travaillé toute la journée, on a envie de pouvoir dormir un peu.

— Ça ira très bien, la rassura Jinny. Ça ne me gêne pas.

— Alors, allons-y, proposa Dorry.

Tandis qu'elles s'engageaient dans le couloir pour rejoindre l'escalier, elle expliqua à Jinny :

— Mademoiselle Lucy a longtemps dormi dans cette chambre. Mais, quand son père est rentré de l'hôpital, elle a déménagé dans celle où vous avez dormi la nuit du Nouvel An. Et quand John est revenu vivre ici, il a encore fallu tout changer parce que ses trois sœurs avaient chacune leur chambre, qui étaient toujours prêtes. Et quel boulot on a eu juste après l'accident quand elles étaient là toutes les trois avec leurs enfants, plus la famille qui arrivait de France ! Ça faisait dix chambres en tout en comptant celles de la maison de M. Glen, juste en haut de la rue... Mon Dieu ! Quand je pense à ce qui lui est arrivé...

Quand elles atteignirent le palier du premier étage,
Dorry se tourna vers Jinny pour lui dire à voix basse :

— Vous allez trouver la maison changée. Avant, il y
avait de l'animation : toujours quelqu'un qui riait ou qui
plaisantait. Ou alors c'était le patron qui criait pour nous
appeler. Il y avait vraiment une bonne ambiance : gaie et
heureuse. D'ailleurs vous l'avez vue le jour du Nouvel An.
Encore que cette année, c'était plutôt calme. Mais c'était
tout de même sympathique, non ?

— Très sympathique, répondit Jinny. Cela faisait longtemps que je n'avais pas passé une aussi belle soirée de
réveillon.

Elles traversèrent le palier et s'engagèrent dans le couloir
qui desservait les chambres.

— Ils vous aimaient vraiment beaucoup, mademoiselle,
dit Dorry toujours aussi bas. Oui, beaucoup ! Vous pouvez
me croire.

Jinny ne dit rien et la suivit dans la chambre. Cette pièce
ressemblait beaucoup à celle où elle avait déjà dormi, mais
elle était un peu plus grande et meublée de deux lits
jumeaux au lieu d'un grand lit.

— Est-ce que ça vous va, mademoiselle ?

— C'est parfait.

— Je ne propose pas de défaire vos bagages, dit-elle en
gloussant.

En entendant qu'une voiture arrivait, elle s'approcha de
la fenêtre et, après avoir regardé dehors, annonça :

— Voilà Mlle Lucy qui arrive. Voulez-vous que je lui
dise que vous êtes là ?

— Ce serait très gentil à vous, Dorry.

Quand Jinny se retrouva seule, elle se dit : « C'est moi
qui aurais dû descendre à sa rencontre. » Mais il était trop
tard maintenant et d'ailleurs, quelques minutes plus tard,
Lucy, après avoir frappé à la porte, entrait dans la chambre.

Jinny, qui était assise dans un fauteuil, se leva aussitôt.

Arrivée au milieu de la chambre, au lieu de saluer Lucy, comme elle en avait l'intention, elle s'arrêta soudain, trop surprise pour parler. Elle avait bien du mal à reconnaître la jeune femme plutôt potelée qu'elle avait vue au mariage de Glen : Lucy avait beaucoup maigri et semblait avoir perdu tout son entrain. Elle avait l'air inquiet, et même un peu hagard.

Elle se mit à parler si vite qu'elle trébuchait sur les mots.

— Vous allez bien ? Dorry vient juste de me dire que vous veniez habiter chez nous. Mon Dieu, comme je suis contente ! S'il pouvait se remettre un peu au travail, peut-être que ça irait mieux. Comme je suis contente ! Vous avez apporté vos affaires ?

— Non. Mes cousins sont retournés à Shields pour aller les chercher. C'est chez eux que j'habitais depuis quelques semaines.

— Ça doit être pour ça qu'il n'a pas réussi à vous joindre. Vous mise à part, j'ai l'impression que personne n'est vraiment au courant de son travail à l'usine. Il a téléphoné à M. Garbrook et à M. Waitland. Je ne sais pas ce qu'ils lui ont dit, mais il était dans tous ses états. Ça a été vraiment horrible !

Lucy s'assit sur un des lits jumeaux et se mit à défaire les boutons de son élégante veste de tailleur. Quand elle eut fini, elle respira profondément, comme si sa veste la serrait trop, ce qui n'était pas le cas. Puis ses lèvres se mirent à trembler, ses yeux papillotèrent et deux grosses larmes coulèrent le long de ses joues.

En voyant ça, Jinny alla s'asseoir à côté d'elle et la prit par l'épaule. Lucy cacha la tête dans son cou et lui dit entre deux sanglots :

— Ça a vraiment été horrible ! Et je n'ai pas l'impression que ça va s'arranger. Maman me manque. Oh oui, mon Dieu, comme elle me manque ! Et maintenant qu'elle n'est plus là, il faut que je m'occupe de tout. Je veux dire des factures et de tout ça... Père n'arrête pas de m'aboyer dessus. Il n'est jamais content de ce que je fais.

Relevant la tête, elle s'essuya les yeux et ajouta :

— On aurait pu penser que, comme j'avais perdu maman, il allait se montrer un peu plus compréhensif et plus gentil avec moi. Mais pas du tout !

Si Lucy avait changé physiquement, en revanche la tragédie qui venait de toucher sa famille n'avait nullement modifié son caractère : elle se comportait toujours en enfant gâtée, insensible à ce que pouvait éprouver son père.

— Je vais me marier, reprit-elle. Oui, c'est ce que je vais faire ! Père n'est pas d'accord parce que cela suppose que je parte en Nouvelle-Zélande. Reg a trouvé un poste là-bas et il doit commencer à travailler au mois de novembre sinon on engagera quelqu'un d'autre à sa place. Je suis sûre que père aurait fini par me donner son accord. Mais il y a eu cet accident et maintenant... J'ai l'impression que je vais devoir rester toute ma vie dans cette maison parce qu'aucune de mes sœurs ne voudra revenir. Florence reviendrait bien, mais à condition que père fasse entrer Ronnie à l'usine. Et lui, il ne peut pas le sentir. C'est dommage parce que, si Florence revenait, elle s'en sortirait bien mieux que moi. Mais vous êtes là maintenant, ajouta-t-elle en prenant les deux mains de Jinny dans les siennes. Je suis vraiment contente que vous soyez venue !

Jinny lui sourit gentiment. Elle ne se faisait aucune illusion : Lucy se réjouissait de sa venue, non parce qu'elle la trouvait sympathique mais parce qu'elle voyait là un moyen d'atteindre plus facilement son objectif. Comme ni Alicia Henderson ni son mari n'étaient égoïstes, seul un de leurs ancêtres avait pu transmettre ce défaut à leur plus jeune fille. Peut-être étaient-ils en partie responsables de l'attitude de Lucy qu'ils avaient trop gâtée. Souvent, dans une famille, la petite dernière est élevée comme si elle était fille unique. Pourtant, Jinny, qui était fille unique, n'avait pas l'impression que ses parents l'aient trop gâtée. Même s'ils l'aimaient beaucoup, ils s'étaient toujours montrés très fermes. Et très à cheval sur tout ce qui concernait la morale, c'était le moins qu'on puisse dire... Un peu trop même, compte tenu de l'évolution des mœurs. Il vaudrait mieux parfois que les exigences morales soient adaptées à l'époque dans laquelle on vit. Si Jinny avait été élevée différemment, peut-être aurait-elle...

Ça y est, voilà qu'elle recommençait! Heureusement, dans les jours à venir, elle allait être bien trop occupée pour avoir le temps de penser à ce qu'elle ratait, sous prétexte d'être fidèle à une certaine conception de la vie qui, à en croire journaux, radio et télévision, était maintenant complètement dépassée.

— Tout va s'arranger, vous allez voir, dit-elle à Lucy.

— Vous croyez?

On aurait dit une gamine cherchant à être rassurée.

— J'en suis sûre, répondit Jinny. En ce qui vous concerne en tout cas. Pour votre père, nous verrons. Quant à Glen... Comment va-t-il, au fait?

— Il est dans un état lamentable. John va le voir là-bas presque tous les jours. Chez lui, c'est le cerveau, expliqua Lucy en se remettant à pleurer. Je n'arrive pas à y croire...

Changeant soudain de sujet, elle ajouta :

— Nous mangeons à midi. C'est plus simple pour Cissie Gallon. Habituellement, c'est moi qui tiens compagnie à père pendant que l'infirmière déjeune. Mais maintenant que vous êtes là, peut-être que...

— Je vais m'en occuper. Ne vous inquiétez pas.

— Merci. Je suis vraiment contente que vous soyez là.

— Moi aussi, je suis contente. Et j'espère bien me rendre utile.

— Si vous pouvez parler de son travail avec lui, cela lui fera beaucoup de bien, j'en suis sûre.

Au moment où Lucy sortait de la chambre, elles entendirent toutes deux la voix de Bob Henderson qui criait derrière la porte :

— Quand je serai prêt et pas avant !

La porte de sa chambre s'ouvrit alors, livrant passage à
l'infirmière qui semblait au bord de l'apoplexie. Apercevant
Lucy, qui avait instinctivement baissé la tête en entendant
crié son père, elle lui dit aussitôt :

— Ça suffit ! Je donne ma démission et je m'en vais.
C'est une honte de me parler comme ça !

Elle se retourna, attrapa la poignée de la porte et la fit
claquer rageusement. Puis elle ajouta, toujours à l'intention
de Lucy :

— Il faut que vous trouviez une remplaçante car il a
besoin d'une infirmière. Je resterai jusqu'à lundi matin,
mais pas une minute de plus ! Vous m'entendez ?

Elle tourna alors les talons et se dirigea vers l'escalier, au
bout du couloir.

En voyant la mine décomposée de Lucy, Jinny se dit
qu'elle allait se remettre à pleurer. Elle lui toucha gentiment le bras et lui dit :

— Ne vous inquiétez pas. Nous allons trouver une solution. Descendez déjeuner. Moi, je vais aller le voir.

Lucy ne se le fit pas dire deux fois et, lorsqu'elle fut partie, Jinny attendit quelques minutes avant d'entrer dans la
chambre. Elle se souvenait des craintes de Nell et était en
train de se dire qu'il était hors de question qu'elle se charge
du travail de l'infirmière. De toute façon, John n'allait pas
tarder à rentrer et elle en discuterait avec lui. Il trouverait
bien une solution jusqu'à ce qu'ils engagent une nouvelle
infirmière... ou un infirmier. Oui, c'est bien un infirmier
qu'il leur fallait. Mais comment Bob Henderson allait-il
réagir à cette proposition ? On verrait bien...

Jinny poussa la porte et entra dans la chambre. Elle vit
tout de suite que Bob Henderson bouillait de rage et d'ail-

leurs, il n'attendit même pas qu'elle soit arrivée près de lui pour lui lancer :

— Vous en avez mis du temps à revenir : je pensais que vous aviez changé d'idée... Cette bonne femme est vraiment complètement bouchée ! Si vous dites à une personne qui n'est ni sourde ni débile que vous ne voulez pas être traité comme un mioche, théoriquement elle doit en tenir compte, vous ne croyez pas ? Nous avons déjà eu, elle et moi, une explication à ce sujet ce matin. On aurait pu penser qu'elle avait compris. Mais non ! La voilà qui revient dans la chambre en souriant d'un air indulgent et la première chose qu'elle me dit c'est : « Allez, hop ! Nous allons regarder comment va ce pauvre dos... », exactement sur le ton que vous adopteriez pour parler à un bébé qui est encore dans ses langes. Jinny, ajouta-t-il en baissant soudain la voix, je crois que je suis au bout du rouleau. C'est vrai, mon petit. Je n'en peux plus.

— Nous allons voir ce que nous pouvons faire pour remédier à ça, répondit Jinny.

S'asseyant au bord du lit, elle lui prit la main avant d'ajouter :

— Ce n'est pas une bonne chose que vous dépensiez votre énergie à râler contre les gens. Si vous voulez vous remettre dans le bain, c'est-à-dire recommencer à travailler, vous avez intérêt à économiser vos forces.

— Recommencer à travailler ? Comment diable voulez-vous que je m'y remette ?

— Vous n'allez pas me dire, maintenant, que vous n'avez pas l'intention de retravailler ou au moins de vous tenir au courant de ce qui se passe à l'usine. Parce que, si c'est le cas, cela veut dire que vous m'avez réengagée sous de faux prétextes. Dans ces conditions, pourquoi m'avoir demandé de revenir ? Parce que j'aime autant vous dire tout de suite que je ne vais pas vous servir d'infirmière. Moi, je ne suis que secrétaire. Vous n'allez pas me demander de vous frotter le dos ou de m'acquitter d'autres tâches encore plus... déplaisantes, disons. Je suis là pour que vous repreniez contact avec votre travail. Ni plus ni moins.

— Vous alors, vous êtes drôlement culottée ! s'écria Bob Henderson en souriant d'un air ravi. Et vous savez quoi ? Vous l'avez toujours été. Oh, Jinny ! Je suis tellement content que vous soyez revenue !

— Je suis revenue, mais uniquement sous certaines conditions. La première, c'est qu'il y ait une infirmière ou un infirmier qui s'occupe de vous. Peut-être plutôt un infirmier, d'ailleurs...

Après l'avoir observée pendant quelques secondes, Bob Henderson grommela :

— Ouais... vous avez peut-être raison...

— La seconde condition, continua Jinny, c'est que John, Lucy, l'infirmier et moi, soyons de garde chacun notre tour.

— Dieu du ciel !

— Laissez donc Dieu tranquille ! Je ne vous parle que de nous quatre.

Jinny faisait exprès de plaisanter, car elle savait que c'est ainsi qu'il fallait parler à Bob Henderson. D'ailleurs, il lui répondit exactement sur le ton qu'il aurait adopté s'ils s'étaient trouvés tous les deux au bureau :

— Si vous arrêtiez un peu de jouer les intelligences supérieures, ça ne serait pas plus mal ! Vous avez l'esprit tellement aiguisé qu'un de ces jours, vous allez vous couper la langue. Et permettez-moi de vous dire une bonne chose : maintenant que je suis revenu chez moi, je ne veux pas qu'on me soumette à la routine de l'hôpital. J'ai trop souffert de ça quand j'y étais.

Il se tut quelques secondes, tourna la tête pour regarder le mur, de l'autre côté de son lit, avant de reprendre :

— Je croyais que lorsque je reviendrais à la maison, les choses seraient différentes. Je pensais qu'elles allaient toutes se précipiter ici pour me venir en aide. Et le seul qui se soit occupé de moi c'est John, lui que j'avais toujours critiqué parce que nous ne nous entendions pas. Ce n'est pas la meilleure, ça? demanda-t-il en tournant à nouveau la tête vers Jinny. Dire que nous n'avons jamais eu les mêmes idées! Le jour et la nuit, comme on dit... Il était censé mépriser l'argent. Il faisait même partie de l'extrême gauche à un moment donné. Ils finissent tous comme ça, ceux qui ont la chance de bénéficier d'une bonne éducation. Ils crachent dans la soupe, comme on dit. Ils se mettent à détester ce qui leur a permis d'arriver là où ils sont. A chacun sa part : voilà leur devise. Les richesses sont faites pour être partagées. Et quand vous leur demandez qui va payer la note, ils s'en tirent en vous sortant toutes sortes d'arguments fumeux et complètement fallacieux. Et ils ne se gênent pas pour vous dire que leur bourse ne leur suffit pas pour vivre. Moi, ça me rend dingue quand j'entends des choses pareilles! De mon temps, si quelqu'un allait à l'Université, c'est qu'il était intelligent. Et je peux vous assurer que les étudiants ne passaient pas les trois mois de vacances universitaires assis sur leur cul : ils travaillaient, oui! Et je sais de quoi je parle. Chez nous, Meane, qui dirige le bureau des dessinateurs, a réussi à se payer des études comme ça. Il travaillait comme terrassier pendant les vacances. C'est lui qui me l'a dit.

En l'écoutant parler, Jinny se dit qu'il semblait avoir retrouvé une grande partie de sa vitalité. Mais pour qu'il recommence à travailler, il faudrait qu'il puisse se servir à nouveau de ses mains.

Abandonnant le ton du bavardage, il revint à la question que lui avait posée Jinny.

— Au sujet de cette histoire d'infirmier, dit-il, il y a un gars à l'hôpital qui s'appelle Mason et que tout le monde appelle Willie. Il est fort comme un taureau et d'une gentillesse extraordinaire. Un jour, en plaisantant, je lui ai dit : « Je vous embaucherais bien, Willie. » Et lui, il m'a répondu en riant : « D'accord! Mais il faudra que vous me

payiez une fois et demie ce que je touche ici. » Ce serait
peut-être une solution... Je crois me rappeler qu'il est célibataire et, s'il accepte de venir travailler, je veux bien payer
le prix qu'il demande... J'ai l'impression que c'est une
bonne idée, continua-t-il en hochant la tête. Un jour ou
l'autre, Glen va rentrer à la maison et il faudra bien qu'il y
ait quelqu'un pour s'occuper aussi de lui. John m'a promis
d'en parler avec les médecins aujourd'hui. Ils l'ont opéré
trois fois. Pauvre Glen ! Il me tarde de le revoir... Quel fils
merveilleux j'avais là ! Professionnellement, il était drôlement bien parti. A l'étranger, nos clients le connaissaient
bien et il avait réussi à se faire respecter. Alors pourquoi,
Jinny ? Pourquoi ?

Il avait l'air si malheureux que Jinny se pencha vers lui et
repoussa délicatement la mèche de cheveux qui lui pendait
sur le front. Et elle lui dit :

— Il n'y a pas de réponse. Je m'étais déjà posé cette
question pour des choses plus ou moins insignifiantes, qui
arrivaient dans ma vie. Et je me la suis reposée quand cette
chose terrible est arrivée. Vous aviez tous été tellement merveilleux avec moi, vous, Alicia, Yvonne, Glen... que je n'ar-
rivais pas à y croire. Je n'étais pas là quand c'est arrivé.

Elle hésita l'espace d'une seconde et pinça les lèvres.

— J'étais allée passer le week-end chez... chez mon ami
de l'époque, reprit-elle. Le lundi, je suis allée à l'hôpital,
mais on ne m'a pas laissée entrer. Alors, je suis retournée au
bureau.

Jinny s'interrompit soudain en se demandant si elle
devait continuer. Ce qui était arrivé au bureau risquait d'intéresser Bob Henderson et il y avait même de grandes
chances que toute cette histoire l'amuse beaucoup.

— Comme vous l'aviez prévu, reprit-elle, M. Waitland
s'était déjà installé dans votre bureau. Ou notre bureau, si
vous préférez... Et il m'a laissé entendre plus ou moins poliment que je pouvais faire mes valises et retourner au
bureau des dactylos.

— Il a fait ça ?

— C'est ce qu'il a fait.

— J'ai entendu une autre version. Mais continuez...

— Vous imaginez facilement quel était mon état d'esprit en revenant dans ce bureau et en revoyant Mlle Cadwell qui ne s'est pas gênée pour me dire quel sort elle me réservait. Jusque-là, ça allait encore... Mais elle s'est mise à m'attaquer sur le plan personnel et m'a accusée devant tout le monde d'avoir... une liaison.

— Une liaison ? Mais avec qui, grand Dieu ?

— Avec vous, bien sûr !

— Avec moi ! s'écria Bob Henderson. Mon Dieu ! Et c'est pour ça que vous l'avez giflée ?

— Je l'ai giflée, en effet. Et sur les deux joues.

— Vous avez très bien fait. Alors comme ça, nous avions une liaison.

— Non seulement nous avions une liaison, mais vous m'aviez acheté un bijou qui coûtait une fortune et là-dessus, votre femme était arrivée chez le bijoutier et elle vous... nous avait pris en flagrant délit !

— Quelle idiotie ! s'écria Bob Henderson. Qu'Alicia m'en soit témoin ! Je vous aime beaucoup, mon petit, et il avança la main pour lui toucher les doigts, mais cela n'empêche pas que, même si vous étiez noble, multimillionnaire et jeune et jolie comme vous l'êtes, cela n'aurait changé en rien mes sentiments vis-à-vis d'Alicia.

— Je sais bien.

— Les idées que les gens se mettent dans la tête ! Ils ont dû penser ça depuis le début...

— Oui, oui.

— Mon Dieu ! Heureusement que je n'en ai rien su ! Sinon, je crois que j'aurais fait un scandale. Et Alicia m'aurait soutenu. Ah, mon Dieu, Jinny, comme elle me manque ! Maintenant qu'elle n'est plus là, la vie me semble terriblement vide. Parfois j'ai l'impression que je vais devenir fou. La vie me paraît une éternité maintenant que je ne peux plus bouger. C'est vraiment effrayant, vous savez, quand vous êtes immobile, à longueur de journée, et que tout se passe dans votre tête...

Il déglutit avant d'ajouter, un ton plus haut :

— Il a fallu que je me batte pour que cette damnée infirmière laisse cette photo à côté de moi. Le jour où elle m'a surpris en train de lui parler, elle m'a dit que ce n'était pas bon pour moi. Elle est très proche de moi, vous savez, Jinny, continua-t-il en baissant la voix. J'ai l'impression qu'elle est toujours là. C'est vraiment très étrange... Je ne l'ai dit à personne mais à vous, je peux en parler. La nuit, j'ai l'impression qu'elle est debout à côté de mon lit, et je la vois aussi nettement que si elle était encore vivante. Mais on dirait qu'alors elle me demande de la laisser partir. Pouvez-vous comprendre une chose pareille, Jinny ? C'est comme si elle me disait : « Laisse-moi, Bob. Laisse-moi partir. »

Comme Jinny ne disait rien, il répondit à sa place :

— Non, vous ne pouvez pas comprendre. Moi non plus, je ne comprends pas. Mais ça me fait du bien d'en parler.

Regardant la grande photo d'Alicia, qui était posée sur la table de nuit de l'autre côté du lit, Jinny frissonna intérieurement. Elle se dit que l'infirmière avait peut-être raison de vouloir emporter cette photo : il vivait en compagnie d'une morte. Et cette morte essayait de lui faire comprendre, à sa manière, que là où elle se trouvait maintenant, ils ne pouvaient plus se rejoindre et qu'il leur fallait reprendre leur liberté, d'un commun accord. Avec le temps, Bob Henderson l'accepterait certainement. Mais il n'était pas encore prêt et il en souffrait énormément.

Jinny aurait aimé pouvoir lui dire ce qu'elle pensait, sans lui faire de peine, car actuellement il avait surtout besoin d'être réconforté. Ce réconfort qu'il ne trouvait pas dans son entourage, il le demandait à l'esprit qu'il évoquait chaque nuit.

Changeant brusquement de sujet, il lui demanda soudain :

— Vous êtes bien installée ?

— J'ai pris la chambre qui est juste en face de la vôtre.

— Très bien. Et maintenant, descendez donc déjeuner. Ça doit être l'heure. Une dernière chose avant que vous partiez : j'aimerais bien que vous m'appeliez Bob.

— Oh ! Cela va m'être difficile !

— Pourquoi ?

— Parce que j'ai pris l'habitude de vous appeler monsieur Henderson.

— Nous ne sommes plus au bureau, mais à la maison. Appelez-moi Bob. C'est un ordre.

— D'accord, monsieur Henderson.

Tournant les talons, elle traversa la chambre et referma doucement la porte derrière elle. Elle entendit qu'il disait quelque chose, mais il parlait trop bas pour qu'elle puisse comprendre le sens de ses paroles.

« Pauvre homme ! se dit-elle avant de descendre. Avec la vitalité qu'il a, comment va-t-il supporter ça ? »

Aucun événement notable ne se produisit pendant le reste de la journée. Mais une chose était plus que certaine, le fait que Jinny fasse maintenant partie de la maison n'avait fait que renforcer la décision de l'infirmière. Elle avait annoncé que, remplaçante ou pas, elle partait lundi.

Il n'était pas loin de dix heures du soir quand Bob s'endormit enfin. Jinny avait été obligée de se fâcher pour qu'il prenne ses calmants car il voulait rester éveillé jusqu'à ce que John revienne afin d'avoir des nouvelles de Glen. Théoriquement, les calmants lui permettaient de se reposer pendant quatre heures environ. D'après ce qu'il disait, il était réveillé chaque nuit, à partir de deux heures du matin.

L'infirmière s'était retirée dans sa chambre. Dorry et Cissie avaient fini leur travail et Jinny s'était installée dans le salon en attendant le retour de Lucy. A neuf heures, après avoir dit bonsoir à son père, elle avait quitté la maison, en disant qu'elle n'en avait pas pour longtemps, mais sans préciser où elle allait. De toute façon, c'était inutile : Jinny avait compris qu'elle allait rejoindre Reg Talbot. Un peu plus tôt dans l'après-midi, Bob lui avait expliqué que le Reg en question avait douze ans de plus que sa fille et que, comme il avait déjà divorcé, il ne le considérait pas comme un bon parti. Jinny avait failli lui répondre qu'à l'heure actuelle quatre-vingt-dix pour cent des hommes étaient divorcés, ou déjà engagés envers une femme avec qui ils vivaient en concubinage et qu'en conséquence, les chances de rencontrer un homme libre de tout engagement étaient à peu près aussi réduites que celles de rencontrer une jeune femme qui soit encore vierge. Elle s'en voulait un peu de raisonner d'une manière aussi crue, mais en y repensant ce soir, elle se disait que ce n'était pas sa faute : c'était l'époque qui voulait ça. En tout cas, elle était bien décidée à ne plus se laisser berner. Et même si elle était redevenue une employée modèle, comme semblait le laisser supposer sa nouvelle situation, elle ne serait pas pour autant une employée crédule. Jamais plus elle ne se mettrait en quatre pour faire plaisir aux gens sous prétexte de ne pas se retrouver seule.

Assise dans un fauteuil, près d'un feu, Jinny était en train de se demander si elle allait attendre le retour de Lucy quand soudain elle entendit une voiture qui remontait l'allée. Elle était tellement persuadée que c'était Lucy qui rentrait qu'elle ne put réprimer un sursaut de surprise quand, quelques minutes plus tard, John poussa la porte du salon. Il était au moins aussi surpris qu'elle et resta un bon moment sans bouger sur le seuil de la pièce avant de s'avancer vers elle.

— Tiens ! Tiens ! Vous avez fini par venir...

— Oui, répondit Jinny en se levant aussitôt. Mais avec quinze jours de retard. Je n'ai reçu votre lettre que ce matin.

— Ce matin ? s'étonna John en haussant les sourcils. Vous avez fait vite ! Et vous avez l'intention de rester, si je comprends bien.

— C'est ainsi que la situation se présente en effet.

— Asseyez-vous, proposa-t-il en s'approchant de la cheminée.

Il se laissa tomber dans le fauteuil en face d'elle avant d'ajouter :

— Je suis complètement crevé.

— Votre... votre père pensait que vous rentreriez plus tôt. Je peux, peut-être, vous proposer quelque chose... Dorry et la cuisinière sont allées se coucher. Mais je pense pouvoir me débrouiller pour vous préparer un café.

— Ce serait gentil de votre part. Merci.

En arrivant dans la cuisine, Jinny n'eut aucun mal à trouver ce dont elle avait besoin. En attendant que l'eau bouille, elle se dit : « Il a vraiment un tempérament totalement différent de celui de son père. Comme il est étrange qu'il lui ressemble aussi peu ! » Mais peut-être se trompait-elle... Au fond elle ne le connaissait pas vraiment. Elle n'avait parlé que deux fois avec lui et tout ce qu'elle savait de lui, elle le tenait de Bob Henderson. Elle en avait déduit, un peu vite, qu'il était un individualiste borné, pour ne pas dire un égocentrique... Est-ce que cela lui avait fait plaisir de la revoir ? C'était bien difficile à dire. Il avait semblé surpris en tout cas. C'était pourtant bien lui qui lui avait écrit. De toute façon, elle allait voir très rapidement s'ils étaient capables de faire bon ménage.

Quelques minutes plus tard, après lui avoir tendu la tasse de café qu'elle avait préparée, elle s'installa à nouveau en face de lui.

— Lucy est couchée ? demanda-t-il, après avoir bu la moitié de son café.

Jinny hésita un peu avant de répondre.

— Elle est sortie il y a un petit moment, finit-elle par dire.

— A quelle heure?

— Il devait être... je pense qu'il n'était pas loin de neuf heures.

John finit son café et posa sa tasse sur la table qui se trouvait à côté de lui.

— Je ne vous demande pas où elle est allée car vous ne le savez certainement pas, reprit-il. En revanche, je peux vous dire que vous lui rendriez un fier service en ne disant pas à père qu'elle est sortie ce soir.

— Je n'ai aucune raison de parler d'elle à votre père.

— Ne vous faites pas trop d'illusions! Si vous avez l'intention de rester dans cette maison, vous allez être obligée de répondre à toutes sortes de questions et sur à peu près tous les sujets... N'a-t-il pas commencé à vous interroger au sujet de ce qui se passe à l'usine?

— Nous en avons un peu parlé cet après-midi.

Jinny le vit fermer les yeux d'un air las et se passer les doigts dans les cheveux. Il avait des cheveux blond-roux, très raides et qui devaient être difficiles à discipliner. Coupés court sur le dessus, ils cachaient en partie ses oreilles. Quant à ses yeux, Jinny aurait eu bien du mal à en dire la couleur. Elle avait l'impression qu'ils étaient marron très clair et légèrement mouchetés. En réalité, quand John ouvrit à nouveau les yeux, elle s'aperçut qu'ils étaient gris.

— Il n'arrête pas de me tarabuster pour que je me lance dans l'affaire. Il semble oublier que c'est de là que vient notre principal désaccord... sans parler du reste! De toute façon, j'ai toujours pensé que je n'étais pas fait pour ce genre de travail. Glen, lui, était parfait. Il a toujours été parfait, Glen! Mon Dieu, quand j'y pense...

— Comment va-t-il?

— C'est bien difficile à dire. On a du mal à imaginer que quelqu'un d'aussi vivant et brillant que lui, toujours sur la brèche, comme disait père, soit redevenu un enfant... Un jeune garçon, disons...

— Oh non !

— Si, malheureusement... Ils l'ont à nouveau réopéré jeudi et cette fois-ci, ils espèrent qu'il va cesser d'être agressif. Ce qu'ils appellent de l'agressivité n'est en réalité qu'un dernier vestige de vie réelle... C'est une véritable épreuve que d'aller le voir. Chaque fois que j'y vais, il s'accroche à moi comme un enfant... C'est pour ça d'ailleurs que je suis rentré si tard.

Quittant le fauteuil où il était assis, John s'approcha de la cheminée. Il posa son coude sur le manteau de la cheminée et reprit, en regardant le feu :

— A mon avis, ils auraient mieux fait de le laisser comme il était... Vous comprenez, continua-t-il en tournant la tête vers Jinny, ils espèrent que grâce à cette opération, il ne se souviendra plus de l'accident et même, si l'opération réussit pleinement, comme ils disent, qu'il oubliera jusqu'au souvenir d'Yvonne. Après la première opération, il devenait fou furieux chaque fois que la partie la moins endommagée de son cerveau lui permettait de repenser à elle. On aurait dit qu'il revivait alors la dernière seconde avant la fin et que ça le faisait hurler de douleur. Parfois je me dis qu'il aurait peut-être mieux valu qu'il soit paralysé, comme père, et qu'il ait conservé toute sa tête. Peut-être que pour lui, cela aurait été moins dur. Entre eux deux, murmura-t-il en regardant à nouveau le feu, j'ai l'impression que, moi aussi, je vais finir par devenir cinglé.

Ils restèrent silencieux un long moment, puis Jinny demanda :

— Est-ce que Glen est capable de revenir habiter ici ?

John soupira. Puis, tournant le dos au feu, il la regarda et dit :

— Si j'écoutais père, il serait là demain. J'ai essayé de lui faire comprendre que le Glen d'aujourd'hui n'avait plus rien à voir avec celui qu'il avait connu. Mais il ne veut pas me croire. Il s'imagine qu'avec le temps son fils va redevenir à peu de chose près ce qu'il était avant l'accident. Parfois, j'ai envie de lui crier : « Ce que Glen était a été réduit en purée ! Il ne ressemble plus en rien à celui que tu as connu ! » Oh...

Son visage s'allongea et il s'interrompit soudain. Puis, pour la première fois de la soirée, il sourit timidement à Jinny.

— Je suis désolé. Vous avez déjà dû entendre parler de ça toute la journée et ça continue... Ça vous donne une idée de ce qui vous attend si vous restez dans cette maison.

— Une petite idée, en effet, répondit Jinny en lui souriant à son tour.

Puis elle se leva avant d'ajouter :

— Je suis là pour donner un coup de main. Je suis persuadée que si votre père pouvait reprendre contact d'une manière ou d'une autre avec son travail, cela lui ferait du bien et l'empêcherait de trop penser à autre chose. C'est dommage qu'il soit aussi handicapé : s'il pouvait seulement se servir de ses mains...

— Il pourrait s'il voulait.

— S'il voulait ? répéta Jinny en regardant John d'un air étonné. Que voulez-vous dire ?

— Rien d'autre que ce que je viens de dire.

— Mais, à l'exception de la tête et de son bras gauche, il est complètement paralysé ! s'écria Jinny.

Debout en face de John, les yeux à la hauteur des siens, elle remarqua pour la première fois qu'ils étaient de la même taille.

— En réalité, seuls ses membres inférieurs sont paralysés, expliqua John sur un ton calme et détaché. Il ne pourra plus jamais s'en servir. En revanche, il n'a pas perdu l'usage de la partie supérieure de son corps. Il a ce qu'on appelle une fracture lombaire qui a provoqué une vraie paralysie des membres inférieurs. Pour le reste, il s'agit d'une paralysie de type hystérique.

— De type hystérique ? répéta Jinny dans un murmure. John hocha la tête.

— Quand je lui ai expliqué ça, il a failli avoir une attaque. Il m'a rétorqué qu'il avait toute sa tête. Un homme comme lui, imaginer qu'il est paralysé alors qu'il ne l'est pas ! Est-ce que j'étais fou ou quoi ? Tant qu'il raisonnera ainsi, il restera comme il est. J'ai essayé d'en reparler avec lui, mais je n'essaierai pas une troisième fois.

« Il doit être fou pour ne pas vouloir bouger alors qu'il le peut », faillit dire Jinny. Puis elle réfléchit que, pour un homme comme lui, le fait qu'on lui ait dit qu'il souffrait d'une forme d'hystérie suffisait à expliquer qu'il ne veuille plus faire aucun mouvement. S'il recommençait à se servir du haut de son corps, ce serait la preuve qu'il avait un point faible d'ordre psychique. Et Jinny, qui le connaissait bien, savait qu'il n'accepterait jamais de reconnaître une chose pareille. Il avait un ego monumental. A ses propres yeux, il était un homme sans faiblesse et ce n'est pas un malheureux accident de la route qui allait le faire changer d'avis.

— Le Dr Turner a demandé à un spécialiste de venir le voir la semaine prochaine, reprit John. On verra si ça sert à quelque chose... En tout cas, ajouta-t-il d'une voix plus douce, vous m'avez l'air aussi fatiguée que je le suis. Je suis désolé de vous avoir retenue aussi tard. Où vous a-t-on installée ?

— Dans la chambre en face de la sienne.

John fit la moue.

— Ce n'est pas une bonne chose, à mon avis. Comme il y a un téléphone intérieur dans cette chambre, vous risquez qu'il vous appelle en pleine nuit car il se réveille vers deux heures du matin. Moi-même je m'étais installé dans cette chambre, mais j'ai dû en changer. Il faut qu'il se plie à une certaine discipline et qu'il comprenne que, quand les gens sont restés debout toute la journée, la nuit, ils ont besoin de dormir.

« Il a dû être soumis à une pression terrible depuis deux mois », se dit Jinny en observant ses traits tirés par la tension nerveuse. Sans compter que sa vie privée avait dû être complètement chamboulée par cet accident. Maintenant qu'il vivait chez son père, il ne devait pas lui rester beaucoup de temps pour voir sa petite amie.

Elle se demandait avec quel genre de fille il vivait. Elle devait être très attirante pour avoir réussi à lui faire quitter sa famille et renoncer à la vie facile et luxueuse qui avait été la sienne. Lui non plus ne manquait pas de charme et les rares fois où son visage se détendait, il était même plutôt bel homme, dans le genre un peu austère.

— Vous n'allez pas vous coucher avant que Lucy soit rentrée ? demanda-t-elle.

— Non, je ne pense pas.

— Bonne nuit, alors.

— Bonne nuit, répondit-il.

Ni l'un ni l'autre n'avaient osé s'appeler par leur prénom.

Avant d'entrer dans sa chambre, Jinny ouvrit sans faire de bruit la porte en face de la sienne. Uniquement éclairé par la lumière tamisée de la lampe de chevet, elle aperçut le visage de Bob Henderson posé sur l'oreiller. Ses yeux étaient fermés et il était d'une telle immobilité qu'il aurait pu aussi bien être mort. Mais il était vivant et capable de bouger son corps jusqu'en haut des cuisses. C'était vraiment incroyable !

Quelques minutes plus tard, alors qu'elle se déshabillait pour aller au lit, elle imagina ce qu'il serait capable de faire avec le haut de son corps : il pourrait se déplacer grâce à un fauteuil roulant, monter en voiture et retourner au bureau.

Il pourrait retourner au bureau !

2

— S'il est capable de vivre à l'hôpital, je ne vois pas pourquoi il ne serait pas capable de vivre dans cette maison.

— John pense...

— Je me fous de ce que John pense, Jinny! l'interrompit Bob en soulevant légèrement sa main valide. Je veux revoir mon garçon. Ça fait des mois qu'il est à l'hôpital et ils l'ont déjà opéré trois fois. A mon avis, s'il ne va pas mieux maintenant, il n'ira jamais mieux. D'après ce que John m'a dit, il peut marcher et même parler...

— Même s'il peut parler, le vrai problème c'est ce qu'il dit! intervint Jinny. Si John hésite à le ramener ici, c'est uniquement parce qu'il a peur que cela vous fasse de la peine de voir que...

— Allez-y! Continuez...

— Puisque vous voulez absolument savoir ce qu'il en est, je vais vous dire la vérité : Glen a... complètement régressé.

Ils se regardèrent un court instant, en silence, puis Bob demanda :

— Régressé? Que voulez-vous dire?

— D'après ce que j'ai compris, il est retombé en enfance et il ne se souvient plus de l'accident. Il paraît qu'il s'en est rappelé une fois et que cela l'a rendu agressif.

— Vous me dites qu'il est agressif et qu'il est retombé en enfance ?

Comme il avait fermé les yeux, Jinny ajouta gentiment :

— Il n'a eu aucun accès d'agressivité depuis la dernière opération et ils pensent qu'il n'en aura plus maintenant.

Bob ouvrit les yeux et la regarda à nouveau.

— Mettons qu'il soit retombé en enfance... Et alors ? Ça ne l'empêche pas de revenir habiter chez lui. S'il faut que quelqu'un veille sur lui, Willie s'en chargera. Pour l'instant, il n'a pas grand-chose à faire et ça m'étonnerait qu'il fasse son compte d'heures. Et puis vous aussi, vous êtes là et vous ne devez pas non plus faire votre compte d'heures. Si Glen revient habiter ici, vous ferez au moins quelque chose pour gagner votre croûte.

Jusque-là, Jinny avait toujours réussi à garder son calme. Mais là, c'en était trop.

— Si c'est ainsi que vous voyez les choses, s'écria-t-elle, laissez-moi vous dire que ma croûte, je la gagne déjà assez difficilement en étant obligée de m'occuper de vous et que je me considère comme scandaleusement sous-payée. Mais dès demain, ça peut changer. Même pas demain, aujourd'hui même ! Il y a de nouveau un poste vacant dans le cabinet de Peter. Nell m'a proposé de revenir à Shields. Elle m'en a parlé quand elle est venue ici vendredi dernier...

— Que Nell aille au diable ! Et vous avec ! Si vous êtes incapable de comprendre ce que je veux dire quand j'ouvre la bouche pour me plaindre de quelque chose, vous ne le comprendrez jamais. Alors, allez-vous-en... Sortez !

Jinny fit demi-tour et se précipita hors de la chambre. En arrivant dans le couloir, elle faillit se heurter à John qui s'apprêtait à entrer dans la pièce. Après avoir refermé la porte derrière elle, elle le regarda sans dire un mot en se mordant les lèvres.

— Je parie qu'il a enfin réussi à vous toucher au point sensible, dit-il en montrant de la tête la porte qu'elle venait de refermer. J'avoue que je m'étonnais un peu que vous ayez tenu le coup aussi longtemps, sans vous rebiffer.

— Moi aussi, ça m'étonne, répliqua Jinny d'une voix qui était tout, sauf calme. Je dois être folle... Il faut l'être pour passer sa vie à rendre service à des gens qui n'ont pas un mot de reconnaissance pour vous. Mais il n'est jamais trop tard pour changer, conclut-elle.

Repoussant John, elle traversa le palier au pas de course et se précipita dans l'escalier. John attendit qu'elle ait disparu pour ouvrir la porte de la chambre.

Arrivé près du lit, il commença par regarder fixement son père, puis il lui dit :

— Tu es allé trop loin cette fois-ci. Dans l'état d'esprit où elle est actuellement, elle risque de faire ses valises et de s'en aller.

— Qu'elle s'en aille !

— La laisser partir ? dit John en haussant les sourcils. Je peux t'assurer que cela va se sentir si elle nous quitte. A ton avis, qui fait tourner la maison ? Certainement pas Lucy. Quant à Dorrie et à Cissie, elles sont tout juste bonnes à obéir aux ordres. Elles n'ont jamais rien fait d'autre d'ailleurs. Elles ont beau être gentilles, elles ne prennent aucune initiative... A quel sujet vous êtes-vous disputés ? demanda-t-il.

— Si tu veux tout savoir, c'est à cause de toi. Je ne supporte pas que tu refuses de ramener Glen.

— Puisque c'est comme ça, je vais demander l'avis des médecins demain et, s'ils me donnent leur accord, je le ramènerai avec moi.

— C'est vrai ? demanda Bob qui semblait avoir retrouvé tout son calme.

— Absolument, répondit John d'une voix laconique. Mais je tiens à te prévenir tout de suite que tu auras bien du mal à reconnaître ton cher Glen. Tu étais fier de lui, n'est-ce pas ? demanda-t-il en se penchant vers son père. Et il ne te donnait que des joies. Personne ne lui arrivait à la cheville et il avait toutes les qualités... Quand tu le reverras, tu seras bien obligé de reconnaître que ce Glen-là n'existe plus. Il est devenu un gamin. Un gamin de douze ans, à mon avis. Il ne parle que de l'école et des examens de fin d'année. Il écrit aussi de petits poèmes. Tu ne te rappelles certainement pas cette époque de notre vie d'enfant. Non, tu ne dois pas t'en souvenir ! Sachant que tu aurais jugé ça idiot, Glen n'a jamais dû t'en parler. A cet âge-là, il avait des prétentions artistiques, comme moi... Sauf que chez moi, ça a duré beaucoup plus longtemps et que ça t'a laissé complètement indifférent. Glen savait que ce genre de choses ne t'intéressait pas, c'est pourquoi il ne t'en a jamais parlé. Mais maintenant, il ne sera pas plus tôt entré dans cette pièce, qu'il commencera à te casser les pieds avec ses histoires.

— Tu sais que tu peux être cruel, John.

— J'ai de qui tenir ! Et ce n'est certainement pas ma mère qui m'a légué ça. Maintenant, il va falloir que moi et ma cruauté descendions pour voir ce qu'on peut arranger avec Jinny. Sincèrement, je ne l'avais encore jamais vue dans cet état. Je me demande d'ailleurs si, dans son cas, il n'y a pas un certain nombre de choses qui t'échappent.

— Je connais Jinny comme ma poche.

— Ah bon ?

— La première fois où je l'ai vue, elle en voulait au monde entier et elle m'a dit des choses que personne n'aurait osé me dire. Alors ne va pas me raconter qu'il y a chez elle un côté que j'ignore.

— Que tu sois au courant ou pas, ce côté en question était particulièrement évident tout à l'heure. La seule chose qui m'étonne c'est qu'elle ne se soit pas rebellée plus tôt.

— Tu me fais passer pour un affreux tyran. Tu l'as toujours fait d'ailleurs...

— Pour reprendre une de tes expressions favorites : je ne fais que constater ce qui est.

Là-dessus, John fit demi-tour et sortit de la chambre.

En arrivant sur le palier, il baissa la tête et contempla songeusement le tapis. Comme la vie se montrait injuste dès qu'il était question d'amour ! Aussi loin qu'il s'en souvienne, il avait toujours recherché l'amour de cet homme irascible, qui était maintenant cloué au lit. Quand il était plus jeune, chaque soir, il attendait son retour pour voir si, pour une fois, il allait le traiter comme Glen. Mais il ne l'avait jamais fait. Quand son père lui mettait la main sur l'épaule, il pouvait être sûr que son autre main reposait sur celle de Glen. Ça ne l'avait pas empêché d'aimer son frère. Celui-ci d'ailleurs était parfaitement conscient de la situation. Plus d'une fois, dans leurs discussions, Glen avait essayé de lui démontrer que leur père les aimait autant l'un que l'autre. Glen avait compris son besoin d'amour. Son père, jamais.

Après avoir cherché Jinny dans toute la maison, il finit par la découvrir dans le bureau. Installée derrière la table de travail, elle était en train de trier des factures et ne leva pas la tête à son entrée.

John alla chercher une chaise et s'installa de l'autre côté du bureau.

— Je représente la firme Gentillesse et Compagnie, M'dame, dit-il. C'est moi qui suis chargé des tentatives de réconciliation. Mon client est dans un bien triste état : je viens d'avoir une conversation avec lui et, en l'espace de cinq minutes, il n'a juré que deux fois.

— Taisez-vous ! répondit Jinny en se mordant les lèvres pour ne pas sourire.

Elle agrafa une pile de factures, ouvrit un des tiroirs du bureau, déposa le paquet qu'elle venait de classer et en ressortit un autre.

— Jinny, reprit John, abandonnant le ton de la plaisanterie, il était dans un tel état que je lui ai dit que je ramènerais Glen demain si les médecins m'en donnaient l'autorisation.

— Est-ce qu'il sait ce qui l'attend ? demanda Jinny en levant les yeux.

— Je lui ai parlé carrément. Mais, je ne lui ai pas dit que ce qu'il éprouve, actuellement, n'est rien comparé à ce qu'il va ressentir après avoir vécu quelques jours avec Glen. Moi, quand je vais à l'hôpital, je n'y reste que quelques heures, et je trouve déjà ça épuisant. Glen parle tout le temps, il ne s'arrête jamais. Il fait tellement pitié qu'on a envie de pleurer et, en même temps, on se retient à deux fois pour ne pas lui flanquer une gifle tellement on a l'impression qu'il raconte des trucs insensés. En réalité, c'est nous qui trouvons ça insensé. Je suis sûr qu'à ses yeux ça a une signification et que ça en avait pour n'importe quel gosse de la fin des années soixante. En plus, père ne sera pas tout seul à être affecté par son retour. Vous aussi, ça risque de vous poser des problèmes. Théoriquement, c'est Willie qui va s'occuper de lui et je pense qu'il a l'habitude de ce genre de cas. Mais vous serez malgré tout obligée de vivre avec lui.

John se tut et la regarda. Jinny lui rendit son regard et resta silencieuse un court instant.

— Comme je l'ai dit tout à l'heure, je peux toujours partir, dit-elle finalement. Tandis que vous, vous êtes obligé de rester quoi qu'il arrive. Et si Glen vous tape déjà sur les nerfs au bout de quelques heures, que va-t-il arriver quand vous devrez vivre avec lui vingt-quatre heures sur vingt-quatre ?

Elle posa ses coudes sur le bureau et, joignant les mains, y laissa tomber son menton avant d'ajouter :

— Je me suis dit plusieurs fois qu'à partir du moment où Lucy, Willie et moi étions sur place, il n'y avait aucune raison pour que vous n'ayez pas un minimum de vie privée...

Cette dernière remarque ne sembla déclencher aucune réaction chez John. Il souriait très rarement, ce que Jinny

trouvait dommage car il était beaucoup plus attirant lorsqu'un sourire éclairait son visage. Il avait beau avoir le
même esprit caustique que son père, cela n'empêchait pas
qu'il ait toujours l'air triste. Au cours de ces derniers mois,
Jinny avait appris à le connaître et plus elle le connaissait,
plus elle l'appréciait, car elle avait découvert qu'ils avaient
quelque chose en commun : le sentiment d'être seul au
monde. Cela ne leur facilitait pas la vie ni à l'un ni à l'autre,
mais avait au moins l'avantage de les rapprocher.

Si John n'avait pas réagi à sa dernière remarque, elle fut
plutôt surprise lorsqu'elle le vit placer lui aussi ses coudes
sur le bureau, joindre les mains et y poser sa tête, l'imitant
en tout point.

— Êtes-vous en train de suggérer que je serais bien plus
heureux si je passais mes nuits dans le péché ? demanda-t-il.

Jinny prit une longue inspiration et pinça les lèvres avant
de répondre :

— Je suppose que c'est en effet ce que j'étais en train de
vous suggérer. Vous avez un appartement et une petite
amie...

— Qu'est-ce qui vous fait penser que j'ai un appartement et une petite amie ?

— C'est bien le cas, non ? Ou ça l'a été... J'avais cru
comprendre que c'était pour ça que vous aviez quitté votre
famille.

— Il n'y a pas eu qu'un seul facteur qui m'a poussé à
quitter cette maison. Et le plus important de tous, c'était
surtout l'homme qui est maintenant couché là-haut... Mais
revenons à cette histoire d'appartement, qu'est-ce qui a bien
pu vous faire penser que j'y avais une petite amie qui
m'attendait ?

Jinny posa ses mains sur le sous-main, ouvrit la bouche,
la referma, l'ouvrit à nouveau avant de réussir à dire :

— J'ai simplement supposé que... lorsque vous sortiez...
c'était pour... Et puis, quelle importance cela a-t-il ?

— Contrairement à ce que vous avez l'air de croire, ce que vous pensez de moi a de l'importance, mademoiselle Brownlow! A mes yeux, en tout cas. N'oubliez pas que, dans un certain sens, je vis avec vous. J'ai bien dit : dans un certain sens...

Cette plaisanterie ne réussit pas à dérider Jinny. Elle ne se sentait pas d'humeur à rire de quoi que ce soit. Elle était encore sous le coup de la dispute avec Bob Henderson et surtout, elle se sentait épuisée. Le vendredi précédent, lorsque Nell était venue lui rendre visite, comme elle le faisait chaque semaine, elle lui avait dit : « Tu as l'air crevé. » Jinny avait refusé d'en convenir, mais maintenant elle était obligée de reconnaître que sa cousine avait raison : elle était exténuée et ça se voyait.

On aurait dit que John venait de lire dans ses pensées car il s'excusa aussitôt.

— Je suis désolé, dit-il. Le moment est mal choisi pour plaisanter. Vous êtes fatiguée et cela n'a d'ailleurs rien d'étonnant. C'est gentil de vous faire du souci pour moi... Je veux dire : pour ma vie privée. Mais je tiens à vous dire que je n'ai ni appartement en ville ni petite amie. J'ajouterai que, quand nous nous sommes rencontrés au moment du Nouvel An, ça faisait déjà un bon bout de temps que je ne vivais plus dans un appartement, ni avec qui que ce soit.

Comme Jinny écarquillait les yeux d'un air surpris, John hocha la tête pour confirmer ce qu'il venait de dire. Puis il reprit :

— Avant de revenir ici, j'habitais dans un meublé : celui de Mme Burrows à Bog's End. Mon appartement précédent se trouvait aussi à Bog's End. Mes moyens ne me permettaient pas d'habiter dans un quartier comme celui-ci, précisa-t-il avec un petit sourire. Pour en revenir à Mme Burrows, il faut que je vous dise qu'elle a une sœur qui travaille dans le salon de coiffure de Bog's End... Ne vous fâchez pas! s'écria-t-il en voyant Jinny blêmir. Betty, la sœur de Mme Burrows, est venue nous voir un soir pour nous raconter ce qui était arrivé à sa patronne. Cette Mme Smith avait l'air de très bien vous connaître, même si vous, vous ne saviez rien d'elle. Elle savait en particulier que vous aviez travaillé chez Henderson et Garbrook. C'est votre cher ami, M. Campbell, qui avait dû lui parler de vous. Dans le but de la rendre jalouse, j'imagine... Quoi qu'il en soit, il m'a été facile d'imaginer ce qui s'était passé et j'avoue que, moi qui ris rarement — je trouve qu'il n'y a pas grand-chose de drôle dans la vie —, cette fois-là, j'ai ri aux larmes. Qu'après avoir fichu une raclée à Mlle Cadwell, vous vous soyez attaquée à ce salaud de pervers et à sa putain, ça m'a vraiment estomaqué. Je me suis dit : John, méfie-toi de l'eau qui dort. Cette fille-là est drôlement combative.

— Taisez-vous !

Jinny se leva et courut se réfugier près de la fenêtre. Elle était au bord des larmes.

— Je ne suis pas quelqu'un de combatif... reprit-elle. Je ne veux jamais me battre ou me disputer avec les gens... Mais j'en avais tellement marre... Et les circonstances étaient tellement...

John, qui s'était approché d'elle, la prit par l'épaule et l'obligea à se retourner pour le regarder.

— Jinny, dit-il, ne vous excusez surtout pas d'être combative. Vous devriez en être heureuse au contraire. Et remercier le ciel d'avoir le courage de vous révolter. Si seulement, je pouvais faire la même chose... Me défendre, moi aussi, en rendant coup pour coup ! Au lieu de ça, moi, j'ai fichu le camp ! Comme n'importe quel adolescent un peu tête brûlée, j'ai quitté la maison en claquant la porte. Comme j'avais une dent contre lui, j'ai fait ce qui avait le plus de chances de lui faire de la peine : je me suis mis en ménage avec une fille, alors que j'aurais dû commencer par l'affronter et lui dire ce que je pensais, ce que je ressentais.

Et maintenant que je suis là de nouveau, je n'ai pas le courage de lui dire ce que je pense parce qu'il est trop tard. Il prendrait ça pour de la pitié ou de la compassion. Jamais il ne comprendrait que c'est de l'amour.

Jinny avait une folle envie de pleurer. Elle était triste, non pour elle, mais pour lui. Elle aurait bien aimé prendre John dans ses bras, comme elle faisait parfois avec son père. Encore que d'une manière un peu différente... O combien différente !

— Il n'est jamais trop tard pour avouer ce type d'amour, dit-elle en se reculant soudain.

— Uniquement celui-là ?

Jinny s'éloigna de lui et revint vers le bureau.

— Uniquement celui-là, répondit-elle.

Et elle se retourna pour le regarder.

— L'autre ne vous apporte que des ennuis.

— Vous semblez avoir là-dessus des idées très arrêtées.

— Oh oui ! reconnut Jinny en s'asseyant à nouveau derrière le bureau.

Debout de l'autre côté, John la regarda un certain temps sans parler, puis il annonça :

— Il va falloir que je m'en aille. Je dois retourner à l'usine pour demander à Waitland de me remettre son rapport. Il a dû raconter exactement la même chose que la dernière fois et père le sait. Ils ne veulent rien lui dire.

— Si vous voulez mon avis, ces rapports sont complètement bidons. A aucun moment il n'est question des commandes que nous étions en train de négocier au mois de janvier. Peut-être leur sont-elles passées sous le nez... Ça ne m'étonnerait pas. Mais il n'y a rien non plus au sujet de l'affaire de Hambourg. La seule nouvelle commande qu'ils mentionnent est celle que leur a passée cette firme belge... Ça ne fait pas lourd ! En plus, votre père est très inquiet à cause de ce qui se passe dans la sidérurgie. Les entreprises ferment, les unes après les autres. Ça va finir par nous poser des problèmes.

— Nous ne pouvons rien y faire. Et moi, dans cette histoire, j'ai l'impression d'être un simple garçon de courses.

— Si, nous pouvons faire quelque chose !

— Quoi ?

— Vous pouvez demander à quelqu'un qui travaille dans les bureaux ou à un des ouvriers de l'atelier de vous dire ce qui se passe vraiment à l'usine. Baladez-vous un peu là-bas, discutez avec eux et profitez-en pour leur dire de venir voir votre père.

— C'est de l'espionnage !

— Vous pouvez en effet appeler ça comme ça... répondit Jinny, nullement émue. Je vous conseille d'aller voir M. Meane, au bureau des dessinateurs. Et aussi M. Bury qui est chef de bureau. Ils sont bien amis tous les deux. Ils doivent être au courant de pas mal de choses, au moins en ce qui concerne les contrats. Côté ouvriers, continua-t-elle en souriant, le mieux que vous ayez à faire c'est de prendre contact avec Jack Newland et Peter Trowell. Ils sont tous les deux représentants du personnel, donc toujours prêts à déterrer la hache de guerre, mais ils savent tout ce qui se passe dans les ateliers. Discutez avec eux et dites-leur que votre père aimerait les voir. C'est ce qu'il y a de mieux à faire, à mon avis. Proposez donc ça à Jack Newland. Rien qu'à l'idée de venir jusqu'ici, il aura l'impression de monter en grade. Et vous en apprendrez plus en discutant avec eux que ne vous en diront jamais M. Waitland ou M. Garbrook, ou même Pillon... Arthur Pillon, l'assistant du directeur du personnel, comme il se nomme ! Celui-là, il mange à tous les râteliers... Et s'il voit que vous allez faire un tour à l'usine, il va vous coller aux talons. Débarrassez-vous de lui !

— Vous auriez été parfaite dans un service diplomatique, remarqua John avec un grand sourire. Je commence à comprendre que, si vous étiez indispensable à mon père, ce n'était pas uniquement parce que vous avez la repartie facile.

— Votre père n'aurait jamais eu la stupidité de me garder uniquement à cause de ça. J'étais sa secrétaire et une secrétaire efficace.

— Holà! Vous devriez ajouter : même si c'est moi qui le dis.

— C'est inutile. Je sais ce que je vaux, en ce qui concerne le travail en tout cas.

— Comme secrétaire, vous n'êtes pas gâtée actuellement...

— C'est vrai, reconnut-elle en soupirant. Mais je suis sûre que ça ne va pas durer éternellement. Qui sait? Je ne vais peut-être pas tarder à reprendre le collier...

Le sourire de John s'effaça.

— Ne dites pas une chose pareille! Il n'y a pas que lui qui ait besoin de vous.

Il soutint le regard de Jinny pendant quelques secondes, puis fit soudain demi-tour et quitta la pièce.

Pendant un assez long moment, Jinny regarda fixement la porte. Puis elle se leva et s'approcha de la fenêtre. Elle était en train d'admirer les roses qui fleurissaient à foison dans le jardin quand soudain les mots « Jamais plus! » résonnèrent avec force dans sa tête.

Même si elle était à nouveau au service de Bob Henderson, au moins elle était payée pour ce qu'elle faisait dans cette maison. Mais il était hors de question qu'elle serve à nouveau de domestique à un homme... A moins que? Qu'est-ce qui lui prenait? Inutile de se faire des illusions : il n'y avait pas de mariage dans l'air. Ces derniers mois, lorsqu'elle avait discuté de ce sujet avec John, il s'était toujours montré catégorique : il semblait totalement opposé à l'idée d'épouser qui que ce soit. C'est d'ailleurs pour ça qu'elle avait cru qu'il avait encore son appartement et qu'il allait rendre visite de temps en temps à son amie.

Il venait de lui avouer qu'il n'y avait pas que Bob Henderson qui avait besoin d'elle. S'il s'imaginait qu'elle allait être son ange gardien, il risquait d'être déçu. Elle ne serait jamais plus l'ange gardien de qui que ce soit...

Quelques secondes plus tard, lorsqu'elle quitta à son tour le bureau, elle fit claquer la porte, comme si elle la fermait au nez de quelque adversaire invisible.

3

Il était deux heures du matin quand la sonnerie du téléphone intérieur réveilla Jinny. Après avoir tâtonné dans le noir, elle décrocha et demanda d'une voix ensommeillée :

— Oui ?

— Jinny...

— Oui, répéta-t-elle en s'asseyant brusquement.

— Excusez-moi de vous déranger. Je voulais juste vous dire... Ne sortez pas de votre lit surtout ! Je... je suis simplement un peu... énervé. Je me fais du souci pour demain. J'ai repensé à ce que John m'a dit et je me demande s'il n'a pas raison. D'un autre côté, j'éprouve un affreux pressentiment. J'ai l'impression que si je ne me dépêche pas de voir Glen, je ne le reverrai jamais. C'est pour ça que j'ai tellement insisté... Mon Dieu, je suis désolé de vous avoir réveillée, Jinny !

Repoussant draps et couvertures au pied du lit, elle s'assit sur le bord du matelas et lui répondit :

— J'arrive dans une minute.

— Non ! Je ne veux pas que vous...

Jinny replaça le récepteur sur son socle, se frotta les yeux, prit une longue inspiration et sauta de son lit.

Après avoir enfilé sa robe de chambre posée sur le dossier d'une chaise, elle sortit de sa chambre et poussa la porte de la chambre de Bob Henderson. En l'entendant entrer, celui-ci souleva la tête et murmura aussitôt :

— Vous n'auriez pas dû venir. Je ne voulais pas vous déranger. Juste vous dire un mot...

— Ne vous faites pas de soucis, le tranquillisa-t-elle.

Puis elle alla chercher une chaise, s'assit à côté de lui et lui prit la main.

— Jinny... Je voulais aussi m'excuser pour hier. Je ne vous en aurais pas voulu si vous étiez partie, vous savez. Mais je ne sais pas ce que je serais devenu sans vous...

— Arrêtez de me faire du plat ! Surtout à une heure pareille... Je risque de succomber à vos avances.

— Oh, Jinny ! dit-il d'une voix vacillante, comme s'il ne savait pas très bien s'il allait éclater de rire ou se mettre à pleurer.

— Si vous continuez, reprit Jinny, vous risquez de vous retrouver en première page de la *Gazette,* comme dirait Nell.

— De la *Gazette ?*

— Je veux parler de la *Shields Daily Gazette,* bien entendu...

— Ah bon... le journal ! s'écria-t-il. J'ai l'impression que mon cerveau se ramollit... Non, je n'ai pas le droit de dire ça. Mais vous savez, ajouta-t-il en tournant la tête pour la regarder, il m'arrive parfois de penser qu'il aurait mieux valu que ce soit moi qui sois blessé à la tête plutôt que Glen parce que moi, ma vie est pratiquement finie, tandis que la sienne commençait juste. En plus, à partir du moment où Yvonne était morte, il aurait certainement beaucoup mieux accepté le fait d'être paralysé...

— Les choses ne se sont pas passées comme ça et vous êtes bien obligé de les prendre comme elles sont. D'ailleurs, je suis d'accord avec John : si vous vouliez faire un effort...

— Ne remettez pas ça sur le tapis, mon petit ! Ni aujour-d'hui, ni demain, ni jamais... Dites donc, ajouta-t-il avec un grand sourire, vous savez que vous êtes drôlement belle dans cette lumière tamisée.

— Merci pour le compliment! s'écria Jinny avec une feinte brusquerie. Si je comprends bien, pour paraître à mon avantage, il est préférable que la lumière soit tamisée. Malheureusement, demain il fera jour...

— Vous alors, vous n'avez pas la langue dans votre poche! Je n'ai jamais vu ça... Non, c'est faux! Alicia, elle aussi, me répondait du tac au tac. Mais c'était différent. Elle n'était pas née dans le Tyneside, vous comprenez...

— Moi non plus!

— Bien sûr que si!

— Je suis née à Fellburn. Et n'allez pas me raconter que je parle avec l'accent nasillard des gens du Tyneside. Moi, je prononce les mots comme ils s'écrivent en anglais.

— Et vous en êtes très fière, n'est-ce pas? Si un natif du Tyneside vous entendait vous vanter de ça, vous risqueriez de passer un mauvais quart d'heure.

Pendant un court instant, ils ne parlèrent ni l'un ni l'autre. Puis Bob lui dit:

— Ça va mieux maintenant, mon petit. Je pense que je vais me rendormir.

— Allez-y.

— Retournez vous coucher et merci pour tout.

— Je vais rester encore un peu. Je vais allonger mes jambes sur l'autre chaise et prendre cette couverture. Dès que vous serez endormi, je m'en irai. Alors, dépêchez-vous.

Quand Jinny se fut installée comme elle l'avait dit, il tourna la tête vers elle et lui dit d'une voix douce:

— Dernièrement, je me suis dit que même si vous éprouviez une quelconque satisfaction à jouer les anges gardiens, vous ne deviez certainement en retirer aucun plaisir...

— Je ne suis pas un ange gardien, répondit Jinny en remontant sa couverture jusqu'au menton. Je suis plutôt ce qu'on appelle une employée modèle.

— Une quoi ?

— Vous avez très bien entendu : une employée modèle.

— Où êtes-vous allée chercher une expression pareille ?
Qui vous a appelée comme ça ?

— C'est une longue histoire... Je vous la raconterai peut-
être un jour. Ou une de ces prochaines nuits quand vous
n'arriverez pas à dormir. Mais pas maintenant. Je suis fatiguée. Bonne nuit.

— Bonne nuit, Jinny... Et que Dieu vous bénisse !

Bien qu'il ait murmuré cette dernière phrase, Jinny l'entendit parfaitement.

Elle ferma les yeux et se demanda quelle forme prenait la
bénédiction de Dieu pour les employées modèles. Car elle
savait bien qu'elle n'était pas la première à mériter ce titre.
Avant elle, il y avait eu les filles soumises, les aides mater-
nelles, les dames de compagnie, toutes ces femmes qui,
comme elle, avaient consacré leur vie à rendre service aux
autres.

Quand elle se réveilla, elle avait un torticolis et aperçut
Willie qui se penchait vers elle en lui disant :

— Buvez ça !

Elle se redressa lentement et prit la tasse qu'il lui tendait.

Après avoir jeté un coup d'œil à son malade qui dormait
en ronflant légèrement, Willie reprit :

— C'est de la folie, vous savez. Maintenant, il va être
toujours après vous.

— Quelle heure est-il ? demanda Jinny.

— Tout juste sept heures, répondit-il. Retournez dans
votre chambre et rendormez-vous pendant une heure ou
deux. Vous n'auriez pas dû faire ça, ajouta-t-il. Maintenant,
il va en profiter. Je connais ça... Même les meilleurs
malades, comme lui, vous sucent jusqu'à la moelle. Il ne
faut pas vous laisser faire. Et maintenant, debout !

Joignant le geste à la parole, Willie se pencha vers elle et la hissa sur ses pieds.

— Regardez! Vous avez renversé mon thé.

— C'est aussi bien comme ça. Retournez dans votre chambre et piquez un roupillon.

Jinny aimait bien Willie. Il avait l'esprit pratique et les pieds sur terre. Ce qui ne l'empêchait pas d'être gentil et patient à l'égard de son malade. Même s'il avait eu raison de lui faire la leçon, elle voyait mal comment elle aurait pu refuser de répondre à l'appel de Bob...

Ce matin-là, elle dormit jusqu'à neuf heures. Puis, après avoir pris un bain, elle reprit la routine habituelle.

A onze heures, Mme Florence Brook téléphona. Comme chaque fois qu'elle avait Jinny au bout du fil, elle commença par un « Oh » déçu qui signifiait clairement : « Vous êtes encore là! », puis elle demanda :

— Comment va père?

— Toujours pareil.

— J'aimerais parler à John.

— Il est parti... à l'hôpital. Il doit ramener Glen aujourd'hui.

— *Quoi!*

— Je disais qu'il doit ramener Glen aujourd'hui.

— Qui a pris cette décision?

— Votre père, apparemment. Il veut absolument le voir.

— Mon Dieu! Avez-vous idée de l'état dans lequel est notre pauvre Glen?

— J'ai bien peur que non.

— John m'avait dit qu'il ne le laisserait jamais revenir.

Il y eut un court silence. Puis Jinny répliqua :

— C'est encore votre père qui dirige la maison.

— Je suis bien placée pour le savoir, mademoiselle!

— J'essayais simplement de vous expliquer...

— Je suis parfaitement au courant de ce que vous vouliez m'expliquer! Est-ce que l'infirmier est toujours là?

— Willie est toujours là.

— Dans ces conditions, je ne vois pas très bien en quoi peut consister votre travail ?

— Mon travail, madame Brook, consiste à faire ce que vous feriez si vous dirigiez cette maison.

A l'autre bout du fil, il y eut un silence éloquent. Puis Florence reprit d'une voix cinglante :

— Personne ne vous a demandé de prendre ce genre de responsabilité ! C'est vous qui vous êtes attribué ce rôle... Je vous rappelle que vous êtes secrétaire et que maintenant il n'y a plus de travail de secrétariat. En ce qui concerne la maison, Dorry est tout à fait capable de s'en occuper. Elle et Cissie l'ont fait depuis des années... Et puis vous avez l'air d'oublier que Lucy est là. Elle aussi peut tout à fait diriger cette maison.

— Je ne pense pas que votre mère aurait été d'accord avec vous.

— Ma...

A ce moment-là, la communication fut coupée.

Jinny raccrocha à son tour. Puis, debout à côté du téléphone, elle baissa la tête et se mordit la lèvre inférieure. Elle se dit qu'elle avait bien de la chance que Bob Henderson ait refusé de laisser entrer son beau-fils dans l'affaire. Si Florence était venue habiter chez son père, elle lui aurait rendu la vie impossible. Elle avait tort de croire que Lucy s'occupait de la maison : elle n'était pratiquement jamais là. Et les rares fois où elle venait, elle passait tout son temps auprès de son père. C'était très habile de sa part car ainsi son père ne lui posait pas de questions sur ce qu'elle faisait le reste du temps.

Quelques minutes plus tard, Jinny se rendit dans la chambre de Bob et lui annonça :

— Mme Brook a téléphoné.

— Ah bon... Qu'a-t-elle dit ?

— Elle voulait savoir comment vous alliez et elle a demandé à parler à John.

— Vous lui avez dit où il était ?

— Oui.

— Et ce qu'il comptait faire ?

— Oui.

— Quelle a été sa réaction ?

— Plutôt hostile.

— Ça ne m'étonne pas. Je connais Florrie : les seules choses auxquelles elle ne s'oppose pas sont celles qui l'arrangent. A mes yeux, elle est devenue une parfaite étrangère. Je crois même qu'elle l'a toujours été. Je me demande à qui elle ressemble... Pas à Alicia en tout cas. Et je ne vois pas, non plus, en quoi on pourrait dire qu'elle tient de moi. Qu'en pensez-vous ?

Après avoir réfléchi pendant quelques secondes, Jinny répondit :

— Elle vous ressemble un peu tout de même : quand on l'empêche de faire ce qu'elle veut, elle se montre insupportable.

— Ça c'est trop fort ! Par moments, on croirait que vous faites exprès de me fiche le moral en l'air... Quoi qu'il en soit, est-ce que Florrie s'est montrée insupportable ce matin ?

— Un peu...

— A quel sujet ?

— Elle m'a dit que ma présence dans la maison ne lui semblait pas indispensable.

— Bon Dieu ! Elle vous a dit ça ! Et bien entendu, vous lui avez répondu sur un ton doux et soumis.

— Pas vraiment.

— Je m'en doutais, répondit Bob Henderson. J'aurais aimé vous entendre... Quelle heure est-il ? demanda-t-il en tournant la tête vers le réveil posé sur la table de nuit.

— Pas loin de midi.

— Ils ne vont pas tarder à arriver.

— Non, ils ne vont pas tarder.

— Jinny...

— Oui?

— Je n'en peux plus tellement je suis énervé!

— Vous mériteriez que je vous réponde que c'est vous qui l'avez voulu, dit-elle en lui pressant gentiment la main. Vous savez comme moi que ce n'est pas le Glen que vous avez connu que vous allez revoir aujourd'hui. Il faut donc vous armer de courage.

— Vous en avez de bonnes! Rien que pour respirer, j'ai besoin de m'armer de courage!

Sur le coup, Jinny ne sut pas quoi répondre. Puis elle lui dit :

— Pour l'instant, nous avons toujours envisagé le pire. Attendons de le voir pour savoir exactement ce qu'il en est. Peut-être serons-nous agréablement surpris...

— Il ne nous reste plus qu'à attendre, en effet. Quant à être agréablement surpris... Oh, mon Dieu!

Jinny laissa retomber sa main qu'elle tenait toujours et sortit de la chambre.

John et Glen arrivèrent à une heure moins le quart.

Quand Jinny aperçut l'homme qui se tenait sur le seuil de la porte, elle faillit pousser un cri et porta la main à sa bouche. Cet homme ressemblait à Glen, il avait le même visage et la même allure que lui, mais ses yeux étaient totalement différents. Vides de toute expression, ils brillaient d'un éclat insolite et bougeaient sans cesse alors que sa tête restait immobile. Ils finirent par se fixer sur Jinny et il annonça alors :

— Je ne veux pas m'asseoir. Ce n'est pas moi qui ai demandé à venir.

— Est-ce que tu te souviens de Jinny? demanda John d'une voix calme.

— Bien sûr que je me souviens de Jinny! Qu'est-ce qui

t'arrive ? Bien sûr que je m'en souviens ! répéta-t-il en se mettant à rire. J'ai faim. C'est l'heure du thé... Et cette bicyclette alors ?

— Nous verrons ça plus tard.

— Mais lui, ça doit bien faire une semaine qu'il l'a eue. De toute façon, j'en aurai une neuve.

Le mouvement incessant de ses yeux cessa brusquement et, à nouveau, il regarda Jinny.

— Est-ce que je peux avoir à boire, infirmière ? demanda-t-il d'une voix calme et posée.

Jinny était tellement émue qu'elle dut respirer un grand coup avant de répondre :

— Oui, oui ! Bien sûr... Venez avec moi...

Elle s'approcha de lui, lui toucha le bras et l'entraîna vers le salon. Arrivée là, elle lui demanda :

— Que voulez-vous boire ? Du thé ou quelque chose de frais ?

— Un jus d'orange.

Jinny se retourna vers John pour avoir son avis. Celui-ci fit signe à Dorry qui venait d'arriver et répéta à son intention :

— Un jus d'orange.

Debout au milieu du salon, Glen commença par regarder autour de lui. Il n'arrêtait pas de cligner des yeux et à un moment donné, il les plissa si fort qu'ils ne formèrent plus qu'une mince fente. Quand il les ouvrit à nouveau, il tourna lentement la tête comme s'il essayait de se rappeler quelque chose. Puis il s'assit calmement sur le divan et posa les mains sur ses genoux, comme un petit garçon en visite chez des étrangers, décidé à bien se tenir.

— Bonjour monsieur Glen, dit Dorry en lui tendant le verre de jus d'orange qu'elle était allée chercher.

— Bonjour, répondit-il poliment.

— Est-ce que tu te souviens de Dorry ? demanda John sur un ton persuasif.

Son frère se retourna vers lui et lui lança d'une voix presque coléreuse :

— Bien sûr que je me souviens de Dorry ! Pour qui me prends-tu ? Je me souviens aussi de l'infirmière Jinny, ajouta-t-il en la regardant. Et de l'infirmière Pratt et même d'Œil de Cochon.

— Œil de Cochon ? demanda John en se penchant vers lui.

— Elle est de service la nuit. Nous l'appelons Œil de Cochon parce qu'elle plisse toujours les yeux quand elle nous regarde.

Glen eut un grand sourire et les regarda l'un après l'autre comme s'il attendait des félicitations. Jinny porta de nouveau la main à sa bouche. Cette fois-ci, ce n'était pas pour étouffer le cri qui lui montait aux lèvres mais pour ne pas éclater en sanglots.

John avait raison. Jamais ce garçon — cet homme ! — n'aurait dû être ramené chez lui. Si sa mère avait encore été là pour veiller sur lui, peut-être la situation aurait-elle été différente... Mais il ne restait plus que son père et il était infirme. On l'avait prévenu que son fils n'était plus le même mais l'état de Glen était bien pire que tout ce qu'il pouvait imaginer. De toute façon, sa venue allait bouleverser toute la maisonnée. Comme il était incapable de se débrouiller seul, John et Willie allaient être obligés de s'occuper de lui à longueur de temps. Et Glen ferait certainement aussi appel à elle puisqu'il la prenait pour une infirmière.

Un quart d'heure plus tard, ils montaient tous les trois à l'étage. John marchait en tête, une main derrière lui pour guider Glen et Jinny fermait la marche. Elle aurait préféré ne pas assister à cette entrevue, mais Glen avait insisté pour qu'elle vienne en disant : « Les infirmières viennent toujours avec moi. »

Quand ils entrèrent dans la chambre, Willie était debout à la tête du lit et il fit un pas de côté pour que son malade puisse voir son fils aîné. Bob regarda Glen et Glen le regarda. Aucun d'eux ne parlait. Finalement, ce fut John qui rompit le silence.

— Nous avons fait très bon voyage, père, dit-il d'une voix rauque. Glen était... très content.

— Tu as pris froid ? demanda Glen.

Jinny tripota nerveusement le devant de sa robe en attendant de voir comment Bob allait réagir à la question de son fils. Il était très rouge et la douleur qu'il éprouvait se lisait sur son visage. Il serrait les lèvres et avait le regard vide. La question que Glen venait de lui poser ne permettait nullement de dire s'il l'avait reconnu ou non.

— Ton... père a été un peu malade, Glen, intervint John.

Glen regarda son frère d'un air légèrement interrogateur comme si le mot « père » avait réussi à percer l'épais brouillard de son cerveau. Mais cette manifestation de curiosité fut de courte durée et il ne demanda aucune explication. Revenant à ses propres préoccupations, pour la seconde fois depuis qu'il était arrivé, il dit :

— J'ai faim.

— Le mieux c'est d'aller voir s'il y a quelque chose à manger, proposa Willie.

Fort de son expérience, il était en train de prendre la situation en main. Il s'approcha de Glen et lui proposa :

— Nous allons descendre tous les deux à la cuisine et tu me diras ce que tu veux manger. Viens avec moi.

— Je ne veux pas manger de poisson, ni de saucisses. Je n'aime que la viande, répondit Glen en se détournant du lit.

— Veux-tu un steak ou du roast-beef ?

— L'un ou l'autre, ça m'est égal, s'écria-t-il en riant.

Ça faisait un drôle d'effet de l'entendre rire, car il avait conservé un rire d'homme. Exactement le rire qu'il avait avant l'accident.

Willie prit Glen par l'épaule et ils sortirent de la chambre comme des amis de toujours. Après leur départ, Bob poussa un profond soupir et sa main valide s'agita sur l'édredon.

— Je t'avais prévenu, murmura John en regardant son père.

— Je le sais, Bon Dieu, que tu m'avais prévenu ! D'accord... D'accord... Il n'empêche que c'est mon fils et qu'il est ici chez lui.

— C'est ton fils, mais c'est aussi mon frère. Et ce n'est pas toi qui vas être obligé de t'occuper de lui. Il fugue et il a besoin d'être surveillé. D'ailleurs ils n'étaient pas tellement chauds à l'hôpital pour le laisser partir et il s'agit d'une période d'essai.

— Qu'ils aillent au diable avec leur période d'essai ! Tu oserais ramener ton frère là-bas et les laisser l'enfermer à nouveau ?

— Permets-moi de te rappeler que, lorsque Glen est là-bas, il n'est pas enfermé comme tu dis. Il s'agit d'un hôpital où on s'occupe parfaitement de lui. Et le plus étonnant c'est qu'il y est heureux. J'ai l'impression que tu n'as toujours pas compris qu'il est retombé en enfance. Pas celle dont nous nous souvenons, toi et moi, mais une autre, qu'il est le seul à connaître, une sorte d'endroit imaginaire qui existe chez nous tous, mais reste, en général, enfoui au plus profond de notre subconscient. D'après les médecins, Glen vit maintenant dans ce monde-là. Et au fond, il vaut mieux qu'il ne se souvienne pas vraiment de ce qui est arrivé, comme ce fut le cas après la première opération. Car si ça le reprenait, même Willie n'arriverait pas à s'en sortir tout seul.

— Si c'est nécessaire, nous pouvons toujours embaucher une seconde personne.

Montrant Jinny qui se tenait au pied du lit sans dire un mot, John demanda :

— As-tu pensé à Jinny ? Il la prend pour une infirmière.

Dans le service où il était, il y avait toujours deux infirmières de garde et il les suivait partout.

— Elle n'a rien d'autre à faire qu'à s'occuper de lui.

Comme il la regardait dans l'attente de sa réaction, elle répondit :

— S'il est vraiment retombé en enfance, je peux en effet m'occuper de lui. Mais que se passera-t-il s'il redevient à nouveau un homme ?

— Mon Dieu ! Où suis-je tombé ? On croirait entendre ces damnés psychiatres ! Si seulement je pouvais utiliser mon...

— Si seulement vous pouviez utiliser votre fameux bon sens, dont vous n'avez cessé de nous rebattre les oreilles, il est certain que vous seriez capable de résoudre ce problème.

Sans un regard pour les deux hommes, Jinny quitta la pièce et alla s'enfermer dans sa chambre.

Elle s'arrêta soudain au milieu de la pièce et se demanda, tout étonnée, ce qui l'avait poussée à dire ça. Dire que quelques minutes plus tôt, elle souhaitait simplement que John fasse preuve de douceur et de gentillesse à l'égard de son père. Il était clair qu'il avait eu raison de s'opposer au retour de Glen. Cet homme qui ressemblait à un jeune garçon grandi trop vite, à un garçon bien trop grand pour son âge, n'avait plus rien à voir avec le Glen jovial et plein d'entrain qu'elle avait connu. Il lui faisait pitié et peur à la fois — une peur presque panique.

Jinny alla s'asseoir près de la fenêtre et, pour la première fois depuis qu'elle habitait dans cette maison, elle se dit qu'elle aimerait bien être loin d'ici.

Elle pouvait très bien faire ses bagages et partir chez Nell. Rien ne la retenait. Vraiment ? Rien... sauf cet homme cloué au lit, qui avait toute sa vitalité, en tout cas verbale, qui était capable de vous traiter de tous les noms en vous jetant un regard qui signifiait clairement : « Ne lâchez pas

ma main, sinon je suis perdu et je vais sombrer définitive-
ment. »

Songeant à nouveau à Nell, Jinny n'eut aucun mal à
imaginer sa réaction à la vue de Glen. Avant même qu'il ait
ouvert la bouche, elle dirait : « Dépêche-toi de quitter cette
maison avant que quelque chose n'arrive, mon petit. Les
hommes paralysés, c'est une chose, les fous, c'en est une
autre... » Voilà ce qu'elle dirait de Glen. Ce que tout le
monde dirait de lui.

4

— J'ai faim.

— Mais, Glen, tu viens juste de déjeuner.

— Non, de prendre le thé.

— De déjeuner ! Le thé ne sera servi que dans trois heures.

— J'ai faim.

— Il y a des gâteaux dans ta chambre. Pourquoi ne vas-tu pas les chercher ?

— Veux-tu jouer aux cartes avec moi ?

— Je ne peux pas jouer avec toi maintenant. Regarde : je suis en train d'écrire des lettres. C'est pour ça que j'ai sorti ma machine à écrire.

— Moi aussi, je sais écrire des lettres. Et j'écris des poèmes.

— C'est vrai ?

— Bien sûr que c'est vrai !

— Il faudra que tu me les montres.

— Je ne te les montrerai pas. Je ne les montre jamais à personne.

Jetant un coup d'œil à l'homme debout à côté de son bureau, Jinny se fit la réflexion, comme souvent au cours des deux dernières semaines, qu'elle n'avait pas le droit de le repousser. Il n'était pas responsable de son état et il était toujours Glen... En réalité, il n'avait plus rien à voir avec l'homme qu'elle avait connu. Il était maintenant un curieux mélange d'adulte et d'enfant. D'ailleurs elle n'était pas la seule à avoir du mal à le supporter : la seule vue de Glen mettait son père lui-même au supplice. Il savait qu'il avait eu tort de le faire sortir de l'hôpital mais, têtu comme il l'était, jamais il n'en conviendrait.

— Je vais faire de la bicyclette.

— Très bonne idée, répondit Jinny en hochant la tête.

Glen passait son temps à annoncer qu'il allait faire de la bicyclette. Le plus drôle c'est qu'il ne dépassait jamais la porte d'entrée et que, pour se rendre dans le jardin, il voulait toujours être accompagné. Il semblait aussi avoir peur de monter en voiture, ce qui se comprenait facilement lorsqu'on savait que c'était un accident de voiture qui était responsable de son état. La veille, quand John lui avait proposé d'aller faire une balade en voiture, il s'était détourné de lui et avait rejoint d'un pas traînant la cuisine. A l'entrée de John, il s'était approché de la table, avait saisi une cuillère en bois et s'était mis à taper sur les bords d'un bol en faïence que Cissie venait de remplir à moitié de farine. Puis il avait donné un grand coup de cuillère en plein dans le bol, projetant de la farine sur la table, ainsi que sur John et sur lui. John s'était mis en colère et lui avait crié : « Arrête, maintenant ! » Et, malgré ses protestations, il l'avait obligé à quitter la cuisine.

Jinny se disait souvent que, si jamais Glen redevenait agressif, John n'aurait aucune chance en face de lui car son frère devait bien peser vingt kilos de plus que lui et mesurer dix bons centimètres de plus.

John et Willie avaient mis au point un système qui leur permettait de veiller sur Glen chacun leur tour. Pour l'instant Willie avait l'air de bien supporter cette tension mais ce n'était nullement le cas de John. La veille au soir, il avait avoué à Jinny : « Je ne sais pas si je vais arriver à tenir le coup longtemps encore. Il ne devrait pas être là. Sa place est à l'hôpital. »

Au début, il avait dit à Jinny qu'il ne voulait en aucun cas qu'elle ait affaire à Glen. Mais c'était compter sans son frère. Celui-ci ne devait pas être d'accord car, chaque fois qu'il en avait la possibilité, il suivait Jinny partout. Depuis trois jours, son attitude s'était légèrement modifiée : non content de la suivre, il n'arrêtait pas de la prendre par le bras en lui proposant : « On va faire un tour tous les deux, Jin ? » ou encore : « Et si on jouait aux cartes ? »

C'est d'ailleurs pour cette raison que Jinny n'avait pas bougé de derrière sa machine : elle savait que si elle se levait, il allait la prendre par le bras et lui demander d'aller faire un tour. Malgré tout, elle aurait bien aimé qu'il quitte la pièce.

Elle allait appuyer sur le bouton de l'intercom pour prévenir John, bien que ce soit le tour de Willie, quand Glen, qui avait surpris son geste, lui demanda d'une voix qui n'avait plus rien d'enfantin :

— Tu as sonné Willie ?

— Non, non.

— C'est ce que tu as fait.

— Non. Ce n'est pas pour appeler Willie.

Elle allait appuyer sur le bouton lorsque la porte s'ouvrit, et Willie entra.

— Alors c'est là que tu es, dit-il.

Glen se pencha vers Jinny et lui dit avec colère :

— Tu vois bien que tu l'as appelé ! Reconnais-le !

— Je ne l'ai pas appelé, Glen. Regarde : je n'ai même pas appuyé sur le bouton. N'est-ce pas vrai, Willie, que je n'ai pas sonné ?

— Non ! Je suis entré en passant. Tu viens te promener ?

— Non.

— Allez, viens... J'ai besoin de prendre un peu l'air, mon gars. Et j'ai deux tablettes de chocolat dans ma poche.

Le visage de Glen s'éclaira et, sans ajouter un mot, il se dirigea vers la porte. Willie haussa les sourcils en regardant Jinny, puis il lui emboîta le pas et referma la porte derrière lui.

Après leur départ, Jinny s'appuya au dossier de la chaise et s'obligea à respirer lentement dans l'espoir de retrouver son calme. Cela ne servait à rien. Elle se dit qu'il fallait qu'elle en parle avec Bob. Elle prit les lettres qu'elle venait de taper et quitta le bureau pour monter à l'étage.

Quand elle avait revu Bob, juste après l'accident, elle avait pensé qu'il ne pourrait jamais avoir l'air plus mal en point. Ces temps-ci, il continuait à vivre mais avait l'air vraiment plus mal qu'à cette époque. Il avait les traits tirés, le visage creusé d'angoisse, il ne faisait plus aucune remarque désobligeante : on avait l'impression qu'il avait cessé de lutter.

Elle s'approcha du lit et lui dit :

— J'ai écrit deux lettres : une lettre personnelle pour M. Meane, l'autre pour M. Bury. J'ai pensé que vous aimeriez les voir. Voulez-vous que je vous les lise ?

— Ce n'est pas la peine.

Jinny ne fit aucun commentaire. Puis elle ajouta :

— John a dû vous dire qu'il avait pu discuter avec Jack Newland et Peter Trowell, les deux représentants du personnel, et que ceux-ci lui avaient promis de venir vous voir un de ces jours pour avoir une petite conversation avec vous.

— Ça nous fera une belle jambe !

— On peut toujours voir ce qu'ils diront...

Bob tourna la tête pour la regarder, mais ne dit rien.

— Il y a un problème dont il faut que je vous parle, que ça vous plaise ou non, reprit Jinny. Il s'agit de Glen.

— Un problème avec Glen ?

— J'ai... A dire vrai, j'ai un peu peur de lui.

— De quoi avez-vous peur ? Il est redevenu un enfant,

ce n'est plus un homme. Je ne vois pas en quoi il pourrait vous faire peur ?

— C'est difficile à expliquer. La seule chose que je sais, c'est que j'ai peur de lui. Ces derniers temps, il ne se comporte plus de la même manière avec moi. Il est tout le temps en train de me tourner autour.

— C'est si terrible que ça ?

— Pour moi, oui ! s'écria Jinny. Je n'arrive pas à le supporter. Ça fait trois semaines que ça dure et ça me tape sur les nerfs. Pourtant, John et Willie font tout ce qu'ils peuvent.

— C'est normal : ils sont payés pour ça.

— Ne dites pas une chose pareille ! En ce qui concerne John, en tout cas... Les services qu'il vous rend n'ont pas de prix.

— Alors comme ça maintenant vous prenez son parti. Je ne savais pas que vous vous entendiez aussi bien tous les deux.

— La question n'est pas de savoir si je m'entends avec lui ou non... Je suis simplement de bonne foi. Et si vous voulez tout savoir, je pense qu'il n'en peut plus.

— Quelle est la solution, alors ?

— Tout dépend de vous. Glen pourrait retourner à l'hôpital...

— Que je sois pendu s'il y retourne ! Il est ici chez lui ! Je suis son père : si je ne m'occupe pas de lui, qui le fera ? Vous êtes en train de me proposer qu'il finisse ses jours dans un asile d'aliénés ! Maintenant, mademoiselle, si vous n'êtes pas capable de le supporter, vous pouvez toujours prendre la porte.

Jinny le regarda dans les yeux et, les lèvres pincées, il lui rendit son regard.

— Vous avez raison, répondit-elle d'une voix posée. Non seulement je peux prendre la porte, mais c'est exactement ce que je vais faire demain.

Elle fit demi-tour et presque arrivée à la porte, elle entendit Bob crier : « Jinny ! Jinny ! » mais cette fois-ci, elle ne se retourna pas.

Au moment de refermer la porte derrière elle, elle sanglotait et c'est dans une sorte de brouillard qu'elle aperçut John qui venait vers elle du fond du couloir. Elle fit semblant de ne pas l'avoir vu, traversa le palier et alla s'enfermer dans sa chambre. A peine avait-elle refermé la porte que celle-ci s'ouvrait à nouveau. John s'approcha d'elle et la prenant par les épaules, lui demanda :

— Qu'y a-t-il ? Qu'est-il arrivé ?

Elle avait la gorge tellement serrée qu'elle était incapable de parler.

— Jinny ! s'écria-t-il. Dites-moi ce qui s'est passé ! Que vous a-t-il dit ?

Jinny laissa enfin échapper les larmes qui l'étouffaient. Quand John la prit dans ses bras et la serra contre lui, elle se mit à pleurer de plus belle, hoquetant de chagrin.

Au bout d'une minute, elle se calma et s'éloigna de lui. Comme elle tâtonnait autour d'elle à la recherche d'un mouchoir, John sortit le sien de sa poche et lui essuya les joues. Elle lui prit le mouchoir des mains et alla s'asseoir sur la chaise à côté du lit. John s'installa sur le lit en face d'elle et, penché vers elle, lui demanda à nouveau :

— Dites-moi ce qui est arrivé. Est-ce que c'est à cause de Glen ?

Elle hocha la tête et finit par lui dire :

— J'ai... peur de lui. Il... veut toujours me... (elle hésita un court instant avant d'ajouter :) me toucher. J'ai dit à votre père que je ne pouvais plus supporter ça et qu'il fallait qu'il retourne à l'hôpital. Et lui (à nouveau sa gorge se serra, mais elle s'obligea à continuer) il m'a dit que je pouvais prendre la porte. Alors moi... moi, je lui ai répondu que c'est ce que j'allais faire demain.

— Il n'en est pas question !

— Si, dit-elle en relevant la tête. Je ne peux plus supporter ça. Je sens... J'ai peur que quelque chose arrive... Je ne sais pas pourquoi, John, mais j'ai peur de lui. Je ne peux pas m'en empêcher. Je ne suis pas la seule. Lucy aussi. C'est elle qui me l'a dit. Je suis sûre que c'est pour ça qu'elle est partie habiter chez Monica.

— Glen va retourner à l'hôpital. Je vais m'en occuper.

— N'en faites rien, je vous en prie! le supplia Jinny en posant sa main sur la sienne. Votre père tient absolument à ce qu'il reste ici. D'après ce qu'il m'a dit, il ne peut pas supporter l'idée que son fils se retrouve dans un... asile.

— C'est pourtant là qu'est sa place. Et il faudra bien que père finisse par le reconnaître. Je sais que c'est terrible! Et pas pour Glen. Oh non, pas pour lui! Lui, il vit dans un monde où rien ne le touche, sauf la satisfaction de ses besoins physiques. C'est certainement pour ça qu'il est obsédé par la nourriture. Il a pris près de cinq kilos depuis qu'il est ici! J'ai demandé à Dorry et à Cissie de ne rien lui donner à manger entre les repas. Mais, comme elles m'ont dit, elles ne peuvent pas l'empêcher d'aller se servir dans le réfrigérateur.

Il posa une main sur l'épaule de Jinny, de l'autre lui prit le menton et lui releva la tête, et reprit :

— Laissez-moi arranger les choses avec père. Je n'ai besoin que d'un jour ou deux. Entre-temps, je me débrouillerai pour que Glen ne s'approche pas de vous. Je vais demander à Willie qu'il ne le quitte pas d'une semelle. L'essentiel, c'est que vous restiez là. Car vous savez aussi bien que moi que père serait complètement perdu si vous partiez, quoi qu'il ait pu vous dire. C'est drôle, ajouta-t-il en souriant, si je n'avais pas su qu'il adorait notre mère, j'aurais facilement imaginé qu'il avait une liaison avec vous. Inutile de me regarder comme ça! Cela aurait été tout à fait naturel... à condition que vous soyez d'accord, bien entendu. Comme ce n'est pas le cas, je continue à me demander ce que vous représentez à ses yeux. Il ne vous considère pas comme sa fille. Il en a déjà quatre et elles ne lui sont d'aucun secours. Florence a même le chic pour le mettre en rage ces derniers temps... S'il ne vous considère pas comme sa fille, que reste-t-il ? Je ne sais pas ce que vous en pensez mais j'ai du mal à croire que vous représentiez à ses yeux une figure maternelle...

Au lieu de répondre directement à sa question, Jinny lui expliqua :

— Un jour quelqu'un m'a dit que j'étais le type même de l'employée modèle. Quand je repense aux dix-huit mois qui viennent de s'écouler, je me dis que j'ai en effet pleinement assumé ce rôle...

— Vous, une employée modèle ? Je ne sais pas qui vous a dit ça, mais si je devais vous classer quelque part, ce n'est pas là que je vous mettrais. Pour être une bonne employée, il faut être soumise et docile et vous êtes tout, sauf ça, non ?

— Tout dépend du point de vue où on se place. Et, aux yeux de votre père, j'étais avant tout une bonne secrétaire. Il appréciait aussi le fait que je ne sois pas choquée par son cynisme et sa grossièreté. Je faisais partie des meubles et je représentais son dernier contact avec l'usine. J'étais la seule avec qui il pouvait encore parler de son travail. Disons qu'il en a été ainsi jusqu'à... l'arrivée de Glen. Mais depuis, il ne s'intéresse même plus à ça. Je suis désolée, ajouta-t-elle en hochant tristement la tête, mais vous est-il vraiment possible de contrôler Glen ? Willie n'arriverait pas à le maîtriser s'il faisait usage de sa force... Je crois qu'il vaut mieux que je m'en aille, de toute façon, parce que...

— Jinny, Jinny... l'interrompit John en se penchant vers elle, presque à la toucher. Je n'ai pas l'habitude de demander des faveurs à qui que ce soit, mais attendez jusqu'à la fin de la semaine. Si vous n'avez pas changé d'avis, vous pourrez toujours partir avec votre cousine samedi quand elle viendra vous voir. Laissez-moi quelques jours pour essayer d'arranger ça. Ce n'est pas simplement parce que...

Il s'interrompit soudain et tourna la tête avant d'ajouter :

— On ne s'entendait pas très bien au début tous les deux, n'est-ce pas ? Mais c'était de ma faute. Je tiens à vous dire que si vous partez, vous allez me manquer, à moi aussi. Une maison où il n'y a pas de femme n'est plus vraiment une maison, conclut-il, toujours sans la regarder.

— Si vous avez besoin qu'il y ait une femme à la maison, vous pouvez toujours demander à Lucy de revenir.

— Ce n'est pas ce que je voulais dire. Pourquoi inter-prétez-vous toujours mal mes paroles ? De toute façon, j'ai l'impression que Lucy ne reviendra pas. Hier soir, je suis allé voir Monica et elle m'a dit que Reg Talbot n'allait pas tarder à partir en Nouvelle-Zélande. Ça ne m'étonnerait pas qu'ils se marient en cachette et que Lucy l'accompagne là-bas. En fait, d'après Monica, elle est tellement folle de lui, qu'elle se passera peut-être même de la cérémonie. De nos jours, c'est monnaie courante et personne n'ira crier au scandale, non ?

John eut un petit sourire en coin.

— Personne en effet ! répliqua sèchement Jinny. J'ima-gine pourtant qu'il y a encore des gens pour penser qu'il est préférable de se marier avant de vivre avec quelqu'un.

John s'écarta d'elle brusquement et, baissant la tête, éclata soudain de rire.

— Dieu du ciel ! s'écria-t-il. Vous êtes vraiment éton-nante, Jinny ! On dirait une réplique tout droit sortie d'un roman victorien. Vous croyez vraiment qu'un bout de papier et quelques phrases récitées par-dessus votre tête changent quoi que ce soit à l'acte lui-même ? demanda-t-il.

Il releva la tête et cessa de rire.

— Pensez-vous qu'il suffise de passer à la mairie ou à l'église pour être sûre d'être heureuse ? Et si vous ne l'êtes pas, parce que vous êtes mariée, vous allez supporter ça toute votre vie, comme le faisaient les femmes dans le temps ? Aujourd'hui, on fait ça sans passer devant le maire, et si ça ne marche pas, eh bien on se sépare. N'est-ce pas une attitude bien plus saine?

Jinny sauta sur ses pieds et le regarda de haut. Le visage fermé, les lèvres remuant à peine, elle lui rappela :

— Lorsque vous m'avez suivie dans ma chambre, c'était pour savoir pour quelle raison j'étais bouleversée. Maintenant, vous le savez. Je ne vois pas le rapport entre ce que je vous ai dit et le sujet que vous venez de développer. En tout cas, je ne souhaite pas poursuivre cette discussion.

John s'était levé, lui aussi, et son visage était maintenant aussi fermé que le sien.

— Voulez-vous que je vous dise ce que vous êtes, mademoiselle Brownlow? demanda-t-il en criant presque. Vous avez l'étoffe d'une vieille fille! C'est écrit sur votre visage et il suffit de vous regarder marcher ou d'entendre vos reparties cinglantes pour comprendre tout de suite à qui on a affaire. Tout en vous dénote la femme frustrée.

Il avait presque atteint la porte quand Jinny se retourna pour lui crier :

— La vieille fille ne sera plus là demain matin! Ou même ce soir...

La main sur la poignée, John se retourna pour lui lancer :

— Parfait.

Puis il fit rageusement claquer la porte derrière lui.

Jinny alla chercher ses valises dans le débarras où elles étaient placées et y rangea ses affaires avant d'aller téléphoner à Nell. Comme personne ne répondait chez ses cousins, après avoir réfléchi, elle se dit qu'on était mardi et que ce jour-là, Nell allait toujours prendre le thé chez sa meilleure amie, Mme Collins. Sachant que sa femme n'était pas là, Peter quittait le bureau un peu plus tard ou bien allait faire un tour au Rotary Club. Si Jinny avait eu une clef de la maison, elle aurait appelé un taxi et serait partie sur-le-champ. Malheureusement, quand elle était venue habiter ici, elle avait rendu à Nell la clef que celle-ci lui avait confiée pendant son séjour chez eux, en pensant qu'elle n'en aurait plus besoin.

Comme c'était étrange qu'elle ait pu croire qu'elle allait vivre ici toute sa vie... Une vie qui se résumait à écrire quelques lettres et à divertir un homme paralysé en échangeant des boutades avec lui, boutades qui l'avaient souvent irritée car on se lasse de tout, même des bonnes choses. On dit que la familiarité engendre le mépris, mais, avec Bob, elle avait engendré de la lassitude, tout simplement.

La situation était très différente lorsqu'ils travaillaient ensemble. A cette époque, lorsqu'ils échangeaient des plaisanteries, c'était toujours sur un sujet bien précis : une lettre qui venait d'arriver au courrier, une visite à l'usine, la dernière idée de M. Garbrook ou encore la lutte pour le pouvoir que menait M. Waitland...

Même si Jinny devait attendre jusqu'au lendemain matin pour partir, elle était bien décidée à ne pas quitter sa chambre jusque-là. Elle pourrait rester sans manger jusqu'au lendemain et elle ne risquait pas de mourir de soif, car elle gardait toujours quelques bouteilles de jus d'orange en réserve dans le placard de la salle de bains.

Elle s'approcha de la fenêtre et contempla la ville qui s'étendait tout en bas de la colline. Comme le soleil brillait, elle apercevait parfaitement Bog's End et Mill Bank. Cela lui rappela ce lointain jour où le bus qu'elle avait pris avait longé Mill Bank avant de s'engager dans Bog's End...

Son esprit eut un mouvement de recul, au moment où elle allait se remémorer la scène dont elle avait été témoin à l'arrière du salon de coiffure. Regardant de nouveau la ville, elle suivit des yeux une autre route qui menait, celle-là, à la maison d'Hal Campbell.

A nouveau, elle voulut rebrousser chemin et elle allait y parvenir quand on frappa à la porte.

Au lieu de répondre « Entrez », comme d'habitude, elle demanda :

— Qui est là ?

— C'est Dorry, mademoiselle.

Dès qu'elle eut ouvert la porte, Dorry lui dit :

— Il y a un monsieur qui vous demande.

— Un monsieur ? Qui est-ce ? A-t-il donné son nom ?

— Non. Il a simplement dit qu'il venait voir Mlle Brownlow. J'aurais dû lui demander comment il s'appelait, mais comme il avait l'air très correct, je lui ai proposé d'entrer. Il vous attend en bas.

« Ça ne peut pas être Peter, songea Jinny. Dorry le connaît... » Était-il possible... Non ! Jamais Hal n'oserait venir la voir. Et pourtant, quelques secondes plus tôt, elle pensait justement à lui...

— Est-ce que c'est un homme d'âge mûr ou d'âge moyen ? demanda-t-elle.

— Non, mademoiselle, il est jeune.

— Jeune ! s'écria Jinny qui ne voyait toujours pas qui cela pouvait être. Je descends dans une minute, dit-elle.

C'est seulement au moment où elle s'engageait dans l'escalier qu'elle songea à Michael. Ça ne pouvait être que lui ! Pourquoi n'y avait-elle pas pensé plus tôt ?

Effectivement, Michael l'attendait dans l'entrée. Il s'était approché d'une des hautes fenêtres et regardait au-dehors. Comme les marches de l'escalier étaient recouvertes d'une épaisse moquette, il ne l'entendit pas arriver.

— Bonjour, Michael ! lança Jinny avec un sourire de bienvenue.

Michael se retourna aussitôt.

— Bonjour, Jinny, répondit-il sans s'avancer vers elle. Ça fait longtemps qu'on ne s'est pas vus.

Jinny allait lui proposer de la suivre dans le salon quand John apparut au bout du couloir qui donnait à gauche de l'escalier. Il s'arrêta et les regarda d'un air surpris.

— Est-ce que je peux me permettre d'emmener
M. Morton dans le salon? demanda Jinny en le regardant
droit dans les yeux.

Un court instant, elle eut l'impression d'avoir en face
d'elle la réplique exacte de Bob Henderson et elle crut que
John allait l'agonir d'injures. Mais il réussit à se contrôler et
finit par lui répondre sur un ton qui manquait totalement
de naturel :

— Bien entendu, vous êtes entièrement libre d'emmener... M. Morton dans le salon.

Quand Michael eut refermé la porte du salon derrière
eux, il se tourna vers Jinny et lui demanda :

— Qui est-ce?

— C'est John, le fils de M. Henderson.

— Individu agréable s'il en est!

— Sans vouloir lui chercher des excuses, il a quelques
bonnes raisons d'être hors de lui aujourd'hui.

D'un signe de tête, Jinny lui montra le divan mais avant
de s'y installer, il la prit par la main, l'obligeant à s'asseoir à
côté de lui.

— C'est donc là que vous étiez partie vous cacher, dit-il
sans lui lâcher la main.

— Je ne me cachais pas...

— Pourquoi êtes-vous partie comme ça? demanda-t-il,
le visage soudain grave.

— Vous devriez le savoir. Je ne pouvais plus supporter...

— Supporter quoi?

— Vous le savez aussi bien que moi, Michael!

— D'accord, je le sais. Mais il n'empêche que pendant
un mois, je vous ai cherchée partout. Ce fichu agent immobilier était muet comme une carpe! Ensuite, je suis parti à
Londres. On peut considérer ça comme une promotion
puisqu'on m'a expédié là-bas pour faire un travail bien précis. Je suis rentré il y a trois semaines et...

Il s'interrompit, pinça les lèvres, puis reprit aussitôt :

— Je me suis aperçu que je vous avais toujours dans la tête. Alors j'ai recommencé à vous chercher. Je ne vous aurais certainement jamais retrouvée si le hasard ne s'en était mêlé. Hier, j'ai reçu la visite au bureau d'un vieux type qui venait me consulter au sujet de la déclaration d'impôts de son fils. C'était un type charmant et il a commencé à me raconter qu'il travaillait chez Henderson et qu'il était portier. Est-ce qu'il connaissait une Mlle Brownlow ? Oui, bien sûr ! Avait-il une idée de l'endroit où elle se trouvait actuellement ? Oui ! Elle s'occupait du patron — pour lui, M. Henderson est toujours le patron — et habitait chez lui à Brampton Hill... Voilà comment j'ai réussi à vous retrouver.

— Ça me fait plaisir de vous revoir, Michael.

— Vous pensez vraiment ce que vous venez de dire ?

— Absolument !

Jinny était sincère. Michael lui plaisait bien. S'il était venu la voir lorsqu'elle vivait chez Nell, leur relation aurait peut-être évolué d'une manière inattendue... Qui sait ? Mais maintenant, il était trop tard. L'amour était une chose bien étrange... D'ailleurs, elle n'avait jamais été amoureuse de Michael. Avait-elle vraiment aimé Hal Campbell ? Non. Et Ray Collard ? Non plus ! Avait-elle été amoureuse de George Mayborough ? Rien que de repenser à lui, elle faillit éclater de rire... Était-elle amoureuse de... ?

A l'étage, une porte claqua et une voix rauque lança : « J'en ai par-dessus la tête de toutes ces humiliations ! » Repensant à l'homme qui était couché là-haut, Jinny se demanda si elle l'aimait. Oh oui, elle l'aimait ! Le sentiment qu'elle éprouvait pour lui, c'était vraiment de l'amour. Sans passion, sans désir, mais néanmoins de l'amour...

— Que dites-vous ? demanda-t-elle à Michael.

— J'étais justement en train de vous dire que vous n'écoutiez pas ce que je disais.

— Redites-le-moi.

— J'étais en train de vous expliquer que mes idées sur le mariage avaient complètement changé. Je vous en prie, je vous en prie...

Il serra plus fort la main de Jinny alors qu'elle essayait de s'écarter de lui.

— Je suis sincère, Jinny ! Vraiment sincère ! C'est la première fois que ce genre de chose m'arrive. Qui aurait cru ça ? Pas moi, en tout cas ! J'ai vu tellement de mariages mal tourner. Vous aussi, vous connaissez ça, n'est-ce pas ? Mais il y a aussi des mariages qui marchent. Et ce sera le cas du nôtre. Je ferai tout pour ça. Faites-moi confiance ! Je ne vous demande que ça...

Pressant la main de Jinny contre sa poitrine, il la prit par l'épaule pour l'attirer vers lui quand soudain ils se figèrent tous les deux : la porte du salon venait brusquement de s'ouvrir. Tournant la tête dans cette direction, ils aperçurent John, qui se tenait sans bouger sur le seuil, l'air totalement surpris. Ses yeux n'étaient plus que deux minces fentes comme s'il les scrutait de très loin. C'est pourtant d'une voix relativement calme qu'il leur dit :

— Je venais vous demander si vous vouliez boire une tasse de thé.

Repoussant Michael, Jinny bondit sur ses pieds.

— Non merci, dit-elle.

— Dorry a tout préparé, insista John.

— Non merci. Inutile de vous déranger. M. Morton ne va pas tarder à partir.

— Très bien, répondit John après avoir observé Michael pendant quelques secondes.

Puis il fit demi-tour et referma la porte derrière lui.

— Voulez-vous que nous reprenions cette conversation où nous l'avons laissée ? proposa Michael.

— Non, Michael, je vous en prie...

— Je ne vous déplais pas ?

— Non, non. Ça n'a jamais été le cas, répondit Jinny en lui souriant gentiment.

— C'est déjà un bon début.

— Non, ce n'est pas un début car ça n'ira pas plus loin. Je ne suis pas amoureuse de vous.

— Il y a une différence entre être amoureuse de quelqu'un et l'aimer. On dit que lorsqu'un homme plaît à une femme, c'est un excellent point de départ.

— Je vous aime bien, Michael, mais le reste est impossible.

— Pourquoi ? demanda-t-il, l'air soudain tendu. Vous avez quelqu'un d'autre en vue ? Ou disons plutôt : à portée de la main.

— Non... Personne.

— Et lui alors ? demanda-t-il en indiquant la porte de la tête. Je sais reconnaître un homme jaloux quand j'en vois un, et jaloux il l'était, c'est moi qui vous le dis.

— Il n'était pas jaloux mais... simplement de mauvaise humeur.

— Vous en êtes sûre ?

Comme elle tardait à répondre, il insista :

— Vous n'en êtes pas sûre, n'est-ce pas ?

— J'en suis tellement sûre que je pars demain.

— Où allez-vous ?

Jinny n'avait aucune raison de ne pas lui dire où elle allait. Il était inutile qu'il recommence à la chercher et, de toute façon, il suffirait qu'il téléphone chez les Henderson pour qu'on lui dise où elle était partie.

— J'ai une cousine qui habite Shields, répondit-elle.

— Vous avez dit que vous partiez demain. Voulez-vous que je vous accompagne là-bas ?

Pourquoi pas ? Si Michael l'accompagnait, elle n'aurait pas besoin d'appeler un taxi ou de demander à Peter de venir la chercher.

— Ça serait très gentil de votre part, Michael.

— A quelle heure voulez-vous que je vienne ?

— Quelle est l'heure qui vous arrange ?

— N'importe quand. Depuis que je suis revenu de Londres, j'ai eu droit à une promotion : je suis mon propre patron. Disons dix heures.

— Ce sera parfait. Merci.

Jinny se dirigea alors vers la porte. Mais, avant qu'elle l'ait atteinte, Michael l'attrapa par le bras et lui dit, en la regardant dans les yeux :

— C'est la seconde fois que je vole à votre secours. Il me semble que c'est bon signe.

Jinny fit non de la tête.

— Je vais être honnête avec vous, Michael, dit-elle. Il y a quelqu'un d'autre.

— Ah ! dit-il, en se frottant le menton. Et où est-il en ce moment où vous auriez besoin de lui ?

— Il ne sait pas que j'ai besoin de lui.

— C'est comme ça, alors ? Un homme marié ?

— Non, il n'est pas marié.

— Il y a quelque chose de bizarre là-dedans, remarqua-t-il en hochant la tête. Lui, il n'est pas du genre à se marier et vous, vous n'êtes pas du genre à rigoler avec ça. Si c'est comme ça, continua-t-il en souriant à moitié, je ne vois pas d'inconvénient à jouer les utilités. On ne sait jamais... S'il arrive quelque chose au premier rôle, j'ai peut-être une chance de le remplacer.

— Vous êtes drôle, Michael ! s'écria Jinny en riant.

Elle avait posé la main sur son bras et en profita pour l'entraîner vers la porte et lui faire traverser le hall d'entrée. Elle ne lui lâcha le bras que lorsqu'ils se retrouvèrent sur le perron.

— C'est vraiment une belle maison, remarqua Michael en jetant un coup d'œil derrière lui. Ça ne vous fait pas de la peine de la quitter ?

— Si, reconnut simplement Jinny.

— Rendez-vous demain à dix heures.

— Merci. Je serai prête. Au revoir.

— Au revoir, Jinny.

Au moment où elle refermait la porte derrière lui, elle se mit à frissonner. Elle se demanda si elle réagissait au vent froid qui s'était levé ou au fait qu'elle avait été obligée, à cause de la visite inattendue de Michael, d'admettre ce que, depuis plusieurs semaines, elle se refusait à reconnaître.

Elle allait s'engager dans l'escalier quand elle aperçut John qui descendait, suivi de Glen et de Willie.

— Infirmière ! Infirmière ! Je veux...

Willie intervint aussitôt :

— Allons, allons ! L'infirmière est occupée. Du calme ! Du calme !

Comme s'il voulait la protéger, John descendit les marches en courant, puis il la prit par le bras et l'entraîna vers le salon. Cela ne les empêcha pas d'entendre les protestations de Glen. Il était en train de crier d'une voix de petit garçon :

— Pourquoi n'ai-je pas le droit ? Pourquoi ? Les infirmières aiment jouer aux cartes. Laisse-moi tranquille !

Alors que leur parvenait le bruit d'une bagarre, Jinny posa sa main grande ouverte sur le sommet du crâne et la laissa glisser vers son front comme pour faire cesser ce vacarme. Elle ne laissa retomber sa main que lorsque John lui dit calmement :

— Vous aviez raison. Il faut qu'il y en ait un de vous deux qui parte... Votre ami semble être venu vous voir à un moment particulièrement opportun, ajouta-t-il sur un ton légèrement différent. C'est un... vieil ami ?

— On peut dire ça.

— Je suppose qu'il a dû être content d'apprendre que vous partiez ?

— Oui, on peut dire ça, aussi.

— Il est plutôt bel homme.

— C'est vrai.

— Pourquoi n'est-il pas venu vous voir avant ?

Jinny s'était légèrement reculée et elle avait déjà la main sur la poignée de la porte quand elle répondit :

— Il ne savait pas où j'étais. Il m'a cherchée partout.

— Et maintenant qu'il vous a retrouvée, que va-t-il se passer ?

Jinny entendit comme un léger amusement dans sa voix, bien que son expression ne se soit en rien modifiée. Elle se raidit soudain et lui répondit en le toisant :

— Ce qui va se passer, c'est que nous allons certainement nous marier.

Là-dessus, elle ouvrit la porte et le bouscula pour pouvoir passer, car il n'avait pas bougé. Et tandis qu'elle montait l'escalier, elle sentit qu'il la suivait des yeux, debout sur le seuil de la porte.

Dès qu'elle eut refermé la porte de sa chambre, elle s'immobilisa au centre de la pièce, le dos un peu voûté, les bras croisés sur la poitrine, comme si elle luttait contre le froid. « Dieu du ciel ! » murmura-t-elle. Si elle réagissait ainsi, ce n'était pas à cause de ce que John lui avait dit, mais parce qu'elle avait bien failli le gifler au moment où elle avait eu l'impression qu'il se moquait d'elle. Elle avait été envahie par le même sentiment de rage que le jour où elle avait giflé Mlle Cadwell ou lorsqu'elle avait surpris Hal au lit avec cette vieille peau... Pourquoi réagissait-elle ainsi ? Avant, elle n'était pas comme ça. Tant qu'elle avait vécu avec ses parents, elle avait toujours été une créature douce et gentille, et même un peu naïve. Ce n'était que lorsqu'elle avait commencé à rencontrer d'autres gens et à rechercher de la compagnie — elle évita délibérément le mot : amour — qu'était soudain apparu un aspect de sa personnalité qui, à ses yeux, n'avait rien à voir avec ce qu'elle était vraiment. Elle avait toujours pensé qu'elle n'était pas agressive et pourtant les événements étaient en train de lui prouver le contraire. Pourquoi avoir voulu soudain gifler John ? D'accord, il avait l'esprit caustique. Mais ce n'était pas ça qui l'avait rendue furieuse. Non.

Elle alla s'asseoir au pied du lit, posa ses deux bras sur les barreaux et y appuya sa tête. Inutile de se raconter des histoires : elle savait très bien pourquoi elle avait eu envie de le gifler. Elle savait qu'il était amoureux d'elle, mais elle savait aussi qu'il ne lui demanderait jamais de l'épouser. De vivre avec lui, ça, oui ! Il avait besoin d'elle, comme son père, mais ce besoin n'était pas suffisamment fort pour qu'il aille jusqu'à lui demander de l'épouser. Michael, lui aussi, avait longtemps raisonné ainsi. Mais il avait fini par changer d'idée. Et maintenant il lui offrait la sécurité... et la respectabilité.

Relevant la tête, elle répéta à voix haute : « La respectabilité. » Ce mot avait un côté tellement vieux jeu que les gens ne l'employaient plus que par dérision. Pourquoi était-elle incapable de faire pareil ? Qu'est-ce qui n'allait pas chez elle ? Est-ce qu'elle avait un côté bonne sœur ? Non ! Ses désirs étaient trop grands pour être sublimés... Dans ces conditions, pourquoi tenait-elle tant à avoir la bague au doigt ?

Ça, elle l'ignorait. La seule chose qu'elle savait, c'est que rien au monde ne coûtait plus cher que la chasteté et qu'un jour, le prix à payer lui semblerait tellement élevé qu'elle finirait par craquer. Elle sentait d'ailleurs qu'elle ne tiendrait plus le coup bien longtemps.

Il était près de sept heures quand Jinny réussit enfin à joindre Nell. Après lui avoir dit ce qui s'était passé, elle eut droit à un : « Je te l'avais dit ! » Elle lui expliqua que Michael l'emmènerait à Shields le lendemain matin. Elle venait de raccrocher quand Dorry entra dans la chambre avec un plateau sur lequel se trouvait son dîner. Elle posa le plateau sur la table, se tourna vers elle et lui dit :

— Cissie et moi, on est désolées que vous partiez. On se demande ce qu'il va devenir quand vous ne serez plus là, car vous êtes bien la seule à lui remonter le moral. Malgré tout, on comprend très bien ce que vous éprouvez vis-à-vis de M. Glen. Nous aussi, on a du mal à le supporter. Nous avons été obligées de vider le réfrigérateur de la cuisine et de placer pratiquement tout ce qu'il contenait dans celui de la réserve. Hier, il a pris un pâté en croûte qui devait peser pas loin d'un kilo. Cissie a essayé de l'en empêcher, mais il est fort comme un bœuf et elle a eu peur de recevoir un mauvais coup. Comme je l'ai dit à Willie, ajouta-t-elle en baissant la voix, sa place n'est pas ici. Et je sais que M. John pense exactement la même chose. Mais comme lui a décrété que son fils devait rester à la maison, eh bien il reste là. Je ne sais pas comment ça va finir. Mais que ça ne vous empêche pas de manger, mademoiselle... Ça, on peut dire que vous allez nous manquer ! Ce poste vous allait comme un gant. Pourtant vous êtes drôlement jeune pour diriger une maison... Mais comme dit Cissie, vous êtes pleine de bon sens et vous êtes beaucoup plus mûre que votre âge.

« Si ça pouvait être vrai que je suis plus mûre que mon âge ! » songea Jinny.

— Je suis désolée de devoir m'en aller, Dorry, répondit-elle. Et vous allez me manquer toutes les deux. Je me sentais comme chez moi ici, et en particulier à la cuisine.

— Est-ce que vous étiez heureuse chez vous, mademoiselle ? On voit bien que vous avez eu une excellente éducation, mais les parents qui élèvent bien leurs enfants ne les rendent pas toujours heureux. Il s'en faut même de beaucoup...

— J'étais très heureuse chez mes parents, Dorry. J'ai eu beaucoup de chance de ce côté-là. Ce n'est qu'aujourd'hui que je m'en rends compte. Bien souvent, on ne connaît pas son bonheur... Quant à mon éducation, elle a été des plus simples. Je suis allée au lycée jusqu'à seize ans, puis je suis entrée dans une école de secrétariat.

— Ah bon ! s'étonna Dorry. Vous n'êtes jamais allée à l'Université ? Comme Mlle Florence et Mlle Nellie ?

— Non.

— Je n'en reviens pas ! Et Cissie va être étonnée, elle aussi, quand elle apprendra ça. Vous avez vraiment l'air de quelqu'un qui a fait des études. Vous êtes tellement sûre de vous, vous comprenez ?

Jinny ne put s'empêcher de sourire. Cissie et Dorry raisonnaient comme on le faisait encore dans les années trente. Son père lui avait expliqué qu'à cette époque-là on rendait hommage à ceux qui étaient allés au collège ou à l'université, car cela voulait dire quelque chose aux yeux des gens.

Changeant soudain de sujet, Dorry reprit :

— M. John est d'une humeur massacrante. J'ai l'impression qu'il s'arrache les cheveux. Il a discuté du problème en long et en large avec Willie sans trouver de solution. On dirait qu'il n'y en a pas, non ? Mon Dieu ! Rien ne sera jamais plus pareil dans cette maison ! En attendant, vous feriez bien de manger votre soupe. Même couverte, elle va finir par refroidir.

— Merci, Dorry. Remerciez aussi Cissie de ma part. Je vous verrai toutes les deux demain matin avant de partir. Bonne nuit.

— Bonne nuit, mademoiselle.

Jinny mangea la soupe que Dorry lui avait apportée, ainsi qu'un peu de viande froide et de salade. Puis elle s'installa dans un fauteuil et prit un livre. Comme elle n'arrivait pas à se concentrer sur ce qu'elle lisait, elle décida d'écrire une lettre à Bob. Elle le remercia pour sa gentillesse et ajouta qu'elle aurait préféré que les choses se terminent autrement. Cette lettre lui éviterait d'aller le voir avant de partir. Jamais elle n'aurait le courage d'affronter le regard accusateur qu'il ne manquerait pas de lui lancer, un regard qui laisserait clairement entendre que, non seulement elle quittait le bateau au moment où il était en train de sombrer, mais qu'en plus, bien que bonne nageuse, elle refusait de tendre la main à quelqu'un en train de se noyer.

A neuf heures et demie, elle prit un bain et avala trois aspirines avant d'aller se coucher. Elle ne prenait jamais rien pour dormir, mais ce soir, si elle avait eu un tranquillisant sous la main, elle en aurait pris. Elle espérait que les comprimés calmeraient sa migraine et sa nervosité.

Elle était couchée depuis un moment déjà, les yeux grands ouverts dans le noir, lorsqu'elle entendit John passer dans le couloir et entrer dans la chambre de son père. Elle sut que c'était lui car elle perçut son toussotement. Ce n'était pas une toux à proprement parler, mais plutôt un tic nerveux qui faisait que ces derniers temps il n'arrêtait pas de s'éclaircir la gorge.

Un peu plus tôt, Willie était sorti de la chambre de Bob après avoir installé son malade pour la nuit. En revanche, Glen demeurait silencieux. Parfois, il parlait tellement fort que ça résonnait dans toute la maison. Il lui était arrivé aussi à deux reprises de ne pas dire un mot pendant plusieurs heures. En particulier un soir où il avait joué aux cartes sans émettre aucun commentaire. Comme Jinny s'en étonnait, Willie lui avait expliqué que ces étranges silences faisaient partie de sa maladie. Ils pouvaient annoncer une période d'instabilité intense ou correspondre à une fugitive vision de sa vie antérieure, ou encore être suivis par une explosion d'agressivité. Willie avait ajouté qu'il espérait que ce ne serait pas le cas cette fois-ci car Glen était tellement fort qu'il n'était pas sûr de parvenir à le maîtriser.

De nouveau quelqu'un toussota dans le couloir et Jinny en déduisit que John venait de quitter la chambre de son père. Ensuite, ce fut le silence. Tout le monde devait être allé se coucher et Jinny, qui ne dormait toujours pas, se dit que la dernière nuit qu'elle passait dans cette maison risquait de lui paraître bien longue. Elle finit par sombrer dans le sommeil. Elle savait toujours lorsqu'elle rêvait, si bien que lorsque ça devenait effrayant, elle se disait : « Réveille-toi ! Ce n'est qu'un rêve. » Cette fois-ci, quelqu'un était entré dans sa chambre et avait allumé la lampe de chevet. Comme elle commençait à avoir peur, elle se dit : « Ce n'est qu'un rêve. Réveille-toi ! » Elle faisait un effort pour ouvrir les yeux, lorsqu'elle eut l'impression qu'on l'appelait. Mais ce n'était pas son prénom, c'était celui d'une personne qu'elle connaissait. Quand elle ouvrit enfin les yeux, elle faillit pousser un cri en apercevant le visage penché au-dessus d'elle. Ce visage souriait et la regardait avec une grande douceur, ce qui la retint d'ailleurs de crier. Elle s'appuya sur ses coudes et murmura :

— Sois gentil, Glen ! Retourne te coucher.

Au lieu de lui répondre, celui-ci lui caressa tendrement la joue.

— Allons, allons, Glen ! Tu ne devrais pas être là ! Tu devrais être en train de...

Au moment où elle allait ajouter « dormir », d'un geste vif, Glen repoussa au pied du lit draps et couvertures.

— Va-t'en ! cria Jinny. Arrê...

La fin du mot s'étrangla dans sa gorge, car il venait de lui plaquer la main sur la bouche.

Son visage avait perdu toute douceur : il n'arrêtait pas d'ouvrir et de fermer les yeux et ses globes oculaires semblaient animés d'un mouvement incessant. Au moment où Jinny levait les mains pour le repousser, il lui attrapa les poignets et les serra comme dans un étau.

— Yvonne... Yvonne... Yvonne, murmura-t-il en se hissant sur le lit à côté d'elle.

Maintenant qu'il était couché à côté d'elle, il lui fermait la bouche avec beaucoup moins de force et elle en profita pour pousser un cri étranglé et lui mordre le doigt.

Lâchant sa bouche, il la gifla à toute volée. Comme Jinny hurlait sous la douleur, il lui dit en se mettant à pleurer :

— Pardonne-moi, Yvonne. Pardonne-moi. C'est moi, ton Glen ! Yvonne, c'est moi !

Jinny allait recommencer à hurler quand, d'un rapide mouvement de reins, il se laissa tomber sur elle, lui libérant du même coup les mains. Elle en profita pour lui tirer les cheveux, ce qui le rendit fou furieux. Il essaya de la griffer et lui arracha sa chemise de nuit.

Comme elle luttait pour essayer de lui échapper, Glen pesa sur elle de tout son poids et elle sentit qu'elle allait s'évanouir. Elle ne se rendit même pas compte qu'elle appelait au secours les trois hommes de la maison en criant : « Bob ! John ! Willie ! » Quand Glen se mit à lui lacérer les seins, enfonçant profondément ses ongles dans sa chair, son appel se transforma en un long cri d'agonie.

C'est à ce moment-là que John et Willie firent irruption dans la chambre. Quand ils l'eurent débarrassée du poids qui l'étouffait, elle resta couchée sans bouger, en suffoquant. Elle sanglotait, insensible au fait qu'elle était nue. Des filets de sang coulaient de ses seins sur ses avant-bras. Elle ne fit pas attention non plus à la bagarre qui avait lieu à côté de son lit.

— Je le tiens ! cria soudain Willie. Il y a une boîte dans l'armoire à pharmacie de ma chambre, une boîte marron. Sur le devant de l'étagère... Dépêchez-vous !

John se précipita dehors et moins d'une minute plus tard il revenait avec une seringue. Willie venait de réussir à piquer Glen dans la fesse, lorsqu'ils entendirent une voix crier de l'autre côté du couloir. Mais ni l'un ni l'autre n'y prêtèrent attention. Ils s'approchèrent du lit et le premier geste de John fut de rabattre draps et couvertures sur le corps nu de Jinny. Puis il lui prit gentiment la tête et la tourna vers lui pour qu'elle le regarde. Elle ne dit rien. Lui non plus. Ses pleurs avaient cessé et elle laissait simplement échapper de temps en temps un faible gémissement.

— Je vais téléphoner tout de suite à l'hôpital, annonça Willie. Nous allons être obligés de le laisser là jusqu'à ce qu'ils arrivent. Il est trop lourd et jamais nous n'arriverons à le descendre au rez-de-chaussée.

A la porte, ils entendirent clairement la voix de Bob qui criait :

— Venez ici ! Dépêchez-vous.

Willie se retourna pour regarder John et il lui demanda simplement :

— Qu'est-ce qu'on fait ?

— Il ne peut plus rien. Il faut qu'il s'en rende compte.

— Je vais téléphoner de sa chambre. J'en profiterai aussi pour appeler le médecin. Comme ça, ce sera fini.

Willie se dépêcha de sortir, traversa le couloir, ouvrit la porte et s'immobilisa soudain. La bouche ouverte, les yeux écarquillés, il regarda fixement son malade. Puis tournant la tête vers le couloir, il appela :

— John ! John ! Venez vite !

Celui-ci accourut aussitôt et vit alors que son père était assis au bord de son lit comme si, après s'être relevé sans l'aide de qui que ce soit, il avait essayé de mettre les pieds par terre.

— Mon Dieu ! s'écria-t-il.

Comme il s'approchait du lit, son père lui demanda :

— Qu'est-ce qu'il lui a fait ?

— Il a essayé de la violer et l'a pas mal amochée au passage... répondit-il. Mais après tout, quelle importance ? Puisque ça t'a fait lever... Dommage qu'il n'y ait pas eu quelque chose de moins dramatique pour t'obliger à le faire avant, conclut-il en faisant demi-tour pour se précipiter dans la chambre de Jinny.

— Est-ce qu'elle est gravement blessée ? demanda Bob en se tournant vers Willie.

— Je ne sais pas... Sa poitrine saignait et j'ai l'impression qu'elle a dû tomber dans les pommes. John s'occupe d'elle. Heureusement que nous sommes arrivés ! Parce que, fort comme il est et dans cet état d'excitation sexuelle, il en serait venu à bout facilement, elle n'aurait pas pesé lourd en face de lui.

— Où est-il maintenant ?

— Sur le plancher. Je l'ai étendu pour le compte.

— Est-ce que vous avez... téléphoné à l'hôpital ?

— C'est ce que je vais faire. Je comptais justement télé-phoner de votre chambre.

— Vous pensez que c'est de ma faute, n'est-ce pas ?

— Non, je ne pense pas ça. C'est votre fils et je sais ce que vous ressentez envers lui. En réalité, ce n'est de la faute de personne, c'est simplement malheureux. Ce sont des choses qui arrivent et il faut que vous vous fassiez à l'idée qu'il restera tel qu'il est, à moins qu'un jour la chirurgie du cerveau fasse d'immenses progrès...

— Aidez-moi à m'asseoir.

Quand Willie l'eut installé contre les oreillers, Bob lui demanda :

— Où étiez-vous ? Elle a crié plusieurs fois avant que vous arriviez. Je l'ai entendue depuis le début.

— Nous étions en bas tous les deux et nous discutions pour savoir ce qu'on pourrait faire pour l'empêcher de par-tir demain. Le plus curieux c'est que, depuis quelques jours, je me disais qu'il allait arriver quelque chose. M. Glen était bien trop calme. J'avais doublé la dose de médicaments mais la plupart des malades sont malins : ils mettent les cachets dans leur bouche, les placent sous leur langue, avalent leur verre d'eau et, dès que vous avez le dos tourné, ils les recrachent. Il m'a déjà fait le coup une fois ou deux... Et pourtant ce soir, je suis resté là pour m'assurer qu'il les avait bien pris. Enfin, c'est ce que j'ai cru... En réa-lité, on n'est jamais sûr de rien quand ils sont dans cet état-là. A mon avis, il avait ça dans l'idée et il savait que s'il prenait ses cachets pour dormir, il ne le ferait pas. Il s'est amouraché d'elle depuis le début. Elle devait lui rappeler sa femme. Et au fond, c'est plutôt normal : il est encore un homme...

John était en train de se dire que son frère était encore un homme, malheureusement il se comportait maintenant comme une bête.

Il était allé chercher une éponge et de l'eau dans la salle de bains pour rafraîchir le visage de Jinny. Son œil droit était en train de tourner au violet et sa joue était tout enflée. Elle n'avait toujours rien dit et gardait les yeux fermés, le corps secoué régulièrement par de longs frissons.

Lorsque Glen, toujours allongé par terre, grogna dans son sommeil, elle sembla soudain revenir à la vie. Elle se mit à trembler, ouvrit les yeux et haleta comme si elle manquait d'air.

— Tout va bien, Jinny, lui dit John d'une voix douce.

Elle le regarda, ouvrit la bouche comme si elle voulait parler, mais aucun mot ne franchit ses lèvres.

— Tout va bien, mon petit, répéta John. On ne va pas tarder à venir le chercher. C'est fini maintenant. Ça n'aurait jamais dû arriver et maintenant, c'est fini.

Jinny referma les yeux et de grosses larmes mouillèrent ses cils. John passa tendrement son bras derrière sa tête et il reprit :

— Jinny, oh Jinny ! Ne pleurez plus, je vous en prie, je m'en veux tellement de n'avoir pas pu empêcher ça. Et Willie aussi. Nous étions tous les deux en bas à essayer de trouver un moyen pour que vous restiez. Nous nous étions dit que la meilleure chose à faire, c'était d'appeler le médecin demain à la première heure. Willie lui aurait expliqué que l'état de Glen s'était modifié ces derniers temps et qu'il avait à nouveau besoin de soins intensifs. Si je tenais tellement à trouver une solution à ce problème, c'est parce que je ne pouvais supporter l'idée que vous partiez. Jinny... Oh, Jinny ! Ne vous agitez pas ! Je vais appeler Willie et lui demander d'aller réveiller Dorry. Elle doit dormir comme une souche. Et demain, votre cousine viendra vous voir. Tout va s'arranger, vous verrez...

Quand il voulut s'éloigner d'elle pour aller chercher

Willie, elle lui attrapa la main et tourna la tête en direction de Glen qui s'était remis à grogner.

— Il est sous calmants, la rassura John aussitôt. Il en a pour plusieurs heures avant de se réveiller. Ils ne vont pas tarder à venir le chercher. Willie ! appela-t-il en élevant la voix.

Dès que Willie arriva, il lui dit :

— Allez donc chercher Dorry.

Puis il demanda :

— Avez-vous réussi à joindre l'hôpital ?

— Ils devraient être là dans une demi-heure.

— Et le médecin ?

— Le plus tôt possible...

Ce n'est que près d'une heure plus tard que Glen fut évacué sur une civière et il fallut attendre encore une bonne demi-heure avant que le médecin, appelé ailleurs en urgence, arrive enfin.

Lorsqu'il redescendit, John l'attendait dans le hall. Il n'était pas resté plus de dix minutes avec Jinny. John lui demanda des nouvelles et il lui répondit aussitôt :

— Elle n'a pas voulu que je l'examine. Elle est très ébranlée nerveusement, ce qui est tout à fait normal. Je lui ai donc donné un calmant.

— Alors, vous ne savez pas si...

— Non, je n'en sais rien. Elle est la seule à pouvoir répondre à cette question. A ce stade, la seule chose que je puisse souhaiter c'est que cette agression n'ait pas d'autres conséquences, car je peux vous assurer qu'elle a dû souffrir. Il lui a arraché la peau des seins à quatre endroits. Et ce ne sont pas des égratignures mais de profondes écorchures. Il l'a en outre frappée avec une telle force que demain elle aura un œil au beurre noir et un énorme bleu sur la joue. Alors prions le ciel qu'il ne lui ait rien fait d'autre et que vous soyez arrivés à temps ! Espérons aussi que votre père va enfin admettre qu'il s'est trompé. Lourdement ! Je me suis toujours opposé au retour de Glen. J'ai déjà eu affaire à ce genre de cas : d'un jour à l'autre, on ne sait jamais comment ils vont réagir. Nous savons ce qu'il en est pour lui. Reste à savoir maintenant comment elle, elle va réagir...

5

— Oh, mon Dieu, mon petit, qu'est-ce qu'il t'a fait !
s'écria Nell en se penchant vers Jinny, et en effleurant avec
douceur sa joue enflée et jaunissante sur laquelle se déta-
chait son œil au beurre noir. Il mériterait qu'on l'attaque en
justice ! Ou plutôt qu'on attaque ceux qui sont responsables
de sa venue dans cette maison. Dès que tu iras mieux, je te
ramène chez nous. Non mais regarde-la, Peter ! Tu as déjà
vu une chose pareille ?

— Fiche-lui la paix, Nell ! Tu vois bien qu'elle souffre...
Et toi, tu n'arranges pas les choses.

— Qu'est-ce que tu racontes ? Il faut absolument qu'elle
quitte cette maison.

— D'accord, d'accord. Elle partira si elle en a envie.
C'est à elle de prendre cette décision. Pas à toi.

Peter était en train de penser à la courte discussion qu'il
avait eue avec le fils de la maison avant de monter voir
Jinny. Celui-ci l'avait pris à part et lui avait demandé sur un
ton suppliant : « Je vous en prie, ne lui proposez pas de
partir. Faites ça pour moi... pour nous. Tout va bien maintenant. Mon frère ne reviendra plus jamais habiter ici et
mon père a besoin d'elle. Nous allons la soigner et nous
occuper d'elle. » Peter lui avait répondu à peu près la même
chose que ce qu'il venait de dire à sa femme. « C'est à elle

de choisir, avait-il dit. A mon avis, cela ne nous regarde pas.
Si elle veut revenir chez nous, elle sait qu'elle sera accueillie
à bras ouverts. »

— Nell... intervint alors Jinny — le simple fait d'ouvrir
les lèvres pour parler la faisait souffrir car sa bouche était
toute meurtrie d'un côté — je vais... je vais bien. J'ai... simplement besoin... de me reposer. Je... viendrai vous voir...
plus tard. Ne t'inquiète pas. Je vais... bien.

— Non, tu ne vas pas bien ! Les hommes ont tendance à
toujours voir le meilleur côté des choses. Comme ce Willie
qui m'a dit que si rien n'était arrivé, son patron serait certainement resté paralysé jusqu'à la fin de ses jours. Il a l'air
d'oublier que tu aurais pu être frappée à mort avant que
son patron soit assez traumatisé pour s'asseoir dans son lit.

— Quoi ! s'écria Jinny.

— Calme-toi, Nell ! conseilla Peter. Nous allons partir,
annonça-t-il en se penchant vers Jinny. Tu as besoin de te
reposer. Nous reviendrons cet après-midi.

— Peter.

— Oui, ma chère petite.

— Qu'est-il... arrivé à Bob ?

Peter regarda sa femme d'un air légèrement irrité. Puis,
baissant à nouveau les yeux vers Jinny, il dit :

— D'après ce que j'ai compris, quand M. Henderson t'a
entendue crier, il a fait un effort pour se lever. Cela a mis
fin à la paralysie qui affectait le haut de son corps... Il va
bien et il n'y a plus que ses jambes qui soient paralysées.

Jinny ferma les yeux. Mon Dieu ! Était-ce possible ? Bien
sûr que c'était possible ! Les médecins avaient bien dit qu'il
s'agissait d'hystérie. Mais rien ni personne n'avait pu lui
faire rentrer ça dans la tête. Le fait de l'entendre crier et de
deviner ce qui était en train de se passer avait réussi à
vaincre son hystérie. Et maintenant, il était bien obligé de
reconnaître que le cerveau de son fils avait été tellement
endommagé par l'accident qu'il était pratiquement devenu
fou.

Le calmant que le médecin avait donné à Jinny lui avait fait un peu d'effet. Les cris qu'elle avait poussés résonnaient encore dans sa tête, elle sentait toujours le corps de Glen peser sur elle, elle avait l'impression d'être souillée à jamais par le contact de sa chair nue contre la sienne. Elle revoyait sans cesse son visage, non pas tel qu'il lui était apparu la nuit précédente, avec cette expression sauvage qui lui tordait les traits et cette lueur terrifiante dans les yeux, mais plutôt tel qu'il était le jour de son mariage ou le jour où dans le bureau de son père, il lui avait annoncé, d'un air sûr de lui et satisfait, qu'il venait encore de décrocher un marché. Encore que le visage soit légèrement différent : la joie qu'Yvonne lui apportait ne l'illuminait plus, il était empreint d'une tristesse qu'elle ne lui avait jamais connue et son regard semblait l'implorer. Même si le fait de penser à lui l'effrayait toujours, elle avait l'étrange impression qu'il était encore dans la chambre : une partie de lui-même lui demandait pardon en l'assurant que l'agression de la nuit précédente n'était pas entièrement sa faute et en lui demandant de se montrer compréhensive.

Elle entendit la voix de Peter qui semblait venir de très loin :

— J'ai l'impression qu'elle s'est endormie.

Et Nell qui lui répondait :

— Ils ont dû l'assommer avec des calmants. Mais attends qu'elle ait repris tous ses esprits et je suis sûre qu'elle ne voudra pas rester ici.

Un peu plus tard Jinny se rendit compte qu'ils avaient quitté la pièce.

Lorsqu'elle rouvrit les yeux, Dorry était assise à côté de son lit et elle lui demanda :

— Voulez... voulez-vous dire à John que j'aimerais... le voir.

— Oui, mademoiselle. Je vais le chercher tout de suite.

Jinny avait à nouveau fermé les yeux et elle eut l'impression que moins d'une minute s'était écoulée quand John lui demanda :

— Qu'y a-t-il, Jinny ?

— Ne... ne demandez pas à Nell de rester. Je vais bien. J'ai simplement besoin de dormir. Mais ne lui dites pas de rester surtout !

— Je ferai ce que vous voulez, lui promit-il.

Il ne jugea pas utile de lui expliquer que ses cousins avaient déjà quitté la maison. De toute façon, aurait-il prévu de demander à Nell de rester, cinq minutes lui auraient suffi pour comprendre que c'était une erreur. Son extrême nervosité ne pouvait faire aucun bien à Jinny et elle n'avait qu'une idée en tête : ramener sa cousine à Shields le plus tôt possible. John n'était pas mécontent que Jinny lui ait demandé de laisser repartir Nell. Cela voulait dire que, pour l'instant, elle avait décidé de rester où elle était.

Il avait passé toute la nuit à son chevet, lui prenant la main et la tranquillisant chaque fois que, malgré les calmants, elle geignait ou criait dans son sommeil.

A nouveau, comme la nuit précédente, il écarta avec douceur les cheveux de son front. Même avec un œil au beurre noir et une joue enflée, elle était toujours aussi belle. Qu'allait-il faire à son égard ? Elle ne l'avait jamais compris. Au contraire, elle s'entendait parfaitement avec son père. Ils semblaient être sur la même longueur d'onde alors qu'avec lui le courant ne passait pas. Peut-être était-ce sa faute... Il se tenait sur ses gardes et craignait de laisser voir ses sentiments. La fois où il les avait laissés transparaître, qu'est-ce que ça lui avait rapporté ? On l'avait pris pour un imbécile. Ni plus ni moins. Que serait-il arrivé s'il avait épousé la séduisante Janice, cette femme si libérée ? Ils vivaient ensemble depuis dix-huit mois lorsqu'un beau jour, elle s'était mise à parler mariage. En fait elle lui demandait carrément de l'épouser, et dans les plus brefs délais. Un peu étonné qu'elle soit aussi pressée, il était allé demander conseil à Nick Hobser. L'année précédente, Nick avait épousé la femme avec qui il vivait car elle attendait un enfant. Quand John lui avait demandé s'il devait épouser Janice, il n'y était pas allé par quatre chemins. « Ne fais surtout pas ça ! lui avait-il dit. Elle est en train de se servir de toi. Et ça fait un sacré bout de temps que ça dure ! Si elle est aussi pressée de se marier, c'est qu'elle ne va pas tarder à être citée par la femme d'un enseignant qui vient d'entamer une procédure de divorce. Elle le fréquentait déjà bien avant de te connaître et à mon avis, ils n'ont jamais cessé de se voir. Elle a quatre ans de plus que toi. Et j'ai l'impression qu'elle n'a pas perdu son temps. Avant lui, il y a eu au moins trois autres membres du corps enseignant... »

John se souvenait encore de la rage qui l'étouffait lorsqu'il était rentré ce soir-là pour l'attendre. Il savait ce qui allait se passer car elle observait toujours le même cérémonial : elle entrait d'un air dégagé, enlevait son manteau, s'approchait de l'électrophone pour mettre un disque, puis se laissait tomber sur le divan et lui demandait de lui servir un verre. Ensuite, selon son humeur, elle lui récitait quelques vers de Shakespeare ou d'un poème contemporain, ou bien encore, comme ce soir-là, la comptine qu'elle choisissait toujours pour conjurer son humeur.

Minet, Minet, où donc étais-tu ?
A Londres, voir la Reine je suis allé.
Minet, Minet, à Londres, qu'as-tu fait ?
Caché sous une chaise, John Henderson j'ai épié.
Minet, Minet, dis-moi s'il miaulait ?
Non, d'un bond il s'est levé et a disparu.

Comme John ne disait rien, elle lui avait demandé :
— Qu'est-ce qui t'arrive, mon petit Johnny ? Tu en fais une tête ! Tu devrais avoir honte d'accueillir comme ça une pauvre fille qui a travaillé dur toute la journée.

Il se rappelait qu'à ce moment-là, il avait eu une terrible envie de l'étrangler, un peu ce que Glen voulait faire à cette infortunée Jinny, la nuit précédente. Il s'était heureusement dit que ça ne servait jamais à rien de tuer les gens et il avait réussi à se maîtriser. Il lui avait simplement répondu :

— Je vais faire comme dans ta chansonnette : moi aussi, je vais disparaître.

S'en était suivi un échange plutôt brutal de questions et de réponses qu'il avait conclu par ces mots :

— J'ai déménagé mes affaires cet après-midi.

Et il s'était dirigé vers la porte.

A ce moment-là elle lui avait lancé :

— Tu n'es qu'une chiffe molle et tu l'as toujours été ! Retourne chez papa et maman et demande-leur de t'expliquer comment il faut s'y prendre pour garder une femme car, dans ce domaine, tu n'as pas encore franchi le cap de la maternelle...

Cette nuit-là, il était allé dormir chez Nick et le lendemain, il s'était installé dans une chambre meublée.

Pendant près d'une semaine, il avait été malade, vraiment malade : chaque nuit, il vomissait la nourriture qu'il s'était obligé à ingurgiter pendant la journée et à chaque fois que son estomac se vidait, il avait l'impression de se ratatiner un peu plus jusqu'à se sentir complètement vidé.

Quand il repensait à cette période de sa vie, il avait du mal à croire qu'il ait jamais pu aimer Janice. Et pourtant, il l'avait aimée. C'était une fille brillante, intelligente et elle avait quatre ans de plus que lui. Elle représentait alors à ses yeux tout ce qu'il recherchait chez une femme. Il n'avait eu aucune expérience féminine lorsqu'il l'avait rencontrée et c'est elle qui lui avait pratiquement tout appris dans ce domaine. Après la rupture, quand il s'était retrouvé tout seul, il avait eu, plus que jamais, l'impression que ses parents le rejetaient. Aujourd'hui, il savait que c'était complètement ridicule. Ce qui ne l'était pas en revanche, c'était la préférence marquée de son père à l'égard de Glen. Et même si sa mère avait reporté une grande part de son affection sur lui, cela n'avait pas réussi à contrebalancer l'indifférence de son père, qui l'avait toujours considéré comme un peu bohème et incapable de réussir dans les affaires. Tout l'opposé de Glen.

Mais tout cela semblait appartenir à un autre univers. Il était encore un peu bohème, mais il savait que son père avait besoin de lui et qu'il lui était bien plus indispensable que Glen ne l'avait jamais été. Et lui, qui s'était imaginé ne plus jamais dépendre d'une femme, il savait maintenant que Jinny lui était indispensable. Quand elle avait annoncé son départ, cela l'avait mis au supplice et, bien que persuadé de ne pas lui plaire, il avait fait tout son possible pour qu'elle reste.

Lorsqu'elle serait remise, si elle voulait à nouveau les quitter, qu'allait-il faire ? Elle aurait pu partir avec sa cousine aujourd'hui. Elle ne l'avait pas fait. C'était peut-être simplement parce qu'elle se sentait trop faible pour supporter le voyage jusqu'à Shields. Pourquoi était-il toujours incapable d'envisager l'avenir sous un jour favorable ? C'était vraiment son problème. Aux yeux des autres, il donnait l'impression d'être très sûr de lui, alors que, dans son for intérieur, il partait toujours battu.

Calé contre ses coussins, Bob demanda à Willie :

— Combien de temps faudrait-il pour me trouver un fauteuil roulant ?

— Pas très longtemps... Une ou deux semaines. Il faudra le faire régler pour vous.

— Holà ! Quand je vous ai posé la question, j'attendais une réponse en heures et non en semaines. On ne peut pas en emprunter un à l'hôpital ? Quand j'y étais, les couloirs en étaient encombrés de ces fichus machins.

— Je peux toujours demander mais je ne vous promets rien...

— Ça vaut le coup d'essayer. Dépêchez-vous de leur téléphoner.

— Où avez-vous l'intention d'aller? demanda Willie avec un grand sourire. Vous voulez retourner au boulot?

— C'est à peu près ça.

A ce moment-là, John poussa la porte et entra dans la chambre.

— Ce gros lourdaud vient de me donner une idée, lui cria aussitôt son père. Je lui ai demandé de me trouver un fauteuil roulant.

— Un fauteuil roulant mais...

— Il n'y a pas de mais qui tienne! Je veux un fauteuil roulant et je veux l'avoir aujourd'hui, ou demain au plus tard.

— Alors comme ça tu veux un fauteuil roulant aujourd'hui ou demain au plus tard... répéta John en se penchant vers son père. Est-ce que c'est possible, Willie? demanda-t-il en se tournant vers celui-ci.

— Comme on dit si bien, John, il n'y a que la foi qui sauve, répondit Willie en lui faisant un clin d'œil.

Ils éclatèrent de rire tous les deux.

— Arrêtez de vous fiche de moi! s'écria Bob. Et écoutez-moi, car je n'ai pas terminé ce que je voulais dire. Willie m'a demandé si je voulais un fauteuil roulant pour retourner à l'usine, eh bien, figurez-vous que c'est exactement ce que je vais faire. Oui, je vais retourner travailler! Mais d'abord, je veux ce fauteuil. Parce que, dès que je l'aurai, ajouta-t-il en baissant la voix, je vais traverser le couloir. Quand elle va me voir là-dedans, peut-être que ça lui mettra un peu de baume au cœur. Qu'en pensez-vous?

— Tu as peut-être raison, reconnut John. Laissez-moi m'en occuper, ajouta-t-il à l'adresse de Willie. Je vais voir ce que je peux faire.

Il fit demi-tour et sortit de la pièce.

Pendant un long moment, Bob contempla la porte par laquelle il venait de sortir, puis il dit à Willie :

— Ce garçon a vraiment changé. Ça n'est plus un garçon d'ailleurs, mais un homme. Ce qui a fait de lui un homme, ce n'est pas de se débrouiller tout seul et encore moins de vivre avec une fille. C'est venu plus tard, au moment de cet accident. Ça l'a complètement changé. Lui et nous tous. Et ce n'est pas fini d'ailleurs. Quand je pense qu'il y a deux jours, je me demandais si ça valait encore la peine de vivre ! Je vais vous avouer une chose, Willie, si vous aviez eu le malheur de laisser ces cachets pour dormir à portée de ma main, je ne serais plus là aujourd'hui. Inutile de me regarder comme ça ! C'est la vérité ! J'étais vraiment au trente-sixième dessous. Et le pire de tout c'est que je savais que vous aviez raison au sujet de Glen. Glen... Oh, mon Dieu ! Ce pauvre Glen ! Je n'ose même plus y penser. Et malgré tout, depuis que j'ai découvert que je pouvais me servir de la moitié de mon corps, je m'accroche de nouveau à la vie. C'est comme si on m'avait fait cadeau d'un nouveau corps. C'est tout à fait extraordinaire, vous savez !

— Je le suppose mais pour que ça continue à l'être, il faut y aller doucement. Le docteur vous a dit de ne pas faire de folies. Allez-y doucement au début, votre corps a besoin de se réadapter. C'est pour ça qu'il faut que vous fassiez des exercices. Allons-y ! Levez les bras !

— Tout se paie dans la vie ! s'écria Bob. Dire que j'ai passé mon temps à répéter ça...

D'une main, Willie attrapa le poignet de Bob et de l'autre, il lui prit le coude. Puis il lui dit :

— Il y a un autre proverbe qui va de pair avec celui-là, c'est qu'on en a toujours pour son argent et que si c'est une affaire, c'est toujours du deuxième choix.

Jinny était assise dans son lit. Elle était de nouveau lucide. Elle avait demandé au médecin de ne plus lui donner de calmants. Depuis trois jours, elle avait vécu dans une sorte de brouillard, sans savoir très bien ce qui se passait autour d'elle ; des visages s'étaient penchés vers elle qui lui avaient semblé flous et à plusieurs reprises, elle avait eu l'impression qu'un homme lui parlait et que des doigts effleuraient son front pour en écarter les cheveux. A un moment donné, elle avait senti que quelqu'un l'embrassait sur les lèvres. C'était un baiser très doux et elle avait voulu ouvrir les yeux pour savoir qui le lui donnait. Mais elle était si fatiguée qu'elle y avait renoncé.

Maintenant qu'elle n'était plus sous calmants, elle avait la tête claire, aussi claire que sa chambre illuminée par la lumière du jour. Elle se souvenait parfaitement de ce qui lui était arrivé, mais elle ne frissonnait plus à y penser et aucune voix ne résonnait plus dans sa tête. Elle savait que Bob avait retrouvé l'usage de la partie supérieure de son corps et, même si elle était heureuse pour lui, elle se demandait si elle aurait le courage de le revoir. A cause d'elle, il avait perdu son fils aîné, ce fils qu'il aimait tant. Et comme l'avait dit le médecin, cette fois-ci, il l'avait perdu à jamais.

Maintenant qu'elle pouvait de nouveau raisonner de manière sensée, elle n'éprouvait plus aucune pitié pour cet homme. Si on ne l'avait pas arrêté à temps, il l'aurait certainement tuée, car c'était bien un désir de meurtre qu'elle avait lu au fond de ses yeux : une rage aveugle qui le poussait à se venger du destin qui l'avait privé de sa femme, et un besoin de satisfaire par tous les moyens un désir sexuel longtemps refoulé.

Qu'allait-elle faire maintenant ? Allait-elle rester ici ? Ou repartir habiter chez sa cousine ? Elle n'avait nulle envie de retourner à Shields car elle savait déjà que la conversation de Nell tournerait autour du même sujet. Bien qu'elle sût qu'elle n'oublierait jamais, elle ne pouvait pas supporter qu'on lui en parle à longueur de temps. Cela deviendrait vite intolérable et il lui faudrait quitter la maison de ses cousins. Ça leur ferait encore plus de peine que si elle leur annonçait son intention de rester ici.

Mais avait-elle vraiment envie de rester ici ? Elle se doutait bien que rien ne serait plus jamais pareil. Maintenant que Bob avait retrouvé une mobilité partielle, elle aurait plus de difficulté à le prendre en main que lorsqu'il était entièrement paralysé. Et puis il y avait John.

S'ils s'étaient bien entendus tous les deux, cela aurait facilité les choses. Mais chacune de leurs discussions se transformait en véritable combat de coqs. Pourquoi cela lui arrivait-il encore et encore ? Elle avait eu assez d'ennuis pour ne pas avoir à se battre pour exister en tant que femme !

Non, elle ne voulait pas rester là. Mais comment partir ? Quelle excuse allait-elle donner ? Et où aller ?

C'était bien le problème : si elle ne retournait pas chez Nell, où pouvait-elle aller ?

Après s'être habillée, Jinny s'assit près de la fenêtre. De temps à autre, elle jetait un coup d'œil en direction de la porte dans l'espoir que quelqu'un vienne la voir. Même si elle ne voulait pas l'admettre, c'est John qu'elle attendait. S'ils se disputaient à nouveau, au moins elle aurait une bonne raison de quitter la maison.

Soudain elle tourna la tête, en entendant un léger bruit dans le couloir. Des bribes de paroles et elle crut reconnaître la voix de Bob. Mais elle se dit qu'elle avait dû se tromper. Puis, sans frapper à la porte, il pénétra dans la chambre, bien assis dans un fauteuil roulant.

Jinny se leva aussitôt et le regarda fixement. Ce n'était plus le même homme : ses cheveux, hirsutes d'habitude, étaient lissés en arrière, il était parfaitement rasé et, plus surprenant encore, il portait un costume gris, une chemise bleu clair et une cravate assortie.

— Vous connaissez l'histoire, non ? Puisque la montagne ne vient pas à nous, allons à la montagne !

Il actionna les roues de son fauteuil et s'approcha de la fenêtre. John le poussait par-derrière.

— Alors, qu'est-ce que vous en pensez ?

Jinny avait la gorge tellement serrée qu'elle n'aurait pu prononcer un mot. Elle regarda Bob, puis John, qui lui rendit son regard, l'air aussi énigmatique que d'habitude, et enfin Willie qui lui sourit, debout sur le pas de la porte. Il la salua d'un signe de tête et sortit.

— Si vous n'avez rien à dire, au moins asseyez-vous, lui conseilla Bob.

Dès qu'elle fut assise, il continua :

— J'avais pensé que vous sauteriez de joie en voyant que j'étais redevenu comme avant, ou presque. Et ce n'est pas fini ! Prochaine étape : Henderson et Garbrook ! Le jour où nous allons faire notre entrée au dernier étage et pousser la porte de mon bureau, ça va être quelque chose ! Imaginez la tête que va faire Waitland. J'ai reçu la visite de Jack Newland et de Peter Towell, j'ai vu aussi Bill Meane et Bury et je peux vous assurer, mon petit, que nous avons intérêt à retourner là-bas le plus vite possible. J'ai encore une autre nouvelle à vous annoncer. Cet oiseau-là — il fit un signe de tête en direction de John — va entrer à l'usine. Bury est en train de lui apprendre l'abc du métier. Entre autres, comment décrocher des contrats...

Pour la première fois depuis qu'il était entré dans la pièce, Bob s'interrompit. Cela ne dura qu'une seconde. Aussitôt il reprit, jetant un coup d'œil à son fils :

— Il a du plomb dans la tête maintenant et même un certain charme, dirais-je, même s'il faut pas mal creuser avant de le découvrir. C'est une qualité qui lui sera drôlement utile quand il partira à l'étranger. Mais il va falloir faire vite parce que j'ai l'impression que ça va mal dans les aciéries. Chaque fois que je regarde ces satanées informations, il n'est question que de ça. Grand Dieu! ajouta-t-il en soupirant. Je ne peux plus attendre, mon petit!

Soudain, il y eut un silence. Bob regardait Jinny en agitant nerveusement les doigts et John avait baissé les yeux et regardait ses pieds.

— Aurais-tu l'obligeance, fiston, d'aller me chercher un mouchoir? demanda Bob. J'ai oublié de prendre le mien.

Sans hésitation, John quitta la pièce et ils se retrouvèrent seuls tous les deux.

Maniant avec dextérité les roues de son fauteuil, Bob s'approcha le plus près possible de Jinny. Puis, sans la quitter des yeux, il leva la main et lui caressa la joue en lui disant d'une voix qui n'avait plus rien à voir avec celle qui était la sienne quelques secondes plus tôt:

— Jamais je ne me le pardonnerai, mon petit. Quand j'y repense, j'ai envie de me couper la gorge, tiens! Tout est de ma faute. Il m'a suffi de le voir cinq minutes pour comprendre dans quel état il était et qu'il n'irait jamais mieux. Je ne vous dirai pas: « Essayez de comprendre que j'ai fait ça parce que c'était mon fils », car ça voudrait dire que j'étais au moins aussi fou que lui. En réalité, c'était simplement histoire d'embêter le monde. Je voulais prouver une fois de plus que j'avais raison et que vous tous aviez tort. Surtout John car, d'une certaine façon, il était en train de prendre la place de son frère à mes yeux et ça, je ne le supportais pas. J'ai toujours tout misé sur Glen, parce que, intérieurement, c'est lui qui me ressemblait le plus. C'était un fonceur, il savait ce qu'il voulait et il se débrouillait toujours pour l'avoir... Est-ce que vous me pardonnerez jamais, mon petit? demanda-t-il en lui prenant la main. Ça a été terrible! Quand je pense au prix que vous avez payé pour que je retrouve l'usage de mon corps, je me dis que j'aurais préféré mille fois rester paralysé jusqu'à la fin de mes jours. Quand, tout à l'heure, j'ai parlé de retourner à l'usine, c'était plutôt histoire de plaisanter. Et si vous ne me pardonnez pas, ça en restera là parce que, sans vous, je n'y remettrai pas les pieds. Ça peut sembler drôle, mais c'est ainsi, et je suis sûr que vous comprenez. Pendant des années, j'ai dirigé l'usine, assumé des responsabilités et fait ce que j'avais à faire, sans l'aide d'Alicia. Mais je savais qu'elle m'aimait et qu'elle m'attendait chaque soir, lorsque je rentrais à la maison. Aujourd'hui, je sais avec certitude que je ne pourrai pas recommencer à diriger à l'usine si vous n'êtes pas là pour m'aider. Même s'il m'est arrivé d'être dur avec vous, vous savez ce que vous représentez à mes yeux... Quant au reste, je n'ai aucune excuse. Je n'aurais jamais cru pouvoir dire que je tuerais mon fils à cause de ce qu'il vous a fait, mais je crois que cette nuit-là, si j'avais pu venir à votre secours, je l'aurais peut-être fait... Je vous en prie, mon petit, ne pleurez pas, dit-il, lui prenant le visage alors qu'elle baissait la tête.

Puis il ajouta dans un murmure :

— Une chose encore, je voudrais... C'est terrible de devoir vous poser une question pareille mais... Est-ce que vous allez bien ? Vous voyez ce que je veux dire ?

Elle le regarda, hocha la tête, puis sortit un mouchoir et s'essuya les yeux.

— Vous en êtes sûre ?

Pour la première fois, elle lui répondit :

— J'en suis sûre.

— Dieu soit loué !

C'était certainement la première fois de sa vie que Bob Henderson remerciait Dieu avec autant de ferveur et cela sembla l'épuiser. Il laissa retomber mollement ses mains sur ses cuisses immobiles, ses épaules se voûtèrent et il baissa la tête. Sa réaction émut tellement Jinny qu'elle lui prit la main et, quand il leva à nouveau les yeux vers elle, elle lui demanda :

— Quand recommençons-nous à travailler ?

Ses yeux se plissèrent, ses lèvres tremblèrent, puis il demanda d'une voix entrecoupée :

— Alors c'est vrai ? Vous vous sentez d'attaque ?

— Je me sens d'attaque.

— Ah, mon petit ! dit-il en prenant une longue et profonde inspiration. Pour moi, c'est une nouvelle vie qui commence. Et pour John aussi, continua-t-il en haussant les sourcils et en ouvrant de grands yeux. Qu'est-ce que vous en dites qu'il ait enfin accepté d'entrer à l'usine ? Quand je vous ai tout avoué il y a quelques minutes, j'aurais dû ajouter que j'avais mal jugé ce garçon. Autre chose encore, enchaîna-t-il en prenant un air de conspirateur. Il déteste qu'on l'appelle « garçon ». Il faudra que nous fassions drôlement attention. Pendant que j'y suis, il faut que je vous pose une dernière question... Est-ce qu'il vous plaît ?

A nouveau, Jinny sentit sa gorge se serrer.

— Il n'y a rien en lui qui me déplaise vraiment, répondit-elle en adoptant un ton nonchalant.

— C'est ce qu'on appelle une réponse de Normand... Mais qu'est-ce qu'il fout ce garçon ? demanda-t-il en regardant la porte. Il ne faut pas trois heures pour dégotter un malheureux mouchoir. John ! hurla-t-il.

Une seconde plus tard, John poussait la porte. Il s'approcha de son père et lui tendit son mouchoir qu'il sortit d'une poche de sa veste d'où émergeait, bien en évidence, le coin d'un second mouchoir.

— Ça y est, c'est parti ! annonça Bob en le regardant. Dès que ce satané toubib m'aura donné le feu vert, Henderson & Fils, ainsi que leur secrétaire particulière, vont envahir l'usine. A mon avis, dans une semaine au plus tard...

Debout derrière le fauteuil de son père, John regarda Jinny. Jinny lui rendit son regard et ils se sourirent tous les deux avec indulgence.

6

Bob dut attendre quelques semaines avant que son médecin lui donne enfin la permission de partir à l'assaut de l'usine.

Il avait donné des ordres stricts pour que la nouvelle de sa guérison soit gardée secrète si bien que, mis à part ceux qui étaient venus le voir chez lui, personne n'était au courant, même pas Christopher Waitland. C'est ainsi que par une froide matinée de la fin octobre, John fit glisser le fauteuil de son père sur une rampe à l'arrière du break et qu'il lui fit traverser le parking en compagnie de Jinny.

Profitant d'une de ses visites à l'usine, il avait mesuré la cabine d'ascenseur et il savait que le fauteuil roulant y entrerait sans problème.

Bob avait choisi d'arriver à dix heures et demie. Il tenait en effet à ce que Chris Waitland soit déjà dans son bureau. Il s'était dit que, puisque celui-ci jouait les seigneurs et maîtres, il avait dû calquer son heure d'arrivée sur celle de Garbrook et qu'il ne devait pas être à pied d'œuvre avant dix heures.

Quand Sam ouvrit la porte en verre et qu'il aperçut l'homme installé dans le fauteuil roulant et ses deux compagnons, il s'immobilisa soudain et ouvrit grand la bouche.

— Monsieur Henderson... dit-il dans un souffle.

— En chair et en os, Sam !

— Je n'en crois pas mes yeux ! Ah, non... Je suis tellement content de vous voir, monsieur Henderson ! Mais je croyais que...

— Vous n'êtes pas le seul à le croire, Sam ! Il y en a d'autres. Alors, ne vous approchez pas du téléphone et ne prévenez pas la direction. Vous m'avez compris ?

— Si c'est vous qui me le dites, je ne le ferai pas, monsieur Henderson.

— C'est ce que je vous demande. Donnez-moi dix minutes pour monter là-haut et arriver jusqu'à mon bureau. Ensuite, vous pourrez faire passer la nouvelle.

— Comptez sur moi, monsieur Henderson ! C'est ce que je vais faire. Si vous saviez comme je suis content de vous revoir. Et vous aussi, mademoiselle. J'ai l'impression que la maison va recommencer à vivre.

— Ça c'est mon fils, Sam, annonça Bob en montrant John de la tête. Un des futurs patrons de l'usine.

— S'il ressemble à son père, ça me va tout à fait, monsieur Henderson. Mais il me semble qu'on s'est déjà rencontrés, monsieur, non ?

— En effet, Sam.

Tandis que Sam les accompagnait jusqu'à l'ascenseur, il ne cessait de marmonner : « Eh bien ça alors... »

La porte de l'ascenseur s'ouvrit, deux hommes et une jeune femme en sortirent. Ils jetèrent un rapide coup d'œil à l'homme assis dans le fauteuil roulant, puis se dirigèrent vers la sortie. A peine avaient-ils fait quelques pas que soudain, ils s'immobilisèrent comme un seul homme, se retournant aussitôt pour tenter d'apercevoir le vieillard. Mais il leur était caché par les portes de l'ascenseur en train de se fermer.

— Pas mal joué, non ? demanda Bob.

— Ce n'est que le premier acte, lui rappela John. Souhaitons que tous les acteurs soient là pour que la pièce puisse continuer. Oui, qu'y a-t-il ? demanda-t-il en regardant Jinny.

— Savez-vous ce que j'attends?

Les deux hommes la regardèrent, intrigués.

— J'attends le moment où je vais décrocher le téléphone pour parler à Mlle Cadwell, expliqua-t-elle. Ici, Jinny Brownlow, continua-t-elle en prenant un air de supériorité. Je vous appelle du bureau de M. Henderson. Auriez-vous l'obligeance de m'envoyer une secrétaire qui ait de bonnes connaissances en français. Et ce, dans les plus brefs délais.

Ils riaient encore quand l'ascenseur s'arrêta au dernier étage. John était en train de pousser le fauteuil de son père sur l'épaisse moquette quand celui-ci l'arrêta d'un geste. Il éprouvait le besoin de jeter un coup d'œil sur ce qu'il avait fait construire tant d'années auparavant. C'est lui qui avait conçu les plans du dernier étage et calculé la taille des bureaux qui s'y trouvaient.

Il prit une longue inspiration, resserra le nœud de sa cravate, se lissa les cheveux et, d'un hochement de tête, fit comprendre à John qu'il pouvait recommencer à pousser son fauteuil. Suivant ses instructions à la lettre, Jinny frappa à la porte du bureau, puis elle l'ouvrit, pénétra dans la pièce et s'effaça sur le côté, tandis que John poussait le fauteuil à l'intérieur sous l'œil ahuri des deux occupants.

Au moment où Jinny avait poussé la porte, Chris Waitland, assis derrière son bureau, était en train de sourire à sa secrétaire, debout à côté de lui, comme si elle venait de lui raconter une bonne plaisanterie. Son sourire disparut instantanément, leurs visages se figèrent comme s'ils étaient soudain atteints de paralysie.

— Je pensais que vous seriez contents de me voir, attaqua Bob Henderson.

Christopher Waitland mit un certain temps avant de réussir à quitter son fauteuil. Puis, de la main, il fit signe à sa secrétaire de se pousser. Il fit le tour de sa table et demanda avec une note de défi dans la voix :

— Que se passe-t-il ?

— Il se passe que je suis de retour, Chris.

— Ce n'est pas possible... Je veux dire que vous ne pouvez pas revenir comme ça, tout d'un coup.

— Tout d'un coup ? Vous plaisantez ou quoi ? Ça fait huit mois que je suis absent. Vous deviez bien vous douter que je finirais par revenir.

— J'avais cru comprendre... Je croyais...

— Je sais ce que vous avez cru comprendre : que j'étais cloué au fond de mon lit jusqu'à la fin de mes jours. C'est ça, non ? Et que du coup vous aviez hérité de mon poste. Désolé pour vous, Chris, mais ça n'est pas le cas. Je reprends le collier. Si ça ne vous fait rien, vous allez retourner dans votre ancien bureau. D'après ce que j'ai compris, vous avez emménagé dans le mien à une vitesse record. Je vous demanderai donc de déménager tout aussi vite.

— Ça n'est pas correct... On aurait dû m'avertir à l'avance. Je veux dire...

— Je sais ce que vous voulez dire, le coupa Bob Henderson. Vous voulez dire que si on vous avait averti, vous auriez essayé de redresser la situation avant que j'arrive. D'après ce qu'on m'a raconté — car on m'en a raconté des choses... continua-t-il à l'intention de l'homme dont le visage s'était empourpré — vous avez été un bien piètre remplaçant.

— J'ai fait tout mon possible... Il vous suffira d'ouvrir un journal pour savoir que l'industrie lourde est dans une situation difficile...

— Vous parlez des entreprises d'État. Nous sommes une entreprise privée, Chris. Nous nous contentons de fabriquer la marchandise et d'essayer de la vendre. Et si j'ai bien compris, vous n'avez pas fait beaucoup d'efforts pour trouver des marchés.

— Vous êtes injuste avec moi. Ce n'est pas de ma faute si ça va mal. J'ai été obligé de mettre deux personnes à la porte.

— Je sais bien que vous avez fichu deux personnes dehors, dont votre neveu, Broadway, qui était employé de bureau. Il n'a pas attendu longtemps son avancement, celui-là. C'est ce qu'on appelle du népotisme, n'est-ce pas? Mais il ne devait pas être taillé pour le poste, non! Puisque, d'après ce que j'ai su, non seulement il a perdu les commandes belges mais aussi celles de Swinburne. Alors que Swinburne se trouve tout à côté pour ainsi dire, à cent kilomètres de chez nous, et que ça fait quinze ans que nous travaillons pour eux. Merde alors! Ne vous amusez pas à me raconter ce que vous avez fait ou pas fait! Fichez le camp de là!

— Vous ne pouvez pas me faire ça! Je vais aller voir M. Garbrook, c'est lui qui m'a confié ce poste.

— Même s'il vous a confié ce poste, ce n'est pas lui qui dirige l'usine. Et, au cas où vous l'auriez oublié, je vous rappelle que je possède soixante-dix pour cent des parts de l'usine et cinquante pour cent de celles de la fabrique d'emballages. Alors faites le compte et dites-moi qui est responsable dans cette maison et qui peut vous dire si vous avez le droit ou non de rester dans ce bureau. Maintenant, je vous donne une demi-heure pour ramasser vos affaires et retourner dans le bureau où vous étiez avant. Sinon, vous n'allez pas tarder à rejoindre votre neveu et pointer comme lui au chômage. Pointer! Qu'est-ce que je raconte? Vous n'aurez même pas besoin de vous déplacer... Il paraît que maintenant les chômeurs reçoivent leur chèque à domicile.

Chris Waitland s'avança jusqu'au fauteuil et, toisant Bob Henderson, il lui dit :

— Vous oubliez que je fais partie des cadres supérieurs. Principal actionnaire ou pas, ça va vous coûter un sacré paquet pour vous débarrasser de moi.

— C'est une chose à laquelle j'ai déjà réfléchi, Chris, et

qui ne m'a jamais fait peur. Quand vous aurez déblayé le plancher, nous en reparlerons.

Comme John n'avait pas levé les yeux depuis qu'ils étaient entrés dans le bureau et qu'il continuait à regarder obstinément le tapis, Jinny se dit qu'il devait se sentir gêné par cette scène. Ce n'était pas son cas. Elle se souvenait du jour où Chris Waitland l'avait virée du bureau et elle ne trouvait pas désagréable du tout de prendre enfin sa revanche. D'accord, elle était rancunière, mais ce n'était qu'un prêté pour un rendu.

Elle se retourna pour regarder Mlle Phillips. La secrétaire semblait sur le point de défaillir. Elle se tenait la gorge à deux mains et montrait quelques difficultés à respirer normalement. Quand son patron lui demanda d'aller chercher Rodgers et Carter, elle répéta d'une voix terrorisée :

— Chercher Rodgers et...

— Oui ! coupa Chris Waitland. Dites-leur de venir ici pour débarrasser le bureau !

Après avoir jeté un coup d'œil meurtrier à Bob, il grinça des dents d'une manière clairement audible et sortit de la pièce, suivi de sa secrétaire qui semblait abasourdie.

Bob et Jinny échangèrent un sourire. John, lui, se dirigea vers la fenêtre et regarda ce qui se passait dehors.

— Ça ne t'a pas plu, n'est-ce pas, mon garçon ? lui demanda son père.

— Non, reconnut-il, et il se retourna pour le regarder. Je sais que ce type a des prétentions et qu'il fallait lui rabaisser le caquet mais je trouve que tu as eu la main un peu lourde. Même si je suis d'accord avec toi, ça ne m'empêche pas de me demander à quoi ça peut bien servir.

— Tu as encore beaucoup à apprendre, John, dit Bob en poussant un soupir. Ce type est un lèche-bottes. Ça fait des années que je le supporte à cause de Garbrook, mais c'est un sale type. Mesquin, en plus. Je ne regrette absolument pas ce que je viens de faire. Et vous, Jinny ? demanda-t-il en lui jetant un coup d'œil.

— Moi non plus, répondit-elle en regardant John dans les yeux. Vous n'étiez pas là le matin où il m'a mise à la porte, comme si j'étais une petite écolière et où il m'a ordonné de retourner dans le bureau des dactylos pour servir de bonniche à Mlle Cadwell. Ça encore, je l'aurais supporté. Mais quand elle m'a accusée d'avoir une liaison avec mon patron — elle fit un gentil sourire à Bob — c'en était trop et c'est là que je l'ai frappée. Et maintenant, j'attends avec impatience le moment où je vais décrocher le téléphone, ça va lui faire un coup, mais un petit peu différent cette fois-ci. D'accord, je suis rancunière, mais il n'empêche que ça m'a fait drôlement plaisir lorsque votre père a remis M. Waitland à sa place. Votre père a raison, c'est vraiment un homme mesquin.

— C'est vrai, John, intervint Bob. Inutile d'avoir pitié d'un type comme ça. Maintenant que nous sommes revenus, les ragots vont recommencer, dit-il en se tournant vers Jinny. On peut peut-être leur donner quelque chose à se mettre sous la dent, par exemple faire courir le bruit que nous avons une liaison ! Ça c'est une idée ! Qu'en pensez-vous ?

— Vous savez ce que je pense de ce genre de chose, lui rappela Jinny en s'approchant de lui. Je n'ai pas changé d'avis !

— Il n'y a que le mariage qui vous intéresse, alors ? Si c'est comme ça, nous pourrions peut-être étudier la question, proposa-t-il en éclatant de rire.

En voyant la tête que faisait John, il comprit que cette plaisanterie n'était pas du tout du goût de son fils et il cessa aussitôt de rire. « Bien, bien », se dit-il.

La porte s'ouvrit et Mlle Phillips entra dans la pièce. Elle se tenait très droite et semblait avoir retrouvé une partie de son aplomb. Elle se dirigea vers le bureau et, d'une manière qui était tout sauf discrète, se mit à vider les tiroirs.

John n'avait toujours pas bougé. Il semblait absorbé par

ce qui se passait dans la cour de l'usine où des hommes étaient en train de charger des feuilles et des barres d'acier dans un camion. En fait, il ne pensait pas au travail mais à ce que son père avait dit quelques minutes plus tôt. Même si c'était une plaisanterie, il n'empêche que ça lui avait fait un choc.

Quand il se retourna, son père avait quitté sa chaise roulante et était en train de se hisser dans le fauteuil en cuir, derrière le bureau. Dès qu'il fut assis, il posa ses mains sur la table et regarda droit devant lui. Une intense tristesse se peignit sur ses traits et il dit d'une voix catastrophée :

— La dernière fois où je me suis assis ici, John, j'étais en pleine forme et Glen l'était encore plus que moi. Et regarde ce que nous sommes devenus : lui, il a perdu l'esprit et moi, je ne peux plus me servir de mes jambes. Quant à Alicia et à Yvonne, où sont-elles maintenant? Si j'étais croyant, je répondrais qu'elles sont au ciel, mais je n'ai même pas cette consolation.

Il baissait la tête d'un air las lorsque John lui rappela :

— C'est fini, père! Maintenant tu es de retour ici. Tu n'as qu'à faire comme moi et considérer ça comme un défi.

— D'accord, reconnut-il en relevant la tête pour regarder son fils. Mais toi au moins tu es en état de marche, mon garçon.

— Je ne l'ai jamais été, répondit John.

Il y avait une telle amertume dans cette remarque que Bob et Jinny le regardèrent tout surpris. Changeant soudain de ton, John se tourna vers la jeune fille et lui fit remarquer d'un ton léger :

— Vous n'aviez qu'un seul but en venant ici et on dirait que vous l'avez oublié.

— Un seul but... répéta Jinny en fronçant les sourcils. Ah oui, Mlle Cadwell! s'écria-t-elle avec un grand sourire.

— Oui, Mlle Cadwell! Je meurs d'envie d'écouter ça.

— Je vais aller dans l'autre bureau pour lui téléphoner.

— Ah non ! intervint Bob en poussant le téléphone vers elle. Vous allez l'appeler d'ici. Je ne voudrais pas rater ça pour un empire !

Maintenant qu'elle était au pied du mur, Jinny hésitait à faire ce qu'elle avait projeté. Elle s'imaginait soudain dans la peau de Mlle Cadwell, vieille fille de cinquante ans dont le seul plaisir dans la vie était d'imposer son autorité aux autres. Ne risquait-elle pas de lui ressembler un jour ? Non, car Mlle Cadwell avait toujours dû être une garce. En plus, elle l'avait prise en grippe dès le premier jour et sans aucune raison. Au fond, c'était ça qui comptait : sans aucune raison.

Elle décrocha le téléphone et, dès qu'elle entendit la voix à l'autre bout du fil, elle demanda :

— Le bureau des dactylos ?

— Oui, répondit la voix au bout de quelques secondes. Mlle Cadwell à l'appareil.

Comme Jinny tardait à parler, elle répéta, un ton plus haut :

— Ici Mlle Cadwell.

— Oh, mademoiselle Cadwell ! Jinny Brownlow à l'appareil. Je vous appelle du bureau de M. Henderson.

Elle crut entendre un hoquet de surprise.

— Nous sommes de retour.

Oui, c'était bien un hoquet de surprise : aucun doute n'était possible.

— Envoyez-nous une dactylo s'il vous plaît. Je préfére rais Noreen Power. Est-ce qu'elle est libre ?

Comme elle n'obtenait aucune réponse, elle insista :

— Je viens de vous demander, mademoiselle Cadwell, si Noreen Power était libre.

A l'autre bout du fil, il y eut un drôle de bruit, comme si quelqu'un s'étranglait. Puis une voix rauque chuchota :

— Mlle Power travaille actuellement pour M. Brignall.

— Faites-la remplacer par quelqu'un d'autre et dépê-chez-vous de l'envoyer ici.

— Je ne sais pas si... je peux...

— Dommage ! Le travail que je veux lui confier ne peut pas attendre. Si elle n'a pas le temps de le faire, vous pourriez peut-être vous en charger...

Sa correspondante raccrocha brutalement, Jinny reposa l'écouteur sur son socle et leva la tête.

Bob lui souriait, mais pas John.

— Vous vous sentez mieux ? demanda-t-il en lui lançant un coup d'œil inquisiteur.

— Non, répondit-elle. Je devrais pourtant... En réalité j'ai...

Au moment où elle allait ajouter le mot « honte », elle s'aperçut que le visage de John exprimait clairement qu'il avait honte pour elle et cela la mit tellement hors d'elle qu'elle lui cria :

— Inutile de prendre cet air supérieur ! Je sais que j'ai profité de la situation. Et c'est vous qui m'avez poussée à le faire pour me mettre à l'épreuve, n'est-ce pas ? Eh bien maintenant, vous connaissez la réponse : je suis capable d'être aussi odieuse que les autres. Et peut-être même plus.

— Holà ! Qu'est-ce qui vous arrive ? demanda Bob.

Au lieu de lui répondre, Jinny fit demi-tour et courut s'enfermer dans le bureau d'à côté.

Bob appuya sa tête sur le dossier de son fauteuil. Comme son fils se dirigeait vers le portemanteau qui se trouvait près de la porte, il lui demanda :

— A quoi ça sert de piquer les gens au vif ? C'est normal qu'elle ait voulu rendre la monnaie de sa pièce à cette vieille chipie. N'oublie pas qu'elle avait de bonnes raisons de le faire. En associant son nom au mien, cette femme a ruiné sa réputation et elle l'a traitée comme une vulgaire traînée. Quand je pense que ça fait des années qu'elle se bat comme ça ! ajouta-t-il dans un murmure. Et pourquoi diable ne s'est-elle pas encore fait embarquer ? Encore que dans son cas le mot « embarquer » ne convienne pas. Pourquoi n'est-elle pas encore mariée : voilà ce que je devrais dire. Les types sont complètement aveugles ou quoi ? Un gars comme Michael ne l'est pas, lui. Il n'est pas mal... Mais il a beau avoir quelques années de plus qu'elle, il ne fait pas le poids. Ce qu'il lui faut c'est quelqu'un de mûr, de solide et d'équilibré, quelqu'un qui fasse appel à ses qualités intellectuelles. Parce que j'aime autant te dire qu'en ce qui concerne le travail, elle est très forte.

Il se tut quelques secondes avant d'ajouter :

— Ça te donne à réfléchir, non ?

Comme John se retournait pour le regarder, il fut à nouveau surpris par ce qu'il crut lire au fond de ses yeux.

— Tu sors ? demanda-t-il d'une voix sans timbre. Je pensais qu'on aurait pu casser la croûte ensemble.

— Je n'ai pas envie de manger. Je descends à l'usine.

— Bonne idée. Tu as intérêt à recueillir un maximum d'informations d'ici à la semaine prochaine... Et ne t'occupe pas de moi. Je vais téléphoner à Willie et lui demander de venir me chercher ici vers trois heures. A ce moment-là, j'en aurai certainement assez fait pour aujourd'hui. Les émotions, c'est comme le reste : ça se paye...

— Oui, oui, tu as raison. Il ne faut pas abuser. Je te verrai en fin de journée, peut-être même un peu avant. En attendant, sois prudent.

— Je te le promets. De toute façon, la patronne y veillera, ajouta-t-il en montrant la porte du bureau d'à côté.

Après avoir jeté un coup d'œil dans cette direction, John sortit du bureau. Voilà que son père l'appelait la patronne, maintenant ! C'était vraiment inacceptable ! Et cela ne faisait qu'exciter encore plus sa jalousie.

Au moment où il allait appeler l'ascenseur, celui-ci s'arrêta à l'étage et Noreen Power en sortit. Elle s'arrêta comme si elle ne savait pas où aller et se mit à bafouiller :

— Ma... mademoiselle Brownlow... m'a fait appeler...

Pour toute réponse, John lui montra du doigt la porte du bureau qui se trouvait à côté de celui de son père.

— Ah, dit Noreen. Merci.

Après avoir frappé à la porte et qu'on lui eut dit d'entrer, elle pénétra dans le bureau où elle fut accueillie par une Jinny toute souriante.

— Je suis tellement heureuse de te revoir, Jinny ! s'écria-t-elle aussitôt. Qu'est-ce que je suis contente ! Si tu savais ce qui se passe en bas ! La nouvelle de ton retour a fait l'effet d'une bombe. Elle n'arrivait pas à y croire... Je veux parler de Mlle Cadwell. Elle a failli tomber dans les pommes. Elle a la trouille, tu comprends. Pourquoi m'as-tu demandé de venir ? Tu sais que je ne suis pas très bonne en français...

— Ça n'a rien à voir avec ça, lui expliqua calmement Jinny. Je voudrais simplement que tu tries ces lettres comme tu as l'habitude de le faire en bas, en classant les commandes par ordre d'arrivée et en reportant sur des fiches les caractéristiques de chacune. Quand tu auras fini, nous les ferons parvenir à M. Waitland. Il s'agit surtout de factures et de commandes arrivées durant les six derniers mois.

— Je vais m'y mettre tout de suite, Jinny. J'aimerais bien venir travailler ici... Est-ce qu'il est toujours aussi terrifiant ? demanda-t-elle en indiquant d'un mouvement de tête la porte qui se trouvait derrière elle. Je ne devrais pas dire ça, ajouta-t-elle aussitôt en se mordant les lèvres. Pas devant toi car tu as toujours su t'y prendre avec lui... Est-ce que je peux te demander si c'est vrai ce qu'elles disent ?

— Que disent-elles ? demanda Jinny soudain sur la défensive.

— Oh, simplement que tu vas te marier avec lui.

7

— Nous sommes de retour, Dorry, annonça Jinny en poussant la porte d'entrée.

Comme Dorry se précipitait à sa rencontre, elle ajouta d'un ton léger :

— J'espère que Cissie a préparé un dîner digne des exploits de notre héros.

Au lieu de lui répondre, Dorry tourna la tête en direction du salon. Jinny suivit son regard et aperçut Florence qui se tenait sur le seuil de la pièce. Même à cette distance, son hostilité était évidente.

— Pourquoi n'ai-je pas été informée de la guérison de mon père ? demanda-t-elle en s'approchant de Jinny.

— C'est à lui qu'il faut demander ça, madame Brook, répliqua Jinny exactement sur le même ton.

Au moment où elle se retournait vers la porte, Willie apparut, poussant devant lui le fauteuil roulant.

— Comment va l'étrangère ? demanda Bob en apercevant sa fille. Qu'est-ce qui t'amène à Fellburn ? Je croyais que ta famille et toi étiez en train de faire une de ces croisières autour du monde, qui coûtent les yeux de la tête...

— Nous sommes revenus de Venise en avion hier soir et nous avons dormi dans un des hôtels de Heathrow. Comme nous étions tout près de l'aéroport, je me suis dit que je pouvais en profiter pour faire un saut jusqu'ici et voir un peu comment tu allais. Pourquoi n'ai-je pas été... informée... de ta guérison?

— Tu sembles oublier, Florence, que ces derniers temps tu as été plutôt difficile à joindre... De toute façon, c'est une longue histoire et je me sens un peu fatigué. Je vais monter dans ma chambre et manger un morceau là-haut. Willie, ajouta-t-il en tournant la tête pour regarder l'infirmier, je crois que John a eu une bonne idée en proposant d'installer un ascenseur de ce côté-là de l'entrée. Qu'en pensez-vous?

— C'est une excellente idée, patron.

— Il faudra faire faire un devis pour voir un peu ce que ça me coûtera. Notez ça, Jinny, s'il vous plaît : demander un devis pour l'ascenseur...

Il regarda à nouveau sa fille et lui demanda d'un air désinvolte :

— Tu es venue toute seule?

— Oui, répondit-elle. Ronnie est rentré directement à la maison avec les enfants.

— Combien de temps comptes-tu rester?

— Es-tu en train de me proposer de regagner le Devonshire ce soir? demanda-t-elle d'une voix glaciale.

— Allons, allons, Florence, je disais ça comme ça... Tu risques de te retrouver seule à la maison toute la journée car j'ai recommencé à travailler. Mais que ça ne t'empêche pas de rester... Ça fait tellement longtemps que tu n'es pas venue, que tu dois avoir envie de voir un peu ce qui se passe ici.

Florence se mordit les lèvres avant de demander :

— Où est John?

— La dernière fois que je l'ai vu, il était à l'atelier de fabrication et il essayait de découvrir comment on peut faire pour soulever une poutrelle d'acier de deux cents kilos sans s'abîmer les ongles, répondit Bob en souriant de sa propre plaisanterie.

Il venait d'indiquer à Willie d'un signe de tête qu'il

désirait maintenant monter à l'étage lorsque Florence lui demanda :

— Et notre Glen, où est-il ?

— Emmenez-moi à l'étage, Willie, se contenta de dire Bob.

Au moment où l'infirmier soulevait Bob de son fauteuil et le hissait sur son dos comme il l'aurait fait d'un gamin, Jinny détourna la tête. Elle ne supportait pas de voir ça : elle avait l'impression qu'une telle dépendance privait l'être humain non seulement de sa prestance, mais de sa dignité.

Elle attendit une bonne minute avant de se diriger à son tour vers l'escalier et allait s'y engager lorsque soudain Florence lui barra la route.

— Puisque vous avez pris la direction de cette maison, dit-elle, vous pourrez peut-être m'expliquer ce qui est arrivé à Glen.

Jinny baissa la tête en la reculant légèrement comme si elle désirait s'éloigner du visage qui lui faisait face. Puis elle finit par dire :

— On l'a ramené à l'hôpital où il est maintenant sous stricte surveillance.

— Quoi ! Que voulez-vous dire ? Qui a pris une telle décision ?

— La direction de l'hôpital.

— La direction de l'hôpital... De quoi parlez-vous ?

— Votre frère, madame Brook, m'a agressée. Il n'était pas responsable de ses actes mais il n'empêche qu'il m'a agressée.

— Glen ? Vous agresser ? Il ne ferait pas de mal à une mouche...

— Le Glen que vous avez connu n'aurait en effet pas fait de mal à une mouche mais celui dont je vous parle m'aurait certainement tuée si on ne l'avait pas arrêté à temps.

Pendant près d'une minute, elles se regardèrent dans les

yeux, avec une franche hostilité. Puis, sans pratiquement desserrer les lèvres, Florence lança d'un air dégoûté :

— Je suppose que maintenant vous allez me dire qu'il a essayé de coucher avec vous...

— En effet.

— Dans ce cas, c'est clair : c'est que c'est vous qui l'y avez poussé. Dérangé ou pas, c'est vous qui l'y avez poussé. C'est tout à fait votre genre. Vous avez déjà tourné la tête de mon père... Et je sais quelle est la prochaine étape. Seulement moi, je vais vous mettre des bâtons dans les roues : je vais réunir un conseil de famille.

Calmement, Jinny repoussa de la main la femme qui se trouvait en face d'elle.

— Ne vous gênez pas, madame Brook, dit-elle en s'engageant dans l'escalier.

Les jambes tremblantes, elle grimpa les marches et, en arrivant dans sa chambre, se jeta tout habillée sur son lit. Elle resta un long moment sans bouger car elle se sentait vidée. Quelle journée ! Pour commencer, il y avait eu la remarque de Noreen Power et maintenant voilà que Florence menaçait de réunir un conseil de famille... Pour quoi faire ? Pour l'empêcher d'épouser son père !

Elle finit par s'asseoir sur son lit et, regardant droit devant elle, se demanda à haute voix : « Pourquoi ce mensonge ne deviendrait-il pas réalité ? » De toute façon, personne ne voulait d'elle. Bien sûr, il y avait Michael. Mais, même s'il se montrait obstiné, il ne lui plaisait pas vraiment. Quant à celui qui lui plaisait, il voulait l'avoir pour rien. Et Bob, alors ? Qu'éprouvait-elle à son égard ? Elle l'aimait énormément, cela ne faisait aucun doute. Était-ce vraiment de l'amour ? Elle savait maintenant qu'il y avait toutes sortes d'amour. Et même si Bob était handicapé, il était encore un homme. Pendant plusieurs mois, elle avait été pour lui une sorte de gouvernante et elle savait qu'il aurait toujours besoin d'une femme à ses côtés. « Pour une fois, soyons réaliste ! » se dit-elle. Si elle se montrait réaliste, elle ne tarderait pas à diriger cette maison et, qui plus est, deviendrait une femme riche et aurait son mot à dire dans les affaires d'Henderson et Garbrook.

Sa décision était pratiquement prise et elle allait se lever pour enlever son manteau lorsqu'une voix lui souffla soudain : « Et tu auras un beau-fils et tu seras obligée de travailler avec lui et tu le verras à longueur de journée. N'est-ce pas payer très cher le privilège de vivre pour toujours aux côtés de Bob Henderson ? »

En début de soirée, Bob annonça à Willie :

— Je crois que je vais aller me coucher. J'ai eu une rude journée !

— Pour une rude journée, c'en était une, monsieur ! On peut dire que vous avez réussi votre coup. La maison était en ébullition. Il fallait les entendre à l'heure du déjeuner à la cantine ! On se serait cru au lendemain d'une révolution quand le président du pays est enfin de retour.

— Vraiment ?

— Absolument, monsieur ! J'ai l'impression que M. Waitland n'était pas très populaire. Le nouveau système qu'il avait inventé aurait certainement débouché sur une grève. D'après ce que j'ai compris, personne ne pouvait l'approcher. Et comme l'a dit un des gars avec qui j'ai déjeuné, un seul de vos coups de gueule était plus efficace que toutes les notes de service qui venaient de lui.

— Ça me fait plaisir, ce que vous me dites. Il est toujours agréable de savoir que l'on est utile à quelque chose. Et puisque nous en sommes à parler de ça, vous aussi, Willie, vous allez vous rendre utile. Maintenant que je travaille, il va falloir modifier votre emploi du temps et voilà ce que je vous propose : le matin, après m'avoir épousseté, toiletté et conduit au bureau, que diriez-vous de vous occuper d'une infirmerie à l'usine ? Pour l'instant, quand un type se blesse, nous nous débrouillons avec une trousse de première urgence. Mais il y en a certains qui s'entaillent les mains jusqu'à l'os et pour ceux-là, un infirmier ne serait pas de trop. Vous pourriez travailler à l'usine le matin, avoir l'après-midi de libre et me rejoindre le soir à la maison. John s'occuperait de moi les deux jours par semaine où vous ne seriez pas de service et dans la mesure, bien entendu, où lui-même ne serait pas en voyage d'affaires à l'étranger. C'est pour ça que plus vite nous ferons installer cet ascenseur, mieux cela vaudra. Il va falloir aussi que Jinny apprenne à conduire... Quoi qu'il en soit, dites-moi ce que vous pensez de mon idée ?

— Ça me va tout à fait, monsieur. Laissez-moi simplement le temps d'en parler avec M. John et d'arranger ça avec lui.

— C'est parfait ! Et maintenant débarrassez-moi de ce fichu pantalon. Ça fait des mois que j'ai les fesses à l'air, expliqua-t-il en riant, et je n'ai plus l'habitude d'être...

Il n'eut pas le temps de terminer sa phrase car, sans prendre la peine de frapper, Florence venait d'entrer dans la pièce.

— Qu'est-ce qui te prend d'entrer comme ça ! hurla-t-il. Tu ne vois pas que je suis nu...

Il attrapa la couverture qui se trouvait au pied du lit et recouvrit ses jambes. Puis il lança un regard furieux à sa fille qui, debout au milieu de la pièce, semblait aussi en rage que lui.

— Réponds-moi ! lui cria-t-il. Qu'est-ce qui te prend ? Bon Dieu ! Même quand ta mère était vivante, jamais tu n'aurais osé...

— Quand mère était vivante, les choses étaient différentes.

Après avoir réfléchi pendant quelques secondes, Bob hocha la tête, puis il dit d'une voix plus calme :

— Bien sûr que les choses étaient différentes.

— Mais maintenant quelqu'un a pris sa place en bas. Et non seulement en bas, mais partout dans cette maison.

— Où veux-tu en venir?

— Cette fille, ta soi-disant secrétaire, au moment du dîner, elle s'est assise à table, à la place de mère.

Baissant soudain la tête, Bob ferma les yeux et pinça les lèvres avant de marmonner:

— Ma fille, ta mère est morte et elle ne reviendra pas. Il m'a fallu des mois pour accepter ça et comprendre que les choses ne seront plus jamais les mêmes. Pour en revenir au fait que Jinny se soit assise à sa place, dis-toi qu'elle ne l'a pas fait exprès, elle ignorait que ta mère s'asseyait là.

— Elle le savait très bien! C'est elle qui dirige maintenant cette maison.

— Si c'est le cas, j'en suis heureux, répondit Bob en relevant la tête pour la regarder, car personne d'autre ne s'est proposé pour le faire, ni pour s'occuper de moi d'ailleurs.

— Je t'ai proposé...

— Bien sûr que tu me l'as proposé! Mais à condition que je fasse entrer ta larve de mari à l'usine. Et il ne fallait pas que je lui offre n'importe quel poste. Oh, non! Il visait la direction! Et moi, pour rien au monde je n'aurais accepté. C'est pour ça que j'ai été sacrément heureux que Jinny revienne et que je le suis toujours. Elle est plus intelligente que toi et tes trois sœurs réunies et s'il ne tenait qu'à moi...

— Ça pour être intelligente, elle l'est! coupa sa fille. Mes sœurs et moi, nous ne savons pas y faire. Nous sommes incapables de nous montrer aussi rusées, aussi habiles et aussi soumises qu'elle.

Le bras levé, l'index tendu en direction de Florence, Bob allait lui répondre lorsque John entra à son tour dans la chambre. Il semblait aussi en colère que sa sœur et, sans faire attention à son père, il lui lança:

— Un de ces jours, quelqu'un va te fiche une raclée et tu l'auras bien méritée.

— Ce ne sera pas toi en tout cas ! Ni elle...

— Je n'en suis pas si sûr que toi. A sa place, il y a long-temps que je t'aurais giflée pour t'apprendre la politesse.

— Qu'y a-t-il ? demanda Bob. Qu'est-il arrivé ?

John se retourna pour regarder son père et il lui expli-qua :

— Elle s'en est prise à Jinny comme si elle était une traî-née que tu aurais ramassée dans le ruisseau. En fait, ce qu'elle lui a dit était encore pire que ça.

— C'est faux ! se défendit Florence. Je lui ai simplement demandé de changer de chaise car elle était assise à la place de mère. Je lui ai dit qu'elle se comportait en maîtresse de maison alors qu'elle ne l'était pas... Pas encore, en tout cas ! conclut-elle en défiant son père du regard.

La pièce parut soudain étrangement silencieuse car per-sonne ne parlait. Bob hocha lentement la tête, puis tout aussi lentement il dit à sa fille :

— Alors tu lui as dit qu'elle n'était pas encore la maî-tresse de maison...

Il n'y avait rien à répondre à ça, Florence se contenta de le regarder.

— Sais-tu, Florence, que j'ai déjà réfléchi à cette ques-tion, reprit-il. J'ai toujours pensé que, lorsque quelqu'un faisait bien son travail, il devait être payé correctement. Ça fait maintenant des mois que Jinny travaille pour moi et si elle n'avait pas été là, j'aurais certainement perdu la raison, aussi me suis-je demandé comment je pourrais la payer en retour. Ce matin, quand je me suis retrouvé au bureau, je me suis dit que je pourrais lui proposer de faire partie de l'équipe de direction. Oui, j'ai pensé à ça, finalement, c'est ce que je vais faire... Mais la remercier pour ce qu'elle a fait pour moi ne me paraît pas suffisant, j'éprouve aussi le besoin de satisfaire un désir qui m'est tout à fait personnel.

— C'est une honte ! s'écria Florence en postillonnant. Jamais tu n'oserais lui proposer de remplacer mère !

— Ce n'est pas à toi de me dicter ma conduite, ma fille. J'ai toujours fait ce que je voulais et je compte bien continuer. Mais tu as raison sur un point : je ne lui proposerai pas de remplacer ta mère. Personne ne le pourrait pour la bonne raison que ta mère est irremplaçable. Je le sais et Jinny aussi. Mais, comme je te l'ai dit, il a bien fallu que je me fasse à l'idée que ta mère n'était plus là. Je me suis rendu compte aussi que je ne pouvais pas vivre seul. J'ai besoin de quelqu'un à mes côtés. Homme ou femme, peu importe...

En disant cela, il jeta un coup d'œil à son fils. Il s'aperçut alors que le visage de John était déformé comme s'il était témoin d'une scène répugnante. Ses yeux n'étaient plus que deux minces fentes, ses lèvres découvraient ses dents et il était pâle comme un mort. On aurait dit qu'en l'espace de quelques minutes il venait de vieillir de dix ans. Bob allait lui demander : « Et toi, est-ce que tu m'approuves ? », mais il se dit que ce serait un coup bas. Bien sûr que John ne l'approuvait pas ! Il aurait aimé pouvoir lui dire : « Ne me regarde pas comme ça, je t'en prie, ne me regarde pas comme ça ! Tu ne me comprends pas ! Et je crois que tu ne me comprendras jamais... » Mais avant qu'il ait pu dire quoi que ce soit, Florence lui lança :

— Je rentre chez moi ! Et je ne remettrai pas les pieds dans cette maison tant qu'elle sera là.

— Tu fais comme tu veux, mon petit, lui rappela Bob alors qu'elle se précipitait vers la porte. Mais je tiens à t'avertir que je ferai tout mon possible pour qu'elle reste ici encore très, très longtemps. N'oublie pas de le dire à Ronnie, ajouta-t-il, bien que j'imagine que pour lui ça ne changera rien. Pour avoir un pied dans la place, il serait prêt à toutes les concessions.

La porte claqua. Pendant un instant, il rentra la tête dans les épaules pour amortir la secousse puis, regardant Willie qui était resté debout au fond de la pièce, il lui demanda :

— Voulez-vous nous laisser une minute, Willie, s'il vous plaît ?

Lorsque Willie eut refermé la porte derrière lui, il resta un long moment sans parler, ni regarder son fils, se contentant de tripoter nerveusement la couverture qui recouvrait ses jambes.

— Vas-y, accouche ! dit-il finalement. Sinon tu risques d'avoir une attaque. J'ai l'impression que tu n'apprécies pas tellement mon idée...

— *Tu ne peux pas faire ça !*

Au lieu de se mettre à crier comme d'habitude, Bob lui répondit d'une voix calme et posée :

— Je peux, mon garçon, je peux. C'est à elle de voir...

La pomme d'Adam de John se souleva à plusieurs reprises avant qu'il réussisse à dire :

— Si elle accepte, ce sera par pitié pour toi.

— Et alors ? Dans la vie, il y a des choses bien pires que la pitié. On dit que la pitié c'est déjà de l'amour et moi, ça ne m'empêchera pas de l'aimer. D'ailleurs, je ne suis pas le seul.

Il se tut un court instant avant d'ajouter :

— Il y a ce beau Roméo qui lui court après. Willie m'a dit qu'il avait encore téléphoné la semaine dernière, mais elle n'était pas là. Il est tenace, le gars. J'ai l'impression que j'ai intérêt à me grouiller, tu ne crois pas ! Mais assieds-toi donc, proposa-t-il. J'ai besoin de discuter avec toi.

— Tu m'emmerdes ! s'écria John. Tu en as dit assez comme ça.

En voyant son fils se précipiter hors de la chambre, Bob baissa la tête et serra les dents. Puis il se frotta vigoureusement le visage et se massa le tour des yeux du bout des doigts. Il releva alors la tête, redressa les épaules, s'assit bien droit dans son lit et pressa sur la sonnette qui se trouvait à côté de lui.

Dès que Willie fut arrivé, il lui dit :

— Dites à Jinny que j'aimerais lui dire un mot, s'il vous plaît.

— Maintenant ? Vous ne voulez pas d'abord que je vous aide à vous coucher ?

— Non. Je veux la voir avant.

Cinq minutes plus tard, Jinny entrait dans la chambre. Elle avait le visage très pâle et les traits tirés et on sentait qu'elle se tenait sur la défensive. A une autre occasion, Bob l'aurait certainement accueillie en lui demandant : « Qu'est-ce qui vous arrive ? Vous êtes encore montée sur vos grands chevaux ? » Mais ce soir, il se contenta de la saluer d'un geste de la main et lui proposa :

— Allez chercher une chaise.

Jinny s'exécuta aussitôt et installa la chaise en face de lui.

— Approchez-vous plus près, lui dit-il. Je veux pouvoir vous tenir la main.

Il accompagna sa proposition d'un sourire timide qui ne réussit pourtant pas à dérider Jinny. Dès qu'elle fut assise à côté de lui et qu'il eut pris sa main dans les siennes, il annonça :

— Inutile de tourner autour du pot. Je sais ce qui s'est passé en bas ce soir. Et maintenant, je voudrais vous poser une question... C'est le genre de question qui commence par « si »... Comment dire ? Ce n'est pas une vraie demande, c'est une supposition. Comment appelle-t-on ça ? Une parenthèse ? Plutôt une hypothèse, non ? Peu importe. J'en connais des mots, n'est-ce pas ? Je suis sûr que ça vous épate.

Comme Jinny ne réagissait toujours pas, il continua.

— La question que je veux vous poser, et qui n'est pas à proprement parler une question, la voilà : *Si... Si* je vous demandais de m'épouser, est-ce que vous le feriez ? Attention ! Je ne vous demande pas de m'épouser, je vous propose seulement de faire comme si je vous le demandais, vous comprenez ? *Si* je vous demandais de m'épouser, est-ce que vous le feriez ?

— Arrêtez de vous moquer de moi !

— Voyons, Jinny, je ne me moque pas de vous ! J'aurais

peut-être dû vous présenter ça d'une autre manière...
D'accord! Mais je vous le répète: je ne vous demande pas
de m'épouser, je vous dis seulement *si*.

— Ce *si*, vous en avez eu l'idée à cause de ce que m'a dit
votre fille?

— Non, pas vraiment. Ça fait un certain temps que j'y
pense. Ce n'est pas ce que je voulais dire... Comment vous
expliquer ça? Écoutez, simplement pour me faire plaisir,
répondez-moi franchement: si je vous demandais ça, que
me diriez-vous?

La manière qu'avait Bob de la regarder en cet instant lui
rappela le regard de son fils un peu plus tôt dans la soirée,
juste après que Florence Brook s'en était prise à elle d'une
façon si brutale et si inattendue qu'elle était restée sans voix
devant ses accusations. Au lieu de se mettre en colère et de
se défendre, elle s'était sentie très faible, exactement comme
si on venait de l'agresser physiquement. C'est alors que
John l'avait rejointe dans sa chambre, puis qu'il l'avait prise
dans ses bras et serrée contre lui sans prononcer un mot,
posant ses lèvres sur les siennes. Leur étreinte n'avait pas
duré plus d'une minute, il s'était alors détaché d'elle et était
sorti de la pièce comme un fou.

— Je ne peux pas vous répondre comme ça, dit-elle. J'ai
besoin de réfléchir.

— Vous m'aimez bien, non?

— Oui, je vous aime bien. Vous le savez d'ailleurs.

— Est-ce que vous m'aimez un peu plus que ça?

— Je vous aime beaucoup.

— Je suis toujours un homme, dit-il en s'humectant les
lèvres. Et si j'ai ressuscité, c'est grâce à vous, Jinny. Je serais
capable de vous aimer cent fois mieux que tous ces jeunes
types et avec moi au moins, vous ne souffririez pas. Je ne
devrais pas dire ça parce qu'à partir du moment où une
femme et un homme s'aiment, il y a toujours de la jalousie.
Ça me rend malade quand j'entends des gens me dire:

« Oh, moi, je ne suis pas jaloux de ma femme! J'ai
confiance en elle... » C'est du baratin tout ça! Soit ils
mentent, soit ils ne savent pas ce que c'est que l'amour.
C'est pourquoi je suppose que de ce côté-là, je ne vaudrais
pas mieux qu'un jeune type. Je risquerais même, jeune
comme vous êtes, d'être affreusement jaloux. Sans parler de
la peur. Quand on aime quelqu'un, on a toujours peur de le
perdre. Dès que l'être aimé a l'air de s'intéresser à quelqu'un d'autre, on est jaloux. Surtout quand on a le malheur
d'avoir épousé une de ces bonnes femmes qui, comme certaines garces que je connais, prennent un malin plaisir à
porter aux nues tous les hommes qu'elles rencontrent...
Vous voulez que je vous dise une chose, Jinny? Même si
vous êtes une fille raisonnable, je pense que vous n'en êtes
pas encore arrivée au stade où une femme sait ce que c'est
qu'un homme et comprend ce dont il a besoin. Parce qu'il
ne faut pas vous faire d'illusions : un homme ne sort jamais
de l'enfance. Toute sa vie, il a besoin du sein maternel,
besoin qu'une femme le réconforte et le rassure. Et, quand
il se marie, c'est toujours une mère potentielle qu'il a en
vue. Alicia le savait. Ah oui, elle le savait! C'est pour cela
d'ailleurs que nous avons été si heureux ensemble. Je ne
cesserai jamais de l'aimer, Jinny. Le jour où elle est morte
c'est comme si on m'avait amputé d'une partie de moi-
même. Mais il y a en moi une autre partie qui désire continuer à vivre. Et pour continuer à vivre, comme je l'ai expliqué à mon idiote de fille, j'ai besoin d'avoir quelqu'un à mes
côtés. Mais... ne retirez pas votre main! Écoutez-moi! Je ne
vous demande pas d'être la chérie d'un vieil homme. A dire
vrai, je ne vous demande même pas de m'épouser. Je n'ai
pas envie de me marier avec vous... Quel menteur je fais!

Il détourna soudain la tête. Puis, regardant de nouveau
Jinny, il ajouta avec un timide sourire :

— Il faudait être fou pour ne pas vouloir vous épouser.
Mais il y a quelque chose dans la vie dont j'ai plus besoin

que d'une femme. Aussi étrange que cela puisse sembler : j'ai besoin d'un fils. J'en avais deux et j'en ai perdu un... C'est le seul qui me reste. Et je vais vous avouer quelque chose que pour rien au monde je ne lui dirai : je l'aime ! Je l'aime énormément. Et je l'ai toujours aimé, malgré ce qu'il croit. Il a toujours pensé que seul Glen comptait à mes yeux. Et dans une certaine mesure il avait raison. Car je ne supportais pas qu'il soit le favori d'Alicia. Au fond, j'étais jaloux de mon propre fils. Sans compter qu'il était une vraie tête de lard, borné, obstiné... Ah, Dieu du ciel ! Je pourrais continuer longtemps ainsi, mais ça suffit pour ce que je voulais vous dire, Jinny.

Il lui tapota gentiment la main, se pencha vers elle et murmura :

— Si je vous épousais, je le perdrais pour toujours parce que je sais qu'il vous veut. Et jamais encore il n'a voulu quelque chose avec autant de force. Je m'en suis aperçu quand...

— Attendez, Bob ! le coupa Jinny en retirant sa main. Moi aussi, je le sais... Mais la seule chose qui l'intéresse c'est de coucher avec moi. Je vous le dis franchement.

— Mais non, mon petit, mais non ! s'écria Bob. Vous vous trompez.

— Je ne me trompe pas ! C'est lui qui me l'a dit.

— Il vous a dit ça ?

— Disons que chaque fois que nous en avons discuté, ça s'est toujours mal terminé, parce qu'il m'a toujours laissé entendre, d'une manière plus ou moins voilée, qu'il était contre le mariage et que la seule chose qui l'intéressait c'était de faire...

Elle se tut et détourna la tête, refusant d'ajouter : « ...l'amour ».

Il y eut un silence, puis Bob reprit, à nouveau à voix basse :

— Vous vous trompez, Jinny. Il n'y a pas dix minutes,

lorsque j'ai annoncé que j'allais vous épouser, j'ai bien cru qu'il allait me tuer. Et, si je n'avais pas été son père, il l'aurait fait... C'est bien la preuve qu'il est amoureux de vous. Et lui, est-ce qu'il vous plaît ?

— Je ne sais pas.

— Est-ce que vous l'aimez ?

Jinny le regarda droit dans les yeux.

— Je pense, répondit-elle calmement. Mais je n'en suis pas sûre... Comme on dit : Amour sans sympathie, le divorce pend au nez du mari.

— Des phrases comme celle-là, qui ont l'air justes et qui sonnent bien, vous en entendrez toujours, mon petit. Mais, en général, les gens qui les ont inventées avaient perdu toutes leurs illusions. Et maintenant, écoutez-moi, Jinny.

A nouveau, il se pencha vers elle et lui prit la main.

— Si vous épousez John, je vous garde tous les deux. Si vous ne l'épousez pas, je vais vous perdre tous les deux car il pensera que nous allons nous marier un jour ou l'autre et il s'en ira. Et je ne pourrai jamais supporter de perdre mes deux fils, Jinny ! J'ai eu quatre filles mais sincèrement, mon petit, elles n'ont jamais compté à mes yeux. Même lorsqu'elles étaient petites. Mes fils, c'est différent : je les ai toujours considérés comme une sorte de prolongement de moi-même. C'est une chose que vous ne pouvez pas comprendre parce que vous êtes une femme mais pour un homme, un fils c'est celui qui porte son nom et qui le transmet de génération en génération... Et maintenant, répondez-moi franchement : si John vous demandait de l'épouser, est-ce que vous accepteriez ?

— Oui.

Ça y est : elle avait donné sa parole. Si John lui demandait de l'épouser, elle accepterait. Mais lui demanderait-il ? Oui, un jour ou l'autre. Dès qu'il serait convaincu qu'il ne jouait pas un mauvais tour à son père.

Jinny se sentit soudain envahie par une légèreté toute nouvelle. Son corps se détendit, son regard s'adoucit, ses joues, si pâles un peu plus tôt, retrouvèrent leurs couleurs.

— Qu'est-ce qui vous fait sourire ? demanda Bob à qui son changement d'attitude n'avait pas échappé. Qu'y a-t-il de si drôle ?

— Rien, rien, répondit Jinny en quittant la chaise où elle était assise.

Puis elle se pencha vers lui et posa doucement ses lèvres sur les siennes. Bob sursauta et, au lieu de la prendre dans ses bras comme elle l'espérait, il resta immobile sans faire un geste. Au moment où elle éloignait son visage du sien, elle demeura un court instant penchée et chacun d'eux découvrit, dans les yeux de l'autre, un désir profondément enfoui et d'inavouables pensées. Pendant une fraction de seconde, ils eurent l'impression qu'une barrière cédait brusquement, mettant à nu leurs plus secrètes pensées, comme s'ils se tenaient tous deux au bord du gouffre qu'il aurait été dangereux de vouloir franchir.

Jinny se releva et sortit de la chambre sans que ni l'un ni l'autre n'ait prononcé un mot. Quand elle se retrouva dans sa propre chambre, assise sur son lit, ses joues étaient mouillées de larmes. Il n'y avait plus trace en elle du sentiment de légèreté qu'elle avait éprouvé quelques minutes plus tôt. Elle se sentait triste, de cette tristesse qu'on éprouve lorsque la vie vient de vous donner une douloureuse leçon. Elle venait de comprendre que certaines formes d'amour se situaient bien au-delà de l'attirance physique, au-delà du désir qu'on pouvait éprouver pour un homme, au-delà même de la joie qu'on avait à nourrir au sein un enfant. Quand on éprouvait ce type d'amour, on n'était plus animé que d'un seul désir : donner. C'était le sentiment que l'homme qu'elle venait de quitter avait fait naître chez elle : l'immense et irrésistible désir de donner.

Et, s'il n'y avait pas eu John, elle l'aurait mis avec joie en pratique. Mais il y avait John. Et, vis-à-vis de lui, elle éprouvait un amour d'un autre ordre, un amour où le désir physique entrait en grande part.

Jinny était en train d'essuyer ses larmes quand elle entendit, venant du palier, la voix stridente de Florence Brook qui disait :

— Dire que je suis obligée de prendre un taxi alors qu'il y a trois voitures dans le garage ! Descendez ma valise, Dorry. C'est la dernière fois que vous faites quelque chose pour moi dans cette maison.

Elle avait parlé suffisamment fort pour que son père entende ce qu'elle venait de dire mais sa sortie ne provoqua aucune réaction et, quelques minutes plus tard, Jinny entendit claquer la porte d'entrée, puis le bruit d'une voiture qui quittait la maison. Elle poussa un soupir de soulagement et se dirigea vers la salle de bains. Après s'être coiffée et poudrée, elle quitta sa chambre et descendit au rez-de-chaussée. En arrivant dans l'entrée, elle aperçut Willie qui sortait de la salle à manger en portant un plateau sur lequel se trouvaient une carafe et un verre.

— Où est John ? demanda-t-elle.

— Il est parti en coup de vent, répondit-il. Il a pris la Jaguar et les routes sont verglacées.

S'approchant d'elle, il ajouta à voix basse :

— Je ne voudrais pas me mêler de ce qui ne me regarde pas, mais comme il y a des chances que nous continuions à travailler ensemble, je peux, peut-être, me permettre de vous dire quelque chose. D'un côté, vous seriez bien bête de ne pas saisir la chance qui se présente, mais d'un autre j'imagine que vous attendez autre chose de la vie. C'est vraiment un type formidable, le patron, je ne connais pas meilleur que lui, mais il a fait son temps, comme on dit, tandis que John... Vous pourriez faire beaucoup pour lui. Sur le plan émotionnel, il en a vu de toutes les couleurs et ça ne date pas d'aujourd'hui. Glen, le grand frère, le vieux y tenait comme à la prunelle de ses yeux, si j'ai bien compris. Vous savez, Jinny, je comprends la situation parce que moi aussi je suis un laissé-pour-compte, bien que dans mon cas les choses se soient passées d'une manière très différente. J'étais l'aîné d'une famille de six enfants et j'ai dû quitter l'école pour aider ma mère à élever mes frères. Tout ça parce que mon père était bien trop occupé dans les pubs pour faire quoi que ce soit d'autre. Quand tout le monde a été élevé, il n'y en avait plus que pour Harry, Jimmy, Dan, Peter et Mike. Et Willie, que devenait-il là-dedans ?

Son visage se figea à ce souvenir.

— Willie était la vieille fille de la famille. Willie ne voulait pas se marier. J'avais trente-quatre ans, Jinny, quand j'ai commencé à suivre des cours pour devenir infirmier ! C'est pour ça que je comprends la situation de John. Dans la vie, quand on s'efface, les gens oublient très vite que vous êtes là.

— Dans cette maison, personne n'oubliera jamais que vous êtes là, Willie, le rassura Jinny en lui prenant gentiment le bras. Mais je comprends ce que vous voulez dire. En tout cas, je peux vous assurer que je ne serai jamais Mme Henderson senior. Mais, pour être tout à fait sincère, je dois vous avouer aussi que, dans une certaine mesure, je regrette qu'il en soit ainsi.

— Je vois ce que vous voulez dire. Moi, ce que je vous conseille, c'est de vous servir quelque chose à boire et d'attendre le retour de la jeune génération pour voir si vous pouvez arranger les choses. En quittant la maison tout à l'heure, il était tellement hérissé qu'on aurait dit un porc-épic. Faites attention à ne pas vous piquer !

Willie monta l'escalier en riant tandis que Jinny se dirigeait vers la salle à manger. Elle se servit un verre de sherry et alla s'asseoir dans le salon.

Elle n'avait pas tout à fait fini de vider son verre quand

elle regarda la pendule et elle s'aperçut qu'il était huit heures et demie. A neuf heures, comme John n'était toujours pas rentré, elle commença à penser à la Jaguar et aux routes verglacées.

A neuf heures et demie, elle monta à l'étage pour dire bonsoir à Bob. Il était assis très droit dans son lit comme s'il attendait sa visite et lui dit aussitôt :

— Je n'ai pas entendu de bruit en bas. Est-ce que notre John est sorti ?

— Oui.

— A quelle heure est-il parti ?

— En début de soirée. Je ne sais pas exactement à quelle heure il a quitté la maison...

— Quel sacré imbécile ! S'il s'agissait de quelqu'un d'autre, je dirais qu'il est parti se saouler la gueule. Mais il ne boit pas... Il y a du verglas, non ?

— Pas vraiment, mentit Jinny. Il fait froid mais les routes sont sèches.

Du plat de la main, Bob tapa sur l'édredon, puis il s'écria :

— Est-ce qu'un jour les choses iront bien dans cette bon Dieu de maison ? Quelle voiture a-t-il prise ?

— Je ne sais pas, répondit Jinny qui n'en était plus à un mensonge près.

— Je ne vais pas prendre ça, dit Bob en montrant ses médicaments sur la table de nuit, tant que je ne serai pas sûr qu'il est rentré et que je peux dormir en paix. En parlant de paix, on peut dire que vous alors, vous troublez l'ordre public. Vous ne le saviez pas ? Et pourtant, c'est vrai. Vous tournez la tête aux hommes. Et ça n'est pas fini !

— Ah, ne recommencez pas !

— Non, non... Excusez-moi mais je suis inquiet... Redescendez. Attendez-le... Et essayez d'arranger les choses.

— D'accord, je vais arranger les choses, dit-elle avec un sourire ironique. A peine aura-t-il passé le seuil de la porte que j'aurai déjà tout arrangé. Vous êtes content ?

— Ouais ! Débrouillez-vous avec lui... Et montez tous les deux me voir quelle que soit l'heure. N'oubliez pas de monter car je serai réveillé.

— D'accord ! Mais à votre place, je ferais un petit somme en attendant.

— Dépêchez-vous de filer ! lui ordonna Bob.

Lorsqu'elle quitta la chambre, elle souriait toujours mais, en arrivant sur le palier, son sourire se transforma en une expression presque soucieuse. Bob l'avait accusée de troubler l'ordre public. Au fond, tous les hommes se ressemblaient : quand l'ordre était troublé, ce n'était jamais leur faute. Où donc était parti cet imbécile ?

En arrivant dans l'entrée, elle ouvrit la porte et regarda au-dehors. La lumière extérieure était allumée et les graviers de l'allée, couverts de givre, scintillaient comme si des milliers d'étoiles étaient tombées à terre. Jinny leva la tête et aperçut la lune. Sentant soudain le froid, elle frissonna, rentra dans la maison et referma la porte.

Dorry, qui passait dans l'entrée, lui demanda :

— Est-ce qu'il y a encore quelque chose que je puisse faire, mademoiselle ?

— Non. Merci, Dorry.

— J'ai laissé un plateau pour M. John dans la salle à manger : un plat froid et un thermos de soupe. Je sais qu'il aime la soupe et il n'a pas beaucoup dîné. Je vais aller me coucher. Vous voudrez bien éteindre les lumières, mademoiselle ?

— Oui, je m'en occuperai, Dorry. Bonne nuit.

— Bonne nuit, mademoiselle.

Jinny allait entrer dans le salon et Dorry était presque arrivée à la porte de la cuisine quand elle se retourna.

— Mademoiselle ! appela-t-elle. Si j'étais vous, je ne

ferais pas attention à ce qu'a dit Mlle Florence. Elle a toujours fait des histoires. Encore une qui a été trop gâtée... La
moins sympathique de tous les enfants. Et jalouse comme
pas une. A votre place, je n'y ferais pas attention.

— Vous avez raison. Merci, Dorry.

Dorry était vraiment réconfortante. Jinny eut soudain
une folle envie de la suivre dans la cuisine et de lui confier
ses soucis. Sa chaleur maternelle lui ferait du bien et Dorry
ne manquerait pas de lui donner des petites tapes sur le
bras pour la réconforter, comme elle faisait toujours. « Tout
va bien, mademoiselle ? » Tap, tap. « Venez donc prendre
votre petit déjeuner. » Tap, tap.

Comme elle aurait aimé avoir quelqu'un près d'elle ! Pas
un homme, une femme. Il y avait des moments dans la vie
où l'on avait besoin de se confier à une femme. Dommage
que Nell soit aussi loin ! Elle aussi, elle aurait su la
réconforter. Elle en aurait d'ailleurs profité pour assassiner
Florence au passage ou toute autre personne qui se serait
permis de s'attaquer à sa cousine adorée.

En s'asseyant en face du feu, Jinny ne put s'empêcher de
froncer les sourcils d'un air soucieux. Voilà qu'elle avait à
nouveau des ennuis ! Alors que son seul but dans la vie,
c'était de faire plaisir aux gens. Mais c'était là l'erreur ! Et
elle le savait depuis toujours. Malgré tout, ça ne l'empêchait
pas de recommencer. Et maintenant, elle se retrouvait coincée entre ces deux hommes qui s'affrontaient à cause d'elle.
Elle était lasse de tout ça, vraiment lasse.

« Arrête ! » se dit-elle. Elle se leva et arpenta la pièce à
grands pas. A quoi bon s'apitoyer sur soi-même alors
qu'elle savait très bien que, dans un cas comme dans
l'autre, elle allait rester au service de ces deux hommes ?
Oui, c'est bien ce qui l'attendait : être au service du père et
du fils. Avant qu'il soit trop tard, elle ferait bien de se
demander si elle était à la hauteur de cette tâche. Côté père,
elle savait à quoi s'en tenir : Bob était un homme direct et il

disait toujours ce qu'il pensait. Mais avec le fils, c'était une autre histoire : de lourds silences, des regards noirs, des remarques sarcastiques, sans parler de ses opinions qui étaient en complète contradiction avec les siennes. Mais il avait été si doux et si gentil quand il l'avait prise dans ses bras. « Où peut-il bien être ? » se demanda Jinny en s'arrêtant soudain au milieu de la pièce. Elle jeta un coup d'œil à la pendule et s'aperçut qu'il était onze heures moins le quart.

Quand la porte du salon s'ouvrit, elle était à nouveau assise en face du feu. Elle tourna aussitôt la tête et s'aperçut que ce n'était que Willie.

— Toujours pas rentré ?

De la tête, elle fit signe que non.

— Ne vous inquiétez pas : il finira bien par revenir. Je monte dans ma chambre. Si vous avez besoin de moi, vous n'avez qu'à frapper à la porte.

— Merci, Willie... Bonne nuit.

— Bonne nuit.

— Willie.

— Oui, dit-il en se retournant vers elle.

— Qu'allons-nous faire... s'il ne rentre pas ?

— Attendez jusqu'à minuit, proposa Willie. S'il n'est toujours pas là, venez frapper à ma porte pour me réveiller. Nous verrons alors ce que nous pouvons faire... Il n'a pas d'appartement en ville ?

— Non, cela fait longtemps qu'il n'en a plus.

— Souhaitons qu'il soit parti faire un tour en voiture pour se détendre les nerfs... Comme ça au moins, il sera plus calme quand il rentrera. Ne vous faites pas de souci, ajouta-t-il avec un sourire.

Il la salua d'un signe de tête et referma la porte derrière lui.

Jinny remit des bûches dans le feu, poussa le divan devant la cheminée, cala deux coussins dans un des coins et s'y installa pour attendre. Elle se sentait fatiguée. La journée avait été longue. L'excitation qu'elle avait éprouvée au bureau aurait largement suffi à qui que ce soit, sans parler du drame qui avait suivi. Car il s'agissait bien d'un drame... « C'était vraiment incroyable », se dit-elle en hochant la tête. Si on lisait une histoire pareille dans un livre, jamais on n'y croirait.

Elle s'obligea à garder les yeux ouverts et regarda la pendule : il était onze heures et demie. Quand elle la regarda à nouveau, il était minuit moins le quart. Elle comprit alors qu'elle avait dû s'assoupir et que quelque chose l'avait réveillée.

Elle bondit sur ses pieds et courut dans l'entrée. La maison était calme. Aucun bruit ni dehors ni dedans. Et pourtant quelque chose l'avait dérangée. Inquiète, elle regarda autour d'elle et se dirigea vers l'entrée. Elle tourna la clef dans la serrure mais laissa la chaîne en place et entrouvrit la porte de quelques centimètres. Risquant un œil à travers cette ouverture, elle aperçut alors à la lueur de la lampe extérieure le capot d'une voiture qui se trouvait au milieu de l'allée.

Elle se dépêcha de retirer la chaîne, ouvrit la porte en grand et regarda la voiture. Les phares étaient allumés. Est-ce que John était rentré par-derrière, en oubliant d'éteindre ses lumières ? Jinny jeta à nouveau un coup d'œil derrière. Elle n'entendit aucun bruit et ne perçut aucun mouvement dans la maison. Elle se décida alors à sortir, descendit les marches du perron et s'engagea dans l'allée. Dès qu'elle fut sortie de la lueur éblouissante des phares, elle aperçut John : il était affalé sur le siège avant, côté passager.

— John ! s'écria-t-elle en ouvrant la porte. Que se passe-t-il ?

Il n'y eut pas de réponse.

Au moment où elle se glissait derrière le volant pour

s'approcher de lui, elle fut assaillie par une forte odeur d'alcool. Comme il dodelinait de la tête et grognait dans son sommeil, elle se recula aussitôt, s'assit sur le siège du conducteur et resta une longue minute à l'observer sans dire un mot.

— Alors comme ça notre John ne boit pas ! s'écria-t-elle soudain. Réveillez-vous, John ! Dépêchez-vous de sortir de là !

— Qu... oi ?

Jinny sortit de la voiture puis, après en avoir fait le tour, elle ouvrit la porte de son côté et essaya de le tirer dehors mais John était bien trop lourd pour elle et, quand elle le lâcha, il retomba sur le côté. Elle fit demi-tour, regagna la maison et monta à l'étage en faisant le moins de bruit possible. Après avoir frappé à la porte de Willie, elle l'ouvrit et, avançant la tête dans la chambre plongée dans le noir, elle murmura :

— Willie, Willie.

— Oui, dit-il d'une voix ensommeillée. Ah, c'est vous, Jinny. Que se passe-t-il ?

— Il est rentré, dit-elle toujours aussi bas. Il est ivre mort. Je n'arrive pas à le faire sortir de la voiture.

— John, ivre mort ?

Willie venait d'allumer la lampe de chevet et, assis dans son lit, il regardait Jinny en clignant des yeux.

— Oui. Et surtout ne me dites pas qu'il ne boit pas ! Venez plutôt m'aider à le sortir de là.

Elle venait de dépasser la porte de Bob en marchant sur la pointe des pieds et se dirigeait vers le palier quand elle l'entendit hurler :

— Venez ici, Jinny !

Elle s'arrêta un instant, ferma les yeux et baissa la tête. Puis, faisant demi-tour, elle se dirigea vers sa chambre et poussa la porte.

— Que se passe-t-il ? demanda-t-il en la voyant. Il est arrivé quelque chose à notre John ?

— Il est en effet arrivé quelque chose à votre John.

— Quoi ? Pour l'amour du ciel !

— Votre John ne boit pas, n'est-ce pas ? Et pourtant, il est ivre, et même ivre mort !

— Impossible ! Il a toujours détesté l'alcool.

— Il y a un début à tout, répondit Jinny. Je reviens tout de suite.

Et là-dessus, elle referma la porte de la chambre avec une certaine brusquerie.

Quand elle arriva sur le palier, Willie était déjà en bas et, voyant qu'elle n'avait que sa mince robe de laine sur elle, il lui conseilla :

— Mettez donc un manteau avant de sortir.

Jinny se précipita vers le vestiaire et saisit le premier vêtement qui lui tombait sous la main, le pardessus de Bob en l'occurrence, et, après l'avoir enfilé, elle rejoignit Willie dehors.

— Mon Dieu ! Mais il est complètement bourré ! Jamais je n'aurais cru... Allez, debout !

— Lai... moi.

— On vous laissera tranquille quand vous serez à l'intérieur. Il fait un froid de canard. Dépêchez-vous de sortir de là !

Prenant John sous les bras, Willie réussit à l'extraire de la voiture et à le remettre debout. Puis Jinny et lui, le soutenant chacun d'un côté, l'entraînèrent vers la maison, lui firent traverser l'entrée et, arrivés dans le salon, le laissèrent tomber sur le divan.

— Ça alors ! s'écria Willie qui avait du mal à retrouver son souffle.

Il jeta un coup d'œil au visage méconnaissable du fils de son patron et se mit à glousser en répétant :

— Ça alors ! J'ai déjà vu des gens bourrés mais lui on peut dire qu'il est fait ! Comment diable a-t-il pu rentrer jusqu'ici en voiture sans se faire arrêter par la police ?

Il regarda Jinny mais celle-ci, au lieu de lui répondre,

continuait à regarder John. Son manteau était tout froissé et boutonné n'importe comment, son visage rouge et congestionné et, à cause du coussin qui se trouvait derrière sa tête, ses cheveux rebiquaient sur son crâne. Jinny avait une folle envie de rire et, en même temps, elle se disait que ce n'était vraiment pas drôle. Cela faisait des heures qu'elle se faisait du souci pour lui en pensant qu'il avait fait quelque chose d'idiot... Et elle ne s'était pas trompée, elle en avait la preuve sous les yeux.

Au moment où Willie se penchait vers lui pour l'installer plus confortablement sur le divan, John marmonna : « Un au...tre. »

— Mon gars, lui répondit Willie, avant que tu prennes une autre muflée comme celle-là, les poules auront des dents.

Tournant la tête vers Jinny, il lui demanda :

— Vous avez entendu ce qu'il disait ? Il a répété ce qu'il a dû dire toute la soirée en se penchant par-dessus le bar : « Un autre... » « Un autre... » Je ne sais pas combien de verres il a bu pour être dans cet état. Je suis sidéré qu'il ait pu conduire la voiture et qu'il ne se soit pas retrouvé en taule après avoir subi un alcootest.

— Bas... les... pattes... marmonna John en essayant de se lever.

— Personne ne vous touche, répondit Willie en le repoussant au fond du divan. Restez allongé et tâchez de dormir.

— Vous allez le laisser ici ? demanda Jinny.

Avant que Willie ait pu répondre, John dit en se levant à moitié :

— Jinny. Jinny. Où est Jinny ?

Au lieu de lui répondre, elle fit un pas de côté et se plaça derrière le divan pour qu'il ne la voie pas.

— Il est pourri, murmura John en laissant retomber sa tête sur les coussins. Complètement pourri... Il le savait, Willie. Ouais, il le savait.

— Qu'est-ce qu'il savait ?

— Qu'est-ce qu'il... savait ? répéta John. Qui ? Mon père... C'est un roublard et un pourri.

— Qu'est-ce qu'il savait ?

— C'est pas... tes oignons... Willie. Elle te plaît, hein ? Tu vas pas me dire le contraire ? Toi aussi, tu fais partie de son harem... Mais t'es pas plus avancé que moi... Pour elle, nous sommes tous des eunuques...

Quand elle entendit ça, le sourire de Jinny s'effaça et elle s'éloigna du divan, bien décidée à quitter la pièce. Mais la dernière phrase de John l'arrêta net.

— Il savait que j'allais lui demander... de m'épouser, marmonna-t-il d'une voix avinée. Je n'ai pas pu... Je n'ai pas pu parce qu'elle était toujours en train de discuter... de s'opposer... de...

La voix de John se tut et sa tête retomba sur les coussins.

— Il en a pour toute la nuit, à mon avis, remarqua Willie. Mais je n'aimerais pas avoir sa tête au réveil... Je vais aller lui chercher une couverture.

Lorsqu'il fut sorti, Jinny s'approcha à nouveau du divan et, de la main, écarta les mèches de cheveux qui retombaient sur le front de John. C'était la première fois qu'elle lui touchait les cheveux et elle le fit avec une réelle brusquerie. Contrairement à son père, il ne lui faisait pas pitié mais l'irritait au plus haut point. Elle se retint à deux fois pour ne pas lui tirer un bon coup les cheveux et le secouer jusqu'à ce qu'il se réveille.

— Idiot ! lui cria-t-elle. Espèce de tête de mule ! Vous auriez pu éviter tout ça ! Toute cette scène avec votre père ! Dire que je me suis sentie déchirée entre vous deux...

Elle fit brusquement demi-tour et était presque arrivée à la porte quand Willie revint avec une épaisse couverture.

— Je vais me coucher, Willie, annonça-t-elle. Je crois que j'en ai assez fait pour cette nuit.

— En effet, Jinny.

— J'espère que quand il se réveillera, il aura l'impression d'avoir au moins six têtes et qu'elles le feront toutes souffrir, dit-elle d'un air pincé.

— Je suis sûr que vous n'en pensez pas un mot, répondit Willie en riant. C'est un brave gars. Je vous l'ai déjà dit d'ailleurs... Il n'est peut-être pas aussi grand et aussi beau parleur que votre copain, mais je parierais qu'il en a un peu plus dans le ventre.

— Que ce soit le cas ou non, on peut dire qu'il a trouvé en vous un excellent défenseur. Bonne nuit, Willie.

Au moment où elle quittait le salon, elle l'entendit glousser.

En arrivant sur le palier, elle fut accueillie par la voix de Bob Henderson.

— C'est vous, Jinny ? Jinny ?

Elle poussa la porte, mais garda la main sur la poignée et, sans lui laisser le temps de parler, elle lui dit :

— Comme je vous l'ai expliqué tout à l'heure, il est complètement fait, bourré, ivre mort, selon les expressions que vous emploieriez vous-même pour décrire son état. C'est tout ce que j'ai à vous dire. Je suis fatiguée et d'une humeur qui est tout sauf bonne. Bonne nuit.

Au moment où elle refermait la porte, il cria : « Bonne nuit, Jinny », et elle eut l'impression qu'il riait.

Elle était exténuée et elle espérait se rendormir aussitôt, mais lorsqu'elle fut couchée, elle se mit à réfléchir à l'attitude à adopter quand elle se retrouverait à nouveau face à face avec l'individu borné qui cuvait son vin au rez-de-chaussée. Fallait-il l'ignorer, lui battre froid ou lui dire carrément ce qu'elle pensait de lui ?

Jinny ne sut jamais quelle attitude elle avait choisie. Une seule chose était claire : elle avait fini par s'endormir. Elle avait dû avoir un sommeil agité car la moitié de ses couvertures étaient tombées au pied du lit et elle avait froid.

Elle eut beau se blottir à nouveau sous les couvertures,

elle ne réussit pas à s'endormir. Elle n'arrêtait pas de penser à la question qu'elle s'était posée avant de sombrer dans le sommeil. Finalement, elle alluma sa lampe de chevet pour jeter un coup d'œil au réveil et découvrit étonnée qu'il était sept heures moins vingt.

Après être restée quelque temps allongée dans son lit, les yeux grands ouverts, elle repoussa les couvertures, sauta à terre, enfila sa robe de chambre qui se trouvait sur une chaise. Elle ouvrit la porte sans faire de bruit, traversa le couloir sur la pointe des pieds et descendit au rez-de-chaussée.

En arrivant dans l'entrée, elle entendit du bruit en provenance la cuisine. Cela l'étonna un peu car, en général, Dorry ne se levait pas avant sept heures.

Elle poussa la porte du salon et pénétra dans la pièce. Après avoir fait quelques pas, elle s'arrêta soudain, tous les sens en alerte et, comme elle n'entendait rien, s'approcha du divan. Plus personne n'y était couché et il ne restait que la couverture, roulée en boule dans un des angles. Le feu brûlait toujours dans la cheminée.

« Il a dû se réveiller pendant la nuit, se dit Jinny, et regagner sa chambre. »

Comme la porte s'ouvrait, elle tourna la tête de ce côté et ne put s'empêcher de sursauter en apercevant John qui entrait dans la pièce en portant un plateau. Il était en bras de chemise et avait dû prendre une douche car ses cheveux étaient mouillés et plaqués en arrière. Il ne sembla pas étonné de la voir, il ne dit pas un mot, se contentant de poser le plateau sur la table. Après s'être servi une tasse de café noir, il s'approcha du feu, s'installa dans un des fauteuils et avala une grande gorgée du breuvage qui semblait brûlant. Jinny, qui n'avait pas bougé, se sentit à nouveau follement irritée. « Ne dis rien ! s'intima-t-elle. Attends de voir combien de temps il pourra garder son café dans l'estomac. »

Elle allait lancer un « Et alors ? » qui exprimerait son état

d'esprit actuel quand John, levant la tête pour la regarder,
lui dit :

— D'accord ! J'étais ivre... Et alors ? C'est la première
fois que vous voyez quelqu'un rentrer ivre mort ?

— Pourquoi ? demanda Jinny calmement. Pourquoi
avez-vous fait ça ?

— Pourquoi ? demanda-t-il en haussant les sourcils.

Il fit la grimace et porta la main à sa tête avant de continuer :

— Je souhaitais fêter deux choses : le début d'une nouvelle vie et les retrouvailles avec mon ancienne petite amie.
Au fait, que lui est-il arrivé ? Je sais qu'elle m'a reconduit
jusqu'ici. C'est la dernière chose dont je me souvienne.
Finalement, c'est une fille bien. Si mes souvenirs sont bons,
j'étais allé chez elle pour la sauter... Oh !

A nouveau, il fit la grimace, porta la main à son front,
puis ferma les yeux avant de reprendre :

— Ce terme doit vous choquer. Disons que j'étais allé la
voir pour qu'elle redevienne ma petite amie. Mais elle
n'était pas toute seule : son copain du moment était là. Un
type petit pour autant que je m'en souvienne. Beaucoup
plus petit que moi en tout cas. Ça fait toujours du bien de
se sentir plus grand que le type qui a pris votre succession.
Il a dû nous suivre en voiture et la ramener.

Il ouvrit les yeux et demanda :

— Vous ne l'avez pas vue ?

Comme Jinny ne disait rien, il ajouta :

— Dommage ! Je suis sûr qu'elle vous aurait plu. Elle
est très large d'esprit. Le genre à vous expliquer en long et
en large pourquoi vous agissez comme vous le faites. Elle
aurait tout compris, elle ! Elle aurait trouvé tout à fait normal que vous deveniez ma belle-mère car elle m'a toujours
dit que tout ce qui m'arrivait, c'est moi qui l'avais cherché.
Je fais malheureusement partie de ces...

— Arrêtez de vous apitoyer sur vous-même !

Jinny eut un mouvement de recul quand la tasse et la

soucoupe atterrirent au fond de la cheminée en se brisant
en mille morceaux et elle eut bien du mal à reconnaître
l'homme qui se dressait maintenant en face d'elle.

— Ne me dites pas que je m'apitoie sur moi-même !
Depuis que vous êtes entrée dans cette maison, vous n'avez
pas cessé de faire des ravages ! Vous avez tourné la tête de
mon père bien avant que ma mère meure : déjà à cette
époque, il n'avait plus que votre nom à la bouche. Quant à
ces deux types qui vous couraient après, vous les avez bien
fait marcher. Et le jour où vous avez découvert que l'un
d'eux préférait les femmes âgées, vous avez fait la dégoûtée.
Vous êtes le genre de fille qui s'immisce dans la vie des
hommes et qui, lorsqu'on en arrive au point critique, joue
les vierges innocentes. Vous voulez vous marier mais
qu'avez-vous à offrir à un homme contre ce bout de papier ?
Vous savez ce que j'ai envie de faire ? Vous étrangler !

Quand John l'attrapa des deux mains par les épaules,
Jinny eut un moment de panique. Mais aussitôt, il la prit
dans ses bras et la serra contre lui, appuyant son front douloureux contre le sien en tremblant des pieds à la tête,
comme s'il avait la fièvre.

Non content de lui faire peur, il venait de lui dire des
choses terribles et l'avait carrément insultée. Mais ça n'avait
pas d'importance. Cela montrait simplement une chose, ce
qu'il éprouvait pour elle. C'était la seule chose qu'elle désirait savoir.

— Jinny... Oh, Jinny... Je suis désolé.

D'une main, Jinny le prit par le cou, et de l'autre, elle
caressa tendrement ses cheveux humides. Lorsqu'il eut retrouvé son calme, il releva la tête et ils se regardèrent dans
les yeux. Elle lui demanda alors d'une voix hésitante :

— Pensez-vous que les fiançailles doivent durer très
longtemps ?

En voyant son air chagrin, elle ajouta aussitôt :

— Nous pouvons nous marier tout de suite.

John lui lâcha l'épaule et il porta à nouveau la main à son front. Il plissa les yeux mais ne dit rien.

— La nuit dernière, reprit Jinny, vous avez dit que vous comptiez m'épouser et j'ai accepté.

— Que... que voulez-vous dire ?

— Je ne vous raconte pas d'histoires : vous avez dit que vous aviez l'intention de me demander en mariage. J'ai un témoin : Willie était là.

Son visage s'allongea. Il s'humecta les lèvres et murmura un seul mot : « Père. »

— Lui, il m'a laissée tomber en quelque sorte, expliqua Jinny en souriant. Il m'a dit qu'il n'avait jamais eu l'intention de m'épouser. Cette histoire lui a permis de faire d'une pierre deux coups, si j'ai bien compris. D'un côté, il a montré à sa fille qu'il était toujours le maître chez lui et de l'autre, il en a profité pour obliger son fils à exprimer le sentiment qu'il éprouve... pour la secrétaire.

— Mon Dieu, Jinny, je n'arrive pas à y croire... Il a raison : c'est vrai. Dire que je n'ai pas arrêté de me disputer avec vous et que, plus nous nous disputions, plus j'étais amoureux. Et vous, êtes-vous amoureuse de moi ?

— Je n'en sais rien, John. Tout ce que je sais, c'est que je vous désire et que j'ai envie que vous me désiriez. J'en ai tellement envie ! Mais je dois vous dire aussi, ajouta-t-elle en s'obligeant à sourire, que vous m'exaspérez et qu'il m'arrive d'avoir envie de vous jeter n'importe quoi à la figure...

— C'est très bon signe, dit-il en la serrant contre lui.

Puis, d'une voix plus sérieuse, il demanda en faisant un signe de tête en direction du plafond :

— A votre avis, comment va-t-il réagir ?

— Nous allons bien voir, non ? Mais attendez... Avant, j'ai quelque chose à vous dire. Il... m'aurait certainement demandée en mariage s'il n'avait pas eu peur de vous perdre. Il a pesé le pour et le contre, vous comprenez, et il a trouvé que le jeu n'en valait pas la chandelle car il vous aime profondément. En réalité, que vous le croyiez ou non, vous mis à part, il n'y a plus grand-chose qui l'intéresse dans la vie. Et ce n'est pas parce qu'il a perdu Glen. Apparemment, il en a toujours été ainsi et s'il n'en a rien laissé paraître c'est parce qu'il était jaloux de l'amour que vous portait votre mère. Bien entendu, il ne vous l'avouera jamais et c'est pourquoi je vous le dis. Ce n'est pas quelque chose que j'ai deviné, il me l'a bel et bien dit. Quelle que soit son attitude à l'avenir, n'oubliez jamais qu'il vous aime par-dessus tout... et qu'il a besoin de vous.

John détourna la tête et il se couvrit la bouche pour étouffer un sanglot. Son autre main n'avait pas lâché celle de Jinny et ils restèrent un long moment ainsi, sans bouger ni parler. Jinny comprit alors que l'amertume et le ressentiment qu'il avait pu éprouver vis-à-vis de son père étaient en train de l'abandonner pour toujours et qu'à l'avenir, il s'entendrait avec lui comme il ne l'avait encore jamais fait. Elle sut aussi qu'entre ces deux personnalités, si semblables par bien des côtés, il y aurait encore des heurts, aussi bien dans le travail qu'à la maison, et que ce serait à elle d'arranger les choses. Elle aurait beau être mariée, cela ne l'empêcherait pas d'être au service de ces deux hommes, courant de l'un à l'autre pour aplanir les difficultés, non plus comme une employée modèle, mais plutôt comme une âme sœur veillant sur l'équilibre de la maisonnée. Et en même temps, il faudrait qu'elle fasse semblant d'ignorer les commentaires qu'allait provoquer sa nouvelle situation. D'avance, elle savait qu'on allait dire : « Elle était décidée à en harponner un des deux, non ? Elle a eu une liaison avec le vieux et finalement elle a épousé le fils. Et tout ça, pour pouvoir dire son mot dans l'affaire. Il faut toujours se méfier de l'eau qui dort. »

Et Florence, alors ? Mon Dieu, Florence ! Et ses sœurs, qu'allaient-elles dire ?

Mais quelle importance ? Plus rien n'avait d'importance

maintenant. Elle allait partager la vie de John. Est-ce qu'elle l'aimait ? Elle ne le savait pas. Le sentiment qu'elle éprouvait pour lui était-il vraiment de l'amour ? Elle l'ignorait mais ne souhaitait rien d'autre au monde.

Soudain, John la prit par la taille et l'entraîna hors du salon. Toujours enlacés, ils montèrent l'escalier et, arrivés devant la porte de la chambre de Bob, ils rapprochèrent leurs visages et ils s'embrassèrent jusqu'à ce que John, lâchant la taille de Jinny, pousse la porte d'un air décidé.

Aubin Imprimeur

LIGUGÉ, POITIERS

Cet ouvrage a été imprimé
sur du Bouffant Lac 2000
des papeteries Salzer
et relié par la Nouvelle Reliure Industrielle à Auxerre

Achevé d'imprimer en novembre 1990
pour le compte de France Loisirs
123, bd de Grenelle, 75015 Paris
N° d'édition 25190 / N° d'impression L 36307
Dépôt légal, novembre 1990
Imprimé en France